LA CAPITULATION TRANQUILLE
Kari Levitt

Kari Levitt

LA CAPITULATION TRANQUILLE

Traduit de l'Anglais
par André d'Allemagne

Préface de
Jacques Parizeau

éditions
l'étincelle

Cet ouvrage a été publié grâce à une subvention accordée
par le Conseil Canadien de Recherche en Sciences Sociales
et provenant de fonds fournis par le Conseil des Arts du Canada.

Éditeur: Éditions l'Étincelle
        C.P. 702, Outremont, Québec

Distributeur: La Maison Réédition-Québec
            25, rue Villeneuve Ouest
            Montréal, Québec H2T 2R1

Troisième tirage, avril 1973.

Préface

Le dossier de l'investissement étranger au Canada est étonnant. Ce pays dont on affirme toujours qu'il a le deuxième niveau de vie du monde, n'a jamais renoncé à être un des principaux importateurs de capital. Alors que son niveau d'épargne, compte tenu de son revenu, devrait, sous d'autres cieux et dans d'autres circonstances, lui donner accès au club des exportateurs de capitaux, le Canada a réussi le tour de force, en un certain sens, de maintenir un déficit d'épargne important, et surtout de s'en faire une vertu.

Historiquement, le phénomène est compréhensible. Les dimensions énormes du pays et sa faible population rendaient le coût de l'infrastructure par tête exhorbitant. Quel qu'eut été le niveau de revenu des Canadiens de la fin du XIXe siècle, ils n'auraient jamais pu financer les chemins de fer transcontinentaux.

L'importation de capital, à cette époque, devait logiquement entraîner une augmentation massive de la population. L'ouverture au peuplement de tant de nouvelles régions n'était pas justifiable autrement. Or, cela ne s'est pas produit. Le Canada a continué de développer une infrastructure moderne sans avoir la population nécessaire pour la financer. Cela pouvait vouloir dire que l'importation de capital se prolongerait bien plus longtemps que cela n'eût été nécessaire si la population avait atteint rapidement quarante ou cinquante millions d'habitants.

Mais surtout ce décalage a créé une habitude du capital extérieur, une dépendance réelle et une dépendance psychologique aux sources d'épargnes étrangères qui a coloré et qui colore encore les politiques du gouvernement canadien, ou plutôt de tout l'appareil gouvernemental du Canada. La hantise des réactions du marché financier de New-York, les contrôles qui peuvent y apparaître et à plus forte raison les dangers d'y voir l'accès limité, affectent les gouvernements municipaux et provinciaux au moins autant que le gouvernement fédéral lui-même.

Les problèmes récents des Etats-Unis avec leur balance des paiements n'ont fait qu'accentuer les craintes et que rendre les gouvernements canadiens encore plus soucieux de ne pas provoquer de quelque façon que ce soit la rupture de ce qui est connu comme le cordon ombilical d'un nouveau-né qui n'arrive pas à vieillir.

Dans ce climat, une ambiguïté fondamentale est apparue très tôt dans l'histoire canadienne. Tant que les capitaux britanniques étaient dominants, la règle normale de leur entrée au Canada était le placement de portefeuille. Au contraire à partir du tournant du siècle, l'investissement américain croissant au Canada a pris deux formes distinctes : d'une part le placement de portefeuille dans des titres gouvernementaux et dans des obligations de compagnies, d'autre part l'investissement direct dans des sociétés canadiennes qui deviennent alors des filiales de sociétés-mères américaines.

Il s'en faut de beaucoup qu'en termes de montants la seconde composante soit aussi importante que la première. Elle était cependant appelée à jouer, dans la structure de l'économie canadienne, un rôle sans aucune mesure avec l'autre.

Les filiales américaines se sont graduellement concentrées dans trois secteurs : l'extraction et l'utilisation des matières premières, l'industrie manufacturière orientée vers les marchés de consommation et certains types de service.

Le premier groupe est à la fois le plus évident et celui qui présente le moins de difficulté analytique. L'exploitation minière et forestière, son prolongement dans les usines de raffinage et d'affinage ou de concentration d'une part, dans la pâte et le papier journal d'autre part, découlent assez directement d'avantages indiscutables, au niveau de la concurrence internationale, de la qualité des richesses naturelles disponibles au Canada.

Dans le cas de l'industrie manufacturière orientée vers le marché domestique, on ne peut comprendre ce qui s'est produit qu'en faisant appel à plusieurs facteurs à la fois: l'établissement à partir de 1878 d'un tarif douanier orienté nettement dans le sens de l'industrialisation du pays, la communauté croissante de culture, de goûts et de modes de chaque côté de la frontière, la concurrence normale sur le marché canadien des grandes firmes américaines, l'extra-territorialité des lois anti-trust des Etats-Unis, plus tard les accords de fourniture militaire entre les deux pays, tout cela a contribué à faire apparaître au Canada un grand nombre de sociétés américaines qui ont « plaqué » sur le marché canadien, le genre de structure industrielle, les mêmes produits, le même degré de diversification de qualité qu'on retrouve souvent au sud de la frontière. Les marchés n'étant évidemment pas de même taille, il était inévitable que l'on voie apparaître au Canada des excédents périodiques de capacité de production et que le fractionnement des courses provoque des coûts beaucoup trop élevés, en dépit des différences de salaire entre les deux pays. Il était normal aussi que plusieurs des indépendants canadiens disparaissent ou soient intégrés graduellement à la succursalisation générale de l'économie.

L'entrée des filiales dans certains services financiers, techniques ou commerciaux ont des conséquences variables selon les secteurs. La diffusion de périodiques et le contrôle de plusieurs canaux de distribution ont eu tendance à préparer l'implantation industrielle ou à la renforcer singulièrement.

Quoi qu'il en soit, la situation est maintenant devenue telle qu'aucun autre pays industriel n'est à ce point marqué par la succursalisation. La plupart des pays occidentaux cherchent à combiner à la fois l'entrée des capitaux et des techniques des grandes sociétés internationales et à en contrôler la progression. Le Canada cherche maintenant à se définir par rapport à elles alors qu'elles ont acquis des positions sans parallèle ailleurs.

Le professeur Levitt écrit à ce sujet ce qui est, à mon sens, un livre d'une profonde importance. Alors que le phénomène de la succursalisation donne lieu à plus de réaction émotionnelle que de véritable analyse, il faut que ceux qui se considèrent comme les professionnels de l'analyse économique trouvent le moyen de transposer sur la place publique le résultat de leurs travaux et de leurs réflexions.

Malheureusement il y a à cela deux obstacles majeurs. D'une part la transposition mécanique de vieux mais très élégants modèles d'entreprises a amené un assez grand nombre d'économistes à négliger complètement le concept même d'économie nationale. En second lieu, l'ésotérisme actuel de l'analyse économique tend à la rendre incompréhensible pour tout autre que le spécialiste.

C'est ce qui explique que la contribution apportée par les économistes canadiens à la discussion de la succursalisation de l'économie est, à une demi-douzaine d'exceptions près, ou nulle ou d'une naïveté extrême. Sortant de ses mathématiques, le spécialiste a tendance à déboucher sur les lieux communs.

C'est aussi dans ce sens que le livre du professeur Levitt est d'une remarquable originalité. Sans se départir d'une analyse rigoureuse de la réalité, qu'elle doit expliquer, Mme Levitt agence son livre essentiellement autour de deux pôles : la structure de l'économie canadienne et le rôle des centres de décision. La succursalisation a changé la structure même de l'économie; elle l'a infléchie, a déterminé certaines caractéristiques qui lui sont propres. D'autre part, elle a changé jusqu'à la notion même de décision économique que l'on a l'habitude de situer dans un contexte national. Le

Canada comme entité collective ou politique a changé à cause de la succursalisation. Les rapports de l'entreprise et de l'Etat ne peuvent être ceux qui existeraient si la majorité des centres de décision étaient internes.

D'ailleurs, comme dans bien des cas l'essentiel du financement de la succursale provient du Canada, comme les Canadiens en arrivent à fournir eux-mêmes la majeure partie des capitaux nécessaires aux succursales, l'accent placé autrefois sur « l'entrée » du capital se déplace vers la décision d'investir ou de ne pas investir, d'orienter la production ou le marché dans un sens ou dans l'autre.

L'ouvrage se termine sur des remarques qui sortent nettement du cadre de l'analyse économique et qui rejoignent une des préoccupations dominantes du milieu québécois: si vraiment le concept même d'économie nationale disparaît, pourquoi les Canadiens français ne chercheraient-ils pas à s'entendre directement avec les Américains? Quels avantages tireraient-ils d'une entente avec des Canadiens anglais qui ne sont plus que les gérants d'une économie qu'ils ne contrôlent plus? Pourquoi l'unité politique si la cohésion économique n'existe plus?

On rejoint ainsi le cœur d'un débat qui, commencé il y a quelques années sur le terrain de l'économie et des finances, risque de se terminer sur le terrain politique. Les fédéralistes devront, peut-être, un jour considérer que James Coyne et Walter Gordon, qui ont maintenant tous deux quitté la scène fédérale auraient dû davantage être écoutés. En s'opposant, comme ils le faisaient à la continentalisation graduelle de l'économie, c'est peut-être le Canada qu'ils cherchaient à sauver.

Jacques Parizeau, Juin 1971.

Introduction
à l'édition anglaise

Ce livre décrit brièvement la régression du Canada à l'état de satellite économique, politique et culturel des Etats-Unis. Je tente d'y expliquer le processus d'érosion de l'unité politique et de l'esprit d'entreprise qui a conduit la nation au seuil de la désintégration. Mes collègues qui cherchent la lumière dans l'accumulation des données regretteront peut-être l'absence de faits nouveaux. Par contre, ceux qui doutent comme moi de la rentabilité de nouvelles recherches sur l'effet des investissements étrangers directs, en dehors d'un cadre de référence plus adéquat, ou en jargon technique, d'un meilleur modèle, trouveront peut-être ici le stimulant pour formuler des questions nouvelles et significatives.

Je dois beaucoup à bien des personnes : certaines qui partagent mes idées, d'autres qui n'en admettent aucune. L'insistance gentille mais impitoyable de mon collègue Charles Taylor m'a arraché quelques articles de fond pour le Nouveau Parti Démocratique sur la question des investissements étrangers au Canada ; j'ai présenté de vive voix aux membres du Conseil national du NPD, en mai 1966, le canevas de ma thèse. Un travail sur l'économie des plantations que j'avais effectué en collaboration avec M. Lloyd Best, de l'University of the West Indies, lors de son séjour de 2 ans à l'Université McGill, m'a aidé à cerner le concept de néo-mercantilisme. J'aimerais aussi remercier mon ancien professeur, M. John Dales qui m'a fait découvrir Harold Innis, le plus grand historien de l'économie canadienne, en me plongeant de force dans l'univers innisien des fourrures, des pêcheries et des produits de base, à l'époque où le département d'Economie Politique de l'Université de Toronto n'était pas encore devenu une succursale de l'orthodoxie intellectuelle américaine. J'ai surtout appris chez le professeur Hugh Aitken qui maintient, à l'encontre de la plupart des économistes canadiens, que le meilleur moyen de comprendre le développement économique du Canada au XXe siècle demeure l'étude des caractéristiques spécifiques des produits de base, telle que développée dans les œuvres du professeur Innis.

L'article que voici transformé en livre date de la fin de 1967 et du début de 1968. Je tiens à remercier les éditeurs de la revue antillaise *New World Quarterly,* qui ont accepté de publier « Dépendance économique et désintégration politique : le cas du Canada », malgré sa longueur et l'intérêt secondaire qu'il présentait pour plusieurs lecteurs. J'achevais cet essai, en 1968, quand parut le rapport Watkins. La raison des ressemblances que l'on pourrait y trouver est évidente : les deux textes reposent sur les mêmes faits et puisent considérablement dans la meilleure compilation de données sur le sujet : les travaux pratiques du professeur A. E. Safarian.

Je veux également remercier tous les amis et connaissances qui m'ont encouragé lors de la rédaction de l'essai original et convaincu de continuer mon travail. J'ai une dette particulière envers M. Marc Eliesen, directeur des recherches du Nouveau Parti Démocratique, qui a mis à ma disposition les documents qu'il avait recueillis au cours des ans. Durant la préparation finale du manuscrit, j'ai grandement bénéficié des conseils de mon collègue et ami, le professeur Abraham Rotstein, et du travail de revision de Mme Diane Mew, de Macmillan Company of Canada.

En développant le texte original, je me suis abstenue de corriger et de reviser systématiquement les données statistiques de ma recherche : je crois en effet qu'il ne s'est rien produit depuis le changement du gouvernement, en 1968, qui ait changé la nature fondamentale du problème canadien. J'ai fait porter mes efforts sur l'analyse du processus de pénétration de l'économie mondiale par les investissements directs des entreprises capitalistes.

Plusieurs lecteurs seront sans doute déçus de l'absence de solutions toutes faites. On en déduira peut-être que je considère irréversible l'intégration progressive du Canada dans l'économie capitaliste américaine. On aurait tort. L'histoire n'apparaît inéluctable qu'une fois vécue.

J'espère que ce livre renforcera la détermination des Canadiens à reprendre en main l'économie de leur pays, conscients que le rapatriement du pouvoir économique est une condition préalable à l'existence d'une démocratie véritable. La mobilisation autour d'un nationalisme nouveau est le seul moyen de forcer les gouvernements fédéral et provinciaux à utiliser leurs pouvoirs législatifs pour restreindre l'influence des grandes sociétés étrangères sur notre milieu social et écologique. Sans une ferveur nationaliste populaire, les gouvernements fédéral et provinciaux ne pourront que continuer à assister à la destruction de l'indépendance culturelle, économique et politique du Canada.

Kari Levitt,

Montréal/Port d'Espagne 1970.

Post-scriptum à l'édition québécoise

Vers la décolonisation: Canada et Québec

Bien que ce livre n'ait paru qu'en 1970, je l'avais écrit dès 1968, avant que l'équipe Trudeau n'accapare la direction de l'*establishment* d'Ottawa. Depuis, le Canada a continué d'être intégré de plus en plus dans l'économie américaine, comme l'ont largement démontré les auteurs du rapport Gray. La vulnérabilité de la position commerciale du Canada devant les pressions du gouvernement américain, grâce aux ententes bilatérales comme le pacte de l'automobile ou le partage de la production d'armements, est maintenant bien évidente.

Par ailleurs, le gouvernement fédéral a délibérément adopté des politiques économiques génératrices de chômage dans la croyance erronée et répréhensible que cette politique est la seule capable de freiner la montée des prix. Ce sont les régions et les provinces les plus pauvres qui ont subi les pires contrecoups de cette politique et elles sont plus désenchantées que jamais du gouvernement fédéral. Le Québec français continue à être la source la plus dynamique de changement social et politique au Canada, tout en étant la province la plus durement touchée par le chômage. Les traumatismes provoqués par la crise d'octobre '70 y ont affermi l'engagement national à l'autodétermination, pendant que les syndicats ouvriers déclaraient ouvertement la guerre à un pouvoir et à un système capitalistes qui infligent au peuple la violence humiliante du chômage mais protègent les intérêts et privilèges des grandes entreprises.

Le Québec est nettement engagé dans un processus d'identification dont les répercussions sont inconnues de tous les participants, mais qui influencera l'avenir de tous les Canadiens et tranchera le nœud gordien du problème d'identité des *Canadians*. Il devient de plus en plus évident que le Canada anglais ne saura redéfinir ses relations avec les Etats-Unis, et particulièrement avec les entreprises américaines au Canada, tant qu'il n'aura pas décidé ce qu'il veut être comme collectivité. Comme l'écrivait un éditorialiste de la *Gazette* de Montréal, dans un article sur les recommandations du rapport Gray : « Nous ne saurons pas quoi faire de l'investissement étranger tant que nous ne saurons pas quoi faire de nous-mêmes ».

Les Etats-Unis ont perdu beaucoup d'assurance dans leur position indisputée de grand manitou du monde occidental. Les mesures d'urgence prises en août 1971 pour forcer une réévaluation des monnaies japonaise et européennes en témoignent. Ces mesures visent à soulager le dollar américain en imposant un ajustement au reste du monde occidental. Derrière la crise de la balance des paiements américains, il faut voir les conséquences de la guerre du Viet-Nam, une guerre aussi coûteuse et désastreuse que longue et immorale, l'incapacité du gouvernement américain de contenir l'expansion à l'étranger des grandes sociétés américaines, et évidemment la concurrence croissante de l'Europe et du Japon.

Les Etats-Unis aboliront tôt ou tard la surcharge de dix pour cent, mais le néo-protectionnisme américain est désormais implanté. Cette nouvelle menace, ainsi que l'entrée de l'Angleterre dans le Marché commun, font frémir de terreur l'*establishment* commercial canadien. Ajoutons à cela les vents de changements qui soufflent du Québec, pour conclure à la fin prochaine du long après-guerre de confortable dépendance néo-coloniale dans le giron des Etats-Unis. Pour tous ceux que cette abondance a oubliés : les pauvres, les vieux, les chômeurs, les Monsieur Tout-le-Monde, évincés de la course humaine par la rationalisation et la concurrence, notre supposée prospérité n'a été qu'une sinistre plaisanterie comme elle l'a été aussi pour tous les jeunes chômeurs diplômés que rejette une économie menottée par l'exploitation abusive des ressources naturelles et au service exclusif d'une culture de consommation importée des Etats-Unis.

Avec le recul des deux dernières années, il m'apparaît maintenant que l'apport principal de *La capitulation tranquille,* c'est la thèse selon laquelle le « sous-développement », tant canadien que québécois, se perpétue d'abord et avant tout par le sentiment collectif de dépendance et d'impuissance vis-à-vis la prétendue supériorité des institutions économiques, politiques et même culturelles de la métropole dominante. Il s'ensuit que le processus de libération du sous-développement et du statut de pays périphérique commence nécessairement par un effort collectif d'auto-définition et d'affirmation. Une société qui ne se définit qu'en termes de valeurs étrangères et importées, et qu'obsède la nécessité de « rattraper » le train de vie métropolitain se condamne à un statut néo-colonial et se livre bras ouverts à l'exploitation économique de ses ressources et de ses marchés par des intérêts privés et généralement étrangers. Cela est vrai du Québec comme ce l'est du Canada.

Dans cette perspective, notre premier ministre Pierre-Elliott Trudeau est l'incarnation vivante de la mentalité de colonisés des Canadiens. M. Trudeau est revenu d'une visite dans la métropole impériale, porteur d'une promesse de « paix prochaine » et extasié, a-t-on dit, devant une « percée » et une perspective « nouvelle et fantastique ». Il semble que le président américain ait appris au premier ministre que le Canada constitue un pays et un peuple distincts (sic) et l'ait assuré que son pays a tout intérêt à ce qu'il en reste ainsi ! M. Trudeau a confié aux journalistes que les Canadiens peuvent désormais discuter de leurs aspirations « plus librement, avec moins d'appréhension et moins de complexe d'infério-

rité ». M. Nixon, faut-il croire, vient de nous accorder l'indépendance.

Le but du pèlerinage de M. Trudeau demeure obscur.
Peut-être, à la veille d'un scrutin fédéral, fallait-il montrer
aux électeurs craintifs que nos velléités de régir l'activité des
sociétés américaines au Canada ne nous attireront point la
foudre des Dieux. Ou peut-être monsieur Trudeau avait-il
besoin d'être rassuré qu'un refus de sa part de céder les
garanties d'emploi obtenues par les gouvernements précédents
dans le pacte de l'automobile, ou un refus de laisser monter
le dollar canadien au niveau exigé par Washington, ne provo-
queront pas l'occupation militaire du Canada !

La liberté ne se demande pas, elle se prend, autant au
niveau collectif que personnel. Il faut clairement indiquer
que l'intégration du Canada dans le système capitaliste américain, décrite dans ce livre, n'est pas irréversible. Si nous
avons glissé dans l'engrenage, ce n'est pas que le méchant ogre
américain ait voulu nous réduire en chair à pâté. Le Canada
se retrouve dans la position d'une riche colonie sous-développée parce que ses hommes d'affaires et ses gouvernements
n'ont rien fait depuis la Deuxième Guerre Mondiale pour y
freiner la croissance des sociétés américaines. Il n'est pas
impossible de transformer nos « relations particulières » avec
les Etats-Unis en relations d'égalité. Mais ce n'est pas en
allant mendier des garanties dans la capitale de l'empire que
nous résoudrons le problème canadien. L'indépendance ne se
quémande pas, elle se prend.

L'héritage hiérarchique colonial a profondément marqué
le mandarinat fédéral. Sur la colline du Parlement, on considère le pouvoir métropolitain comme une émanation céleste
planant sur un pays qui, d'un océan à l'autre, n'aspire qu'à
être dirigé. Statut de Westminster, déclaration d'indépendance par Richard Nixon ; de l'ancienne métropole à la
nouvelle... A l'intérieur du Canada, une perception hiérarchique des relations entre gouvernants et gouvernés imprègne
les rapports entre Ottawa et toutes les sections de la population. « Insurrection appréhendée » au Québec ? Vite les

troupes ! (Relent du corps expéditionnaire dépêché pour écraser l'insurrection Riel ?) Mais il n'est pas possible non plus de régler les problèmes des fermiers de l'Ouest, des pêcheurs des Maritimes ou des Amérindiens par un paternalisme bureaucratique, si argenté soit-il. Les mandarins fédéraux broient l'esprit d'initiative local au nom d'une planification qui s'avère dans les faits plus fictive que réelle. Alors que l'étau d'Ottawa sur les régions et les provinces s'était desserré au cours du règne pragmatique de M. Pearson, il est réapparu avec l'accession au pouvoir de M. Trudeau, dont les concepts autoritaires de gouvernement reflètent fidèlement l'héritage colonial canadien du 19e siècle, et dont la philosophie découle directement du 18e. Comment le Canada pourrait-il affirmer son indépendance devant les Etats-Unis quand son gouvernement renforce les relations hiérarchiques de dépendance à l'intérieur du pays ? Le fédéralisme cher à M. Trudeau n'est-il pas aussi dysfonctionnel pour les autres régions qu'il l'est pour le Québec ?

* * *

Une vague de nationalisme économique déferle aujourd'hui sur le Canada. Amorcée par Walter Gordon, reprise par Melville Watkins — depuis la position du rapport Watkins jusqu'aux thèses du mouvement *Waffle* — elle recrute un nombre croissant de partisans dans toutes les sections de la population, qui sentent que le temps est venu de nous départir de notre impuissance traditionnelle et de notre sentiment d'infériorité devant tout ce qui est américain. Même le Parti Libéral et le Parti Conservateur sont traversés par des courants d'opinion qui laissent croire qu'on joue des coudes pour s'assurer l'appui de l'électorat nationaliste, tout en conservant une plate-forme modérée et sûre. *La capitulation tranquille* a contribué à cette marée de nationalisme économique. Le rapport Gray semble y avoir puisé sa structure analytique. Cependant, il reste d'importantes questions à débroussailler.

Le premier parti à refléter la remontée actuelle du nationalisme économique a été le Nouveau Parti Démocratique, mais cette position avait toujours été essentiellement Conservatrice, découlant des « politiques nationales » de Macdonald et centrée sur les intérêts ontariens. Les libéraux, eux, ont toujours défendu l'option continentaliste. Les nationalistes canadiens, qu'ils soient conservateurs, néo-démocrates ou à la Walter Gordon, sont toujours partis du principe qu'il fallait un gouvernement central puissant pour défendre les besoins culturels et sociaux des Canadiens contre l'expansionnisme concurrentiel des grandes sociétés américaines. Le nationalisme économique canadien a toujours été carrément jumelé à un nationalisme territorial à la recherche d'un Canada « a mari usque ad mare ».

La volonté d'indépendance suppose l'existence d'une communauté sociale. Est-il vraiment certain que l'action du gouvernement central constitue le meilleur moyen d'assurer l'indépendance économique ? Il va de soi que l'Etat doit affirmer son autorité sur les sociétés multinationales. Et dans le secteur des ressources naturelles, il n'y a pas de contrôle efficace sans la propriété d'Etat. Mais quand nous croyons que le gouvernement fédéral est le meilleur des outils dont nous disposons, nous sommes stupéfaits devant la difficulté de mobiliser le Québec et les autres provinces pour une action commune. J'ai des collègues de langue anglaise qui prétendent que l'indépendance du Québec est souhaitable : les deux nations nées de la scission pourraient, croient-ils, former un axe Ottawa-Québec capable d'affronter la présence américaine dans le territoire du Canada actuel. Peut-être.

Mais s'il est clair que le Québec désire exercer sa souveraineté sur son milieu culturel, économique et social, et réclame les outils politiques et fiscaux qui lui manquent, « le reste du Canada » forme-t-il véritablement une communauté sociale et nationale comme l'implique leur thèse ? Est-il évident que les intérêts des Ontariens et ceux des gens de l'Ouest, et des Maritimes, sont compatibles ? Le « reste du Canada » est-il plus que le reste d'une soustraction ? N'est-il pas plus conforme à la réalité canadienne contemporaine de considérer chacune des grandes régions du Canada anglais — la Colombie Britannique, les Prairies, l'Ontario ou les Maritimes — comme des communautés sociales distinctes, partageant un nombre limité et défini d'intérêts communs ? La structure fédérale actuelle est-elle une nécessité historique et inéluctable ? Telles sont les questions que devront éventuellement se poser les Canadiens anglais.

Malgré la montée du nationalisme canadien anglais il ne semble pas y avoir présentement de conjoncture capable de forcer l'impasse et d'imposer une solution au problème capital : qui sommes-nous ? pourquoi désirons-nous la maîtrise de notre milieu économique ? quels risques sommes-nous prêts à encourir ? quel prix sommes-nous prêts à payer ? Il semble de plus en plus que la crise d'identité du Canada ne sera pas résolue tant qu'une majorité de Québécois ne se sentiront forcés de franchir la ligne délicate entre leur frustration totale au sein du fédéralisme et l'option pour l'indépendance. Malgré leurs craintes et leurs hésitations, ils sont de plus en plus attirés vers le sentiment que l'ordre social nouveau qu'ils cherchent a besoin d'un « siège social » unique, d'un gouvernement capable d'équilibrer l'activité économique et les besoins sociaux, et surtout d'un gouvernement assez accessible pour répondre aux besoins du peuple.

Ici au Québec, la vieille résistance à l'assimilation se fond de plus en plus avec le rejet d'un ordre économique jugé injuste, violent, inhumain et immoral. Le mouvement nationaliste populaire fonce vers l'affrontement avec le pouvoir. Or, ce pouvoir est essentiellement fondé sur la puissance économique et financière américaine et anglo-canadienne, renforcée par la structure à deux paliers du système politique canadien. Les restants de l'illusion que c'est le gouvernement fédéral qui protège la démocratie et la liberté au Québec se sont dissipés au vent glacial de l'hiver 1970, quand Trudeau et compagnie ont délibérément tourné contre le Québec la fureur d'un nationalisme canadien-anglais perverti. Le courant nationaliste et le courant populaire confluent dans cet affrontement avec le pouvoir, nonobstant les positions officielles du Parti Québécois qui s'affirme ouvert à tous les éléments de la société, et les déclarations des centrales syndicales à l'effet que le conflit s'explique essentiellement en termes de lutte de classes.

Le Québec français, qui est le fragment d'Europe le plus ancien et le plus cohérent d'Amérique du Nord, émerge, en un sens, après 300 ans de résistance farouche à l'assimilation, comme un affleurement du Tiers-Monde à l'intérieur du Nouveau Monde. Forgé par des siècles d'endurance et de débrouillardise dans des conditions d'isolement, protégé par une langue distincte dans l'océan capitaliste nord-américain et par une culture où la dominante catholique refrène l'individualisme débridé de la jungle mercantile, aiguillonné par la menace croissante de la minorité anglophone montréalaise, le Québec français a de meilleures chances que le Canada anglais de réussir la grande mobilisation populaire, préalable à toute lutte contre le grand capitalisme nord-américain.

Au Québec, le pouvoir a bien des visages. Les grandes sociétés, surtout américaines, en constituent le socle économique. Les entreprises canadiennes-anglaises, même indépendantes, en sont les féaux. Quant aux quelques grandes entreprises canadiennes-françaises, on imagine mal qu'elles pourraient survivre longtemps sans le soutien financier et politique de leurs parrains canadiens-anglais et américains. A ces relations économiques correspond une hiérarchie gouvernementale dans laquelle le centre impérial à Washington confie à Ottawa l'administration canadienne, pendant que le Québec, une sorte de sous-colonie, est régi par ses propres rois-nègres.

Le gouvernement fédéral et le gouvernement du Québec se partagent le pouvoir politique, et tous deux sont sensibles aux pressions du pouvoir économique. A Ottawa, les racines du mandarinat de la Fonction publique, du monde des affaires et du Parti Libéral s'entremêlent depuis longtemps de façon inextricable. Quant au gouvernement québécois, l'absence chronique des fonds nécessaires à la mise en place des services et à la création des emplois dont dépend son succès électoral le rend particulièrement vulnérable. Seul le gouvernement fédéral peut recourir à la Banque du Canada, tout comme il peut ouvrir ou fermer les robinets de ses largesses envers les provinces. Ainsi, au lendemain de la crise d'octobre, le ministère de M. Marchand choyait la région de Montréal à coups de millions. Le gouvernement du Québec est encore plus vulnérable devant les financiers et les grandes sociétés étrangères, capables d'améliorer l'avenir politique (et peut-être personnel) des politiciens, par l'entremise des projets spectaculaires comme l'obscure mise en valeur de la Baie James ou les scandaleuses concessions accordées à Rayonier-ITT. Il est aussi constamment soumis à l'ingérence financière de Ames and Co., du Royal Trust, et surtout de la Banque de Montréal, dont Jacques Parizeau décrivait un jour le grand patron comme le ministre des Finances parallèle. Le pouvoir a bien d'autres ramifications, trop nombreuses pour que nous les décrivions toutes ici. Menacé par la montée d'une opposition populaire, ce pouvoir défend ses profits et ses privilèges avec une absence de scrupules comme on a pu le constater depuis quelques années.

En l'absence d'entreprises canadiennes-françaises autochtones et capables de survivre sans le parrainage de tuteurs américains ou canadiens-anglais, toute contestation efficace du pouvoir devrait d'abord être dirigée contre la puissance économique étrangère au Québec, et devrait déboucher sur une forme de socialisme démocratique, humaine et typiquement québécoise. La « révolution tranquille » a fait la preuve qu'un étatisme technocratique, qui ne menace pas les véritables structures du pouvoir et se contente d'imiter les grandes lignes du développement nord-américain, ne peut que nous ramener à un néo-duplessisme « servi à la moderne ». Une indépendance politique qui négligerait de briser l'étreinte du capital étranger sur la vie économique du pays serait menacée à cause de sa vulnérabilité au chantage et à la corruption. Un socialisme qui ne serait pas démocratique et ancré dans la volonté populaire ne saurait ni construire une société attentive aux besoins des hommes, ni assurer la mobilisation massive capable de la protéger contre ses propres classes dirigeantes.

Devant le défi de la situation, les intellectuels, surtout ceux qui étudient et enseignent les sciences économiques, ont une responsabilité considérable. Il est vrai que la science économique véhicule des concepts et des jugements de valeur implicites qui servent les intérêts du capitalisme. Cela est particulièrement vrai des théories à la mode sur les problèmes de développement et de sous-développement. Ecœurés par le manque de pertinence d'une grande partie de la théorie économique universitaire, beaucoup d'étudiants ont tendance à se désintéresser des études sérieuses et à succomber au culte des graffiti, laissant aux « squares » le soin de se procurer le billet d'entrée pour la classe moyenne, billet qui perd de plus en plus de sa valeur à mesure que les jeunes diplômés viennent grossir les rangs des chômeurs. Les élans révolutionnaires des amateurs d'images et de slogans importés appartiennent au monde du théâtre de guérilla. Le théâtre a sa place, mais la lutte contre la tyrannie du chômage et les autres tares déshumanisantes du capitalisme exige avant tout un sérieux travail d'auto-définition en fonction des besoins indigènes des Québécois et de leurs propres institutions.

A ceux qui étudient l'économie, j'aimerais signaler que la dichotomie marxiste-bourgeois est simpliste et un peu absurde, un manichéisme de cow-boys et d'Indiens. Cette fausse dichotomie ne peut pas remplacer la patiente recherche des faits, la formulation des questions justes, la compétence et la connaissance capables de résister aux magiciens qui embrouillent et effraient le public, sciemment ou non, avec des termes techniques. Il faut d'abord définir les structures sociales, économiques et politiques spécifiques au Québec, et créer les institutions qui donneront au peuple le pouvoir *réel*.

Il est dans la nature du système en place de faire miroiter devant nous des fausses options. Les options sont fausses parce qu'elles ont été conçues *pour* nous et non *par* nous. Une université véritable et fonctionnelle ne peut se contenter d'être une manufacture de techniciens et de futurs technocrates férus d'efficacité capitaliste, ni un lieu de théâtre de guérilla. L'université doit apporter sa contribution à l'infrastructure intellectuelle de la société nouvelle. Dans le domaine des sciences économiques, il existe, ici comme au Canada anglais, une pénurie de travaux ayant une portée sociale, si l'on excepte l'œuvre de quelques individus isolés ou quelques études importantes commandées par les gouvernements. Aussi longtemps qu'il en sera ainsi, on devrait hésiter à critiquer ceux qui, malgré leur peu de moyens, tentent de modifier les conceptions populaires du système économique. Les auteurs du manifeste intitulé « Ne comptons que sur nos propres moyens » ont fait œuvre utile en diffusant certaines données fondamentales, essentielles au procès du régime économique actuel. Je tiens à préciser, cependant, que je ne partage pas l'avis des auteurs qu'on doive aborder les problèmes du peuple québécois dans l'optique d'une dichotomie simpliste patrons-employés ou que l'on doive recourir à l'obscur jargon marxiste sur la plus-value. On ne peut mettre sur un même plan Power Corporation ou ITT, et le petit employeur qui n'a que deux ou trois ouvriers à son service ; le travailleur qui gagne un dollar cinquante l'heure dans l'industrie du vêtement est d'une autre classe de salariés que le professeur d'université syndiqué ou le haut fonctionnaire, de même que les travailleurs syndiqués sont favorisés par rapport aux non-syndiqués et ces derniers par rapport aux chômeurs. Toutefois, ce document souvent erronné, dans les faits comme dans sa conception même, est moralement juste.

Nous vivons dans un système qui défend la propriété plutôt que l'homme et qui doit, pour croître et se perpétuer, asservir les processus judiciaires, électoraux et administratifs ainsi que les media. Pis encore, ce système pratique le chantage du chômage pour intimider le peuple, l'enfermer dans le cercle vicieux de la consommation, de l'épargne et de l'emprunt, le maintenir dans une angoisse constante alimentée par la hausse systématique du seuil de ses besoins, et enfin pour tirer un profit des biens qu'il crée, de ceux qu'il achète, de l'argent qu'il est forcé d'emprunter et même de celui qu'on le convainc d'économiser. La commercialisation impitoyable de toutes les relations humaines au nom de la croissance, du progrès et de l'efficacité profite aux propriétaires des grandes sociétés, de toute évidence, mais à qui d'autre ? Il faut poser la question.

Tous ceux qui ont marché rue Saint-Denis, le soir du 29 octobre 1971, dans une manifestation paisible et ordonnée, n'ont pas pu, en se heurtant au mur de masques de plexiglas, à la forêt de matraques qui leur barraient le chemin à l'ouest, ne pas éprouver physiquement l'existence de la structure dominante. Qui les policiers protégeaient-ils ? Protégaient-ils le peuple venu s'exprimer, ou protégeaient-ils plutôt le droit que s'est arrogé Jean Drapeau de forcer par la menace de la violence l'acceptation des injustices ?

M. Trudeau s'attend-il que les gens sérieux le croient quand il affirme, comme il l'a fait à Toronto le 2 décembre 1971 devant un groupe d'hommes d'affaires d'origine italienne, que « le Canada ne connaît pas, contrairement à d'autres pays, de noblesse, de mandarinat gouvernemental ou économique, de classe dominante perpétuée par les héritages ... ; (que) l'*establishment* n'y est le plus souvent qu'un conte de fées de plaignards qui l'évoquent à leurs propres fins » ? N'est-ce pas là la voix arrogante du pouvoir, amplifiée par l'assurance que seuls donnent les gras héritages ? La voix qu'on a entendu dire : « It's not my business to sell your wheat », « Mangez d'la marde ! », « Fuddle duddle ! » Il se peut que M. Trudeau croie sincèrement que les « plaignards » ne sont qu'une poignée de fauteurs de troubles sans importance. Il est de cette race d'hommes capables de se convaincre que tout mouvement populaire qui se dresse contre son conservatisme est une manifestation sans importance et méprisable. Serait-il incapable de comprendre les implications de la nouvelle prise de position des mouvements syndicaux québécois ? Le jour même où le premier ministre pontifiait devant ces marchands avec qui il venait de festoyer, le président de la F.T.Q., M. Louis Laberge, déclarait : « Quel que soit le modèle de société que nous recherchions, nous savons désormais que celle dans laquelle nous vivons ici au Québec, et plus généralement en Amérique du Nord, n'est pas faite pour nous ... Nous sommes tous menacés, que nous soyons instruits ou pas, qualifiés ou pas, syndiqués ou pas, par la même insécurité économique et par les mêmes instruments que déploie le pouvoir pour protéger les vrais bénéficiaires du système économique. »

* * *

Depuis la désintégration du régime Pearson, c'est du Québec qu'originent les forces dynamiques de changement au Canada. Les comparaisons clochent toujours, par définition. Mais malgré les différences importantes et évidentes entre les nègres noirs et blancs d'Amérique, il existe une ressemblance fondamentale. Les uns et les autres sont exclus, en tant que collectivités, de cet *establishment* dont M. Trudeau nous assure qu'il est le produit de notre imagination. Dans les deux cas, des individus peuvent accéder à l'*establishment* s'ils peuvent et s'ils consentent à s'intégrer à la culture dominante. Cette assimilation, c'est exactement ce que M. Trudeau et ses compères à Ottawa, offrent aux Canadiens français, mais c'est également l'option que rejette « le Québec qui se fait ». La redéfinition du Nègre américain en Noir, et du Canadien français en Québécois, demeure la force interne de changement la plus importante au sein des deux pays attenants. C'est une période de l'histoire qui ne fait que commencer et qui se terminera, soit par la suppression et le génocide de ces collectivités nationales et culturelles, soit par la redéfinition de la collectivité dominante. La dynamique du mouvement d'auto-détermination politique, économique et sociale au Québec force le Canada anglais à se redéfinir lui-même. La résurgence d'un fédéralisme centralisé et fort dans la tradition des origines coloniales canadiennes exprime la résistance à tout changement du « statu quo » en ce qui concerne la position défavorisée du peuple québécois.

Cette « ère québécoise » dans la politique canadienne remonte à la veille de l'élection de 1968, alors que M. Trudeau défia les nouveaux mouvements québécois par sa présence provocatrice au parc Lafontaine, lors du défilé de la Saint-Jean-Baptiste. Tous les commentateurs s'accordèrent pour dire que les événements de cette soirée qui aboutirent au matraquage de centaines de citoyens, des jeunes pour la plupart, ont contribué à la victoire électorale du Parti Libéral de M. Trudeau, le lendemain. Cette victoire, cependant, tourne au sur. La « crise d'octobre » a été jusqu'ici l'épisode le plus dramatique de l'ère québécoise. Elle fut et continue d'être mal comprise par le Canada anglais, y compris la gauche, qui l'a perçue principalement en termes de violation des droits civiques, implicite dans l'invocation de la Loi des Mesures de Guerre.

Comme j'écrivais dans Le Devoir du 25 novembre 1970 : « la tragédie d'octobre a été une tragédie canadienne-française, un drame québécois. Les acteurs de ce drame sont tous issus de la même matrice culturelle, leurs relations personnelles et politiques étaient très étroites ; ce sont des hommes engagés, qui ont tous participé à la transformation du Québec amorcée par les conflits sociaux, parfois violents, de l'ère duplessiste. La figure tragique de M. Pierre Laporte s'inscrit dans la même tradition ; sans parler du FLQ, un phénomène exclusivement québécois... Il existe au Québec des procédures politiques et des droits civiques que l'on ne trouve pas, habituellement, dans des républiques de bananes. Les républiques de bananes appartiennent à une ou deux entreprises étrangères ; les industries du Québec appartiennent à un très grand nombre d'entreprises étrangères, et ses institutions financières sont contrôlées par des intérêts canadiens — c'est-à-dire par des intérêts canadiens anglais. A bien des égards, pourtant, le système politique du Québec est comparable à celui des « néo-colonies », où les indigènes sont exclus de la propriété, du contrôle et d'une participation efficace à la gestion des entreprises. En pareil cas, le contrôle du gouvernement est la principale voie d'accès au pouvoir ;

la presse, les universités, les syndicats se politisent ; les hommes de valeur comme les ambitieux sont happés par la vie politique, soit en briguant les suffrages, soit en devenant technocrates, soit en utilisant les moyens d'information et les universités pour participer à la controverse politique.

« Jusqu'à ce qu'un groupe de politiciens québécois s'emparent du gouvernement fédéral — après avoir été invités à en faire partie par M. Pearson, qui croyait ainsi consolider l'unité nationale et l'image du Parti Libéral — le Canada anglais procédait d'une tout autre tradition politique. On s'est félicité de ce que le régime Trudeau marquait le début d'une nouvelle ère d'unité nationale. C'est toujours le sentiment de la majorité des Canadiens. Personne encore, au Canada anglais, n'a compris que l'équipe Trudeau-Marchand, a mobilisé tout le pouvoir de l'Etat canadien pour écraser ses adversaires personnels : les nationalistes québécois ...... Déjà avant la crise, l'aventure Trudeau paraissait fort mal engagée. Aucun progrès notable n'avait été enregistré depuis 1968 au chapitre de la négociation constitutionelle et de la fiscalité ; le gouvernement avait pourchassé avec une telle ardeur l'ombre de l'inflation qu'il avait laissé s'échapper la proie de l'économie ; le chômage était en hausse, et la hausse était sensiblement plus marquée au Québec que dans le reste du pays.

« Pourtant Mitchell Sharp, ministre des Affaires Extérieures, a profité de l'affaire Cross-Laporte pour proclamer la fin du séparatisme québécois ; ces propos aberrants sont ceux d'un homme qui ne comprendra jamais quelles forces attisent le désir d'une collectivité d'être maître de son propre destin. En effet, si le fédéralisme est un système de gouvernement qui fournit à certains Québécois le pouvoir de s'en prendre à des hommes modérés et tolérants comme Claude Ryan, si le fédéralisme est un système de gouvernement qui noie la responsabilité des élus du peuple dans l'ambiguïté et la confusion, si le fédéralisme n'a rien d'autre à offrir que la force, en dernière analyse, pour venir à bout des débordements engendrés par des frustrations fondamentales, alors le fédéralisme sera rejeté par un nombre toujours croissant d'esprits lucides — les jeunes et, ce qui peut être davantage significatif, plusieurs des moins jeunes. »

Sous le coup de la contrainte, comme lors de la crise d'octobre, des racines, des peurs et des expériences communes raffermirent les liens de la collectivité nationale. Les positions vis-à-vis l'*establishment* se sont établies par le fait de la nécessité de s'identifier ou de s'opposer à la lutte défensive pour la survivance nationale. Ne trouve-t-on pas là le sens de l'hommage rendu à Claude Ryan et au Devoir par Pierre de Bellefeuille, dans sa préface au recueil des positions éditoriales du Devoir pendant la crise d'octobre : « L'héritage du passé ne prend tout son sens que dans la confrontation constante avec notre devenir collectif. »

De la réalité de l'expérience collective du Québec émerge aussi la prise de position récente des centrales syndicales du Québec contre l'inhumanité du système actuel, et l'assertion de la nécessité d'une nouvelle société, qui soit socialiste, humaine, démocratique et dirigée par le peuple, plutôt que par les technocrates. Les prises de position des centrales syndicales du Québec en faveur de l'utilisation du français comme langue de travail et du droit du Québec à l'auto-détermination, y compris l'option pour l'indépendance politique, et l'orientation nouvelle vers une société socialiste et démocratique, contraste singulièrement avec la véritable intégration des syndicats ontariens dans la société nord-américaine.

Ce livre soutient que le libéralisme est la philosophie du capitalisme et, comme le dit George Grant, « ... fournit l'instrument idéologique pour homogénéiser les diverses cultures. » Par une analyse économique tout à fait « orthodoxe » on peut démontrer que les entreprises multinationales, en quête de profit et d'une emprise sur les marchés cherchent à augmenter les débouchés pour leurs produits, et que toute influence qui supprime la résistance culturelle aux modes de consommation de la métropole leur est d'un précieux apport. Le rejet de ces valeurs du capitalisme libéral fait disparaître la honte débilitante engendrée par la supposée arriération du

Canadien français. Tel est le pouvoir de l'auto-définition. C'est en ce sens, que Pierre Trudeau est la représentation vivante de cette mentalité coloniale qui voit en la culture indigène un obstacle à l'intégration dans les valeurs de « progrès » et de modernisme nord-américains.

L'auto-définition de la société québécoise en fonction de ses racines et de son héritage propres dans le contexte nord-américain suppose un effort collectif ayant pour but d'enrayer le déracinement dû à la puissance du marché capitaliste établi aux Etats-Unis. Les aspects national, social et économique de la lutte québécoise convergent vers un affrontement avec les pouvoirs privés américains et anglo-canadiens. Au moment d'écrire ce texte, c'est ce qui ressort de la nouvelle opposition menée contre le Bill 63 ainsi que du conflit de La Presse.

D'opposer la « lutte sociale » à la « lutte nationale », résulte d'une mauvaise interprétation des écrits de Marx. Ne nous a-t-il pas laissé le plus violent et le plus mordant réquisitoire contre le capitalisme qui écrase la collectivité sociale, commercialise et défait les relations personnelles et élémentaires d'homme à homme et les relations organiques de l'homme avec la nature ?

N'est-ce pas là la clef du paradoxe mentionné par M. Fernand Dumont lorsque, discutant de la nécessité d'établir de nouvelles valeurs, il posa la question : « Au fond, à bien y penser, y a-t-il vraiment des valeurs *nouvelles* ? Ce que nous appelons créativité est-il autre chose que la manifestation publique, dans les *œuvres,* de ce qui a été longtemps contenu dans les rêves » ?

De même que certains lecteurs, M. Dumont se demande si ces réflexions ne sont pas les vaines spéculations métaphysiques d'un poète. Je ne suis ni sociologue ni, hélas, poète. Je suis une économiste et une socialiste. Je rejette, pour des raisons humaines et morales, l'exploitation et la dégradation humaine d'un capitalisme corporatif basé sur l'efficacité, tel que nous le subissons en Amérique du Nord et je rejette également, pour des motifs semblables, le socialisme d'élite, basé sur l'efficacité, de type soviétique. Cette efficacité morbide asservit les besoins humains aux exigences des institutions économiques et politiques. Elle place les individus dans un état de dépendance. C'est dans ce sens que M. Dumont croit que le Québec a quelque chose d'original à dire. C'est ce qu'il appelle l'indépendance : une conjugaison, pour ici, de la créativité et du souvenir. Je suis d'accord avec lui pour demander : « une bonne fois, de pauvres gens comme nous le sommes pourront-ils inventer une démocratie originale à partir de leur petitesse ? » Cette perspective est implicitement contenue dans ce livre.

L'actuelle et pénible préoccupation du Canada anglais quant à la pénétration de son économie par des entreprises à siège social américain nous ramène inévitablement à la question suivante : quel type de société désire la collectivité ? A cette question, seule peut répondre une communauté qui soit réellement une collectivité culturelle, petite et suffisamment intime pour entraîner le dialogue collectif, et dont les pouvoirs technocratiques et politiques sont, vu sa petite dimension, sous la surveillance de la population qu'ils sont censés servir.

Nous avons été trop impressionnés par les prétendus avantages de l'ampleur dans l'organisation économique aussi bien que politique. L'expérience prouve que ces concepts ne sont pas immuables et qu'ils accentuent le sentiment d'impuissance dans une société petite et « sous-développée ». Il est faux de prétendre qu'une économie viable ne puisse être édifiée dans des pays beaucoup plus petits et plus pauvres que le Québec. Il n'est nullement évident qu'un grand ensemble politique bénéficie d'une meilleure position pour négocier avec les grandes entreprises multinationales.

Ce n'est pas l'ampleur ni la richesse qui importent dans de tels affrontements, mais la cohésion interne et l'esprit collectif d'un peuple indépendant et sûr de lui. N'est-ce pas une des leçons à tirer de la défaite des puissances françaises et américaines aux mains des paysans d'Indochine ? Aussi, on peut se demander si l'étendue du Canada, la richesse de ses ressources et sa force industrielle lui ont permis d'opposer une résistance efficace à la domination économique et culturelle des Etats-Unis.

Depuis l'accession au pouvoir du groupe que certains Canadiens anglais qualifient de « mafia québécoise » à Ottawa, les choses vont de mal en pis. Le gouvernement fédéral, par des mesures anti-inflationnistes irresponsables, a créé le plus haut taux de chômage depuis dix ans, et a tenté d'enrayer les conséquences économiques de ce désastre en élaborant un nouveau système de patronage, sous prétexte d'atténuer les disparités régionales. Des millions de dollars, pris à même les deniers publics, ont été remis à des entreprises privées. La plus grande partie de ces subventions ont enrichi des entreprises étrangères. Ces subsides ont entraîné un contrepoids de subsides provinciaux dont le but est d'inciter les compagnies privées à créer des emplois par-ci, par-là et partout. Les programmes pour favoriser le bilinguisme sont mal reçus à la fois dans les provinces anglophones, qui n'en ressentent pas le besoin et au Québec, où ils consolident la puissance des minorités anglophones. Ils sont rejetés surtout au sein de la Fonction publique fédérale. On en vient à penser que le système fédéral actuel s'avère de plus en plus impopulaire et inadéquat dans tout le pays.

On voudrait voir au Canada anglais une nation parallèle à celle qui, de toute évidence, existe au Québec, et qui concrétiserait l'idée des deux nations. Nous n'en sommes malheureusement pas là. Il existe au Québec une nation qui n'est pas un état souverain, et il y a l'état-nation canadien, dépourvu d'homogénéité culturelle. Il se définit négativement en ce sens qu'il est distinct des Etats-Unis et positivement en ce sens qu'il englobe le Canada français. Tel est le dilemme si lucidement expliqué par M. Léon Dion. C'est un signe des temps qu'un nombre croissant de Canadiens anglais commencent à croire qu'ils devront envisager la possibilité d'un Canada sans le Québec si un démembrement ou peut-être même une guerre civile doivent être évités, dans l'éventualité où l'électorat provincial donnerait au gouvernement du Québec mandat de négocier des modalités d'indépendance.

* * *

C'est dans le contexte d'une décolonisation progressive à la fois au Québec et dans le reste du Canada que doivent être envisagés le rapatriement et la restructuration des institutions économiques, qui sont à l'heure actuelle largement sous le contrôle de capitaux étrangers. Le plus sérieux obstacle à cette décolonisation n'est pas la menace d'une intervention par le gouvernement américain. C'est le chantage qui peut être exercé par les grandes entreprises, du fait qu'elles procurent de l'emploi à un grand nombre de travailleurs, au Canada et au Québec ; c'est notre système économique et politique qui leur confère un fort pouvoir de marchandage. Pour les politiciens, la création d'emplois se traduit par des votes.

En accordant des subventions à même les fonds publics sur une échelle toujours plus grande, les politiciens peuvent s'attribuer le mérite des emplois créés. Ils ne sont pas tenus responsables, cependant, pour les emplois abolis, quelquefois même par les compagnies subventionnées. Le cas le plus récent qui puisse illustrer ce type de chantage économique et politique a trait à l'une des plus grandes entreprises multinationales. Rayonier, une filiale d'I.T.T., a reçu du gouvernement québécois une subvention de 40 millions de dollars pour la création de 500 emplois, sur une vaste étendue des forêts nordiques, alors que C.I.P., une autre filiale d'I.T.T., congédiait plus de 600 ouvriers à Trois-Rivières. On tend à perdre de vue la facture que devront assumer les contribuables, surtout quand les argents proviennent des obligations gouvernementales, dont les conséquences dépassent l'horizon temporel des politiciens autant que du public.

Des pressions politiques peuvent évidemment être appliquées de façon plus directe, par la menace d'une fuite de capitaux. C'est ce qu'on pourrait appeler la technique du *Coup de la Brinks*. Si nécessaire, on peut utiliser la peur du chômage et du chaos, chez les travailleurs qui ont la chance de travailler (y compris la « majorité silencieuse »), pour influencer l'élection et pour gagner un appui en faveur d'une législation répressive, qui élimine les « plaignards » de M. Trudeau. La moisson amère de la dépendance économique renforce les psychoses de l'impuissance.

Pendant ce temps le chômage augmente et exige des mesures pour parer à la misère immédiate. Le Parti Québécois, les centrales syndicales ainsi que diverses associations et de nombreux particuliers ont proposé des éléments de solutions à court terme. Il existe, de plus, une tendance nouvelle et significative à l'action directe, de la part des comités de citoyens et d'autres corps analogues qui cherchent, quelquefois avec l'aide du gouvernement mais souvent contre les vœux des autorités, à susciter l'emploi par le truchement d'entreprises communautaires.

Dans le cadre de la politique actuelle, même en augmentant les mesures d'urgence, on n'arrivera jamais à constituer une solution permanente au problème du chômage. La pratique actuelle inclut des subventions aux grandes sociétés capitalistes au nom de l'efficacité et de la création d'emplois, alors que partout des travailleurs sont mis à pied, quelquefois par ces mêmes compagnies, et que les pêcheurs, les artisans et les petits cultivateurs sombrent dans l'inexistence. C'est ainsi que l'argent des pauvres est redistribué aux riches et que les compagnies sont dégagées des risques financiers qui retombent sur le dos des contribuables. Sans participation populaire directe, l'extension des pouvoirs de l'Etat, avec ou sans nationalisations, ne saurait que renforcer la tendance actuelle.

Peut-être n'est-il possible de briser l'étau paralysant du paternalisme et de l'étatisme qu'en animant les rêves et les mythes dont parle M. Dumont, et en puisant dans la tradition, renouvelée par l'action directe des citoyens, de l'entreprise familiale ou coopérative. Les bases de cette action ont été jetées : à Cabano, à Maniwaki, au quartier Saint-Henri de Montréal ; dans les forêts nordiques comme dans la jungle de béton de Montréal. La naissance des comités de citoyens et de diverses formes de participation des travailleurs, jointe aux mouvements coopératifs et aux institutions bancaires populaires, ouvre la porte à des nouvelles institutions économiques et sociales qui réussiront peut-être à réduire la taille et la puissance du secteur privé.

Si l'accroissement du pouvoir d'Etat n'entraîne pas nécessairement un ordre socialiste, il en est de même de la social-démocratie telle qu'on l'a expérimentée à ce jour. Dans l'Etat social-démocrate, les grandes entreprises conservent des pouvoirs économiques, alors que l'Etat effectue une certaine redistribution du revenu. Ce que l' « Etat providence » a imaginé de plus avant-gardiste, à ce jour, est le revenu minimum garanti. Or tout porte à croire que cette mesure, qui ne soulagerait que les plus cruelles et les plus humiliantes des conséquences de l'inégalité sociale, aurait surtout pour résultat de diminuer encore le nombre de gens « productifs » et de gonfler la masse de ceux qui subissent une forme ou une autre de dépendance. La consommation serait de plus en plus indépendante de la production. L'obligation, pour les citoyens qui travaillent, de soutenir ceux qui chôment, au moyen d'une péréquation fiscale anonyme, serait une source supplémentaire d'aliénation et de conflits sociaux. Le processus de concentration du pouvoir à l'intérieur du système capitaliste atteindrait des proportions orwelliennes, même si le cycle production-consommation y tournerait plus rondement.

Nous avons laissé la logique de la rentabilité capitaliste transformer la vie économique et sociale en une tragédie absurde. Par exemple, le progrès de la médecine allonge la vie d'êtres que la société force à s'engourdir de plus en plus tôt dans l'inactivité improductive. Le travailleur est emporté dans le cycle de l'aliénation. Il s'épuise à travailler, prive souvent sa famille du plaisir d'une vie moins bousculée, dans le but d'accumuler le plus de biens possible, sous forme de maison, de fonds de pension ou d'épargne — qui servent d'ailleurs à financer la croissance d'entreprises privées. Effrayés par le spectre du chômage, par ailleurs, les syndicats s'efforcent d'abaisser encore l'âge de la retraite, mettant ainsi leurs membres au repos forcé dans la force de l'âge. Le travailleur brûlé, fini, est rejeté aux scories de « l'âge d'or », sans dignité, condamné à consommer sans produire, ligoté aux chèques de l'Assistance, méprisé par la société.

C'est là la logique absurde du capitalisme et du syndicalisme d'affaires, capables d'arracher de meilleurs salaires, de réduire les heures de travail, de garantir de meilleures assurances et une meilleure retraite, mais impuissants à modifier la nature et les impératifs de l'efficacité capitaliste, ou de sauver le travailleur de l'aliénation. L'efficacité capitaliste n'est telle qu'en termes de profit, et il reste à prouver qu'elle puisse satisfaire les désirs et les besoins de l'homme.

Tout ceci nous amène à rejeter le *produit national brut* comme indice de bien-être. La création d'emploi n'est pas non plus, à long terme, une mesure valable de ce bien-être. La maximisation du travail ne saurait servir d'idéal à une société intelligente. Ici encore, nous voyons comment le système nous force à choisir le moindre de deux maux : à court terme, il nous apparaît plus humain de maximiser le travail que de multiplier la production au-delà de toute nécessité en sacrifiant les travailleurs comme autant de machines désuètes.

Le socialisme, c'est la construction d'un ordre économique qui ne sera soumis ni aux capitalistes, ni aux bureaucrates, mais qui remettra véritablement dans les mains du peuple le pouvoir de décision dans tous les domaines : économique, social et politique. Le socialisme suppose l'intégration de la production et de la consommation, la subordination de l'activité économique aux besoins sociaux, et la diminution du nombre de besoins réductibles à une affaire d'argent.

Le Québec n'est pas seul à faire face à ce problème. C'est un défi que doivent affronter tous les pays industriels, ceux que l'on dit sous-développés comme ceux que l'on prétend développés. Mais le Québec fait face à un problème, à un défi particuliers. C'est un pays du Tiers-Monde qui dispose des techniques de production les plus modernes, et dont la population mène, en grande partie, un train de vie nord-américain. Les solutions aux problèmes sociaux ne peuvent être trouvées que dans le cadre d'un effort collectif d'auto-détermination au sens le plus large du mot. L'initiative ne peut venir que de ceux qui n'ont rien à perdre et n'attendent ni pouvoir ni gain du système actuel, c'est-à-dire des salariés, chômeurs ou non, des travailleurs autonomes, qui travaillent seuls ou au sein d'une entreprise familiale ou communautaire, ainsi que des petits employeurs ; cela inclut aussi tous les jeunes gens qui fréquentent les collèges et les universités et qui espèrent, contre toute espérance, que leur vie sera créative et gratifiante ; cela inclut tous ceux, retraités ou mères de famille, qui rêvent de vivre autant que de survivre. Elle ne viendra pas de ceux qui profitent de l'ordre social actuel et sont prêts à le défendre, avec leurs privilèges, par tous les moyens.

Nous avons permis au capitalisme de mettre le monde à l'envers, de mettre l'activité économique à son service. Nous payons les entreprises pour abattre des forêts — comme ITT-Rayonier, dont nous avons parlé plus haut — non pas parce qu'il est utile ou socialement profitable d'abattre des forêts et de les expédier en Europe à l'état brut, mais parce que les politiciens ont réussi à faire croire aux gens que c'est la seule façon d'arracher quelques centaines de travailleurs aux griffes du chômage. Nous reconnaissons volontiers qu'il existe des mesures à court terme moins absurdes et moins inéquitables que cet exemple extrême de la bêtise de M. Bourassa. On pourrait canaliser plus efficacement l'épargne vers la petite entreprise et les projets communautaires. On pourrait commencer en socialisant la Banque de Montréal, le Royal Trust, les plus grandes compagnies d'assurance et d'autres grandes entreprises qui ne sont pas du domaine financier. On pourrait appliquer plus efficacement le pouvoir d'achat du gouvernement et des sociétés d'Etat à la création d'emplois par le renforcement de l'industrie québécoise.

Mais pour sortir du cercle vicieux, ce qu'il faut remettre en question, c'est la dynamique économique actuelle, qui repose sur le postulat que le niveau de consommation privée doit sans cesse augmenter. L'amère vérité, c'est que cet idéal que peuvent atteindre beaucoup de gens, peut-être même la majorité, s'alimente à la terrible souffrance des innombrables qui sont rejetés en marge du système.

Le temps est peut-être venu de penser autrement qu'en termes de sécurité sociale, qu'il s'agisse de revenu minimum garanti ou d'autres formules, et d'imaginer certains types de services gratuits, non-négociables, conçus de façon à diminuer la proportion de notre vie sociale soumise au marchandage. Les économistes nous ont appris à oublier la différence fondamentale qui existe entre les biens et les services, à savoir qu'il est impossible de thésauriser des services — quand ces services sont gratuits on ne peut non plus les échanger ou les revendre. Rappelons que les services, au sens le plus général du mot, représentent dans l'économie nord-américaine, environ les deux tiers du produit national brut ; en excluant les services rattachés aux transports et à la distribution des biens, les services représentent peut-être la moitié du PNB !

Le principe de la gratuité des services est déjà reconnu dans le domaine de l'administration publique : éducation, hospitalisation, et depuis peu, soins médicaux. Dans ce dernier domaine, il y a place pour d'immenses améliorations qui supposent, évidemment, la fin des pratiques restrictives par lesquelles les médecins, les dentistes et autres professionnels apparentés ont protégé leurs revenus élevés. Il est inacceptable et profondément injuste de garantir à même les fonds publics des revenus professionnels cinquante fois supérieurs au revenu garanti par la sécurité sociale.

Le temps n'est-il pas venu d'étudier la possibilité d'une socialisation en profondeur des transports urbains, en rendant gratuits le métro, les autobus et les trains de banlieue et en restreignant, par des taxes et des règlements, l'usage de l'automobile ? Non seulement des mesures comme celles-là humaniseraient-elles les villes et nous épargneraient-elles l'obligation de multiplier les autoroutes, mais elles mettraient à la portée de tous le mode de communication le plus élémentaire.

Le temps n'est-il pas venu d'adopter un vaste programme d'aide aux groupes communautaires intéressés à rénover ou à transformer les zones résidentielles actuelles, au lieu d'engraisser des spéculateurs qui détruisent les habitations des citoyens pour les remplacer par des ensembles coûteux, destinés à des classes plus fortunées, sans tenir compte du tissu urbain et du milieu existant ? Ces propositions ne sont pas neuves : certaines ont connu de timides amorces d'application. Elles sont trop nécessaires pour qu'il soit permis de les prendre pour des élucubrations d'idéaliste.

Perspectives-jeunesse, malgré ses limites, est un pas dans la bonne direction, l'un des rares qu'aient accompli les gouvernements depuis longtemps. Le projet visait d'abord à éloigner du marché du travail, déjà bondé, les étudiants en vacances, mais il n'en est pas moins intéressant en ce qu'il favorise l'esprit d'initiative et la débrouillardise. De plus, les fonds distribués ont permis à nombre d'étudiants de s'occuper à des tâches qui ont incontestablement contribué au bien-être de la société et non seulement à les faire vivre. Il s'agit, bien sûr, d'une forme de subventions, mais de largesses beaucoup plus utiles que celles que l'on fait aux grandes firmes ou que les versements d'assistance pure et simple. Même dans les cas où ces subventions n'ont servi qu'à financer des voyages à travers le pays, voyages fort modestes au demeurant, disons-nous que cent jeunes gens peut-être ont pu voyager utilement avec ce qu'une seule famille de la classe moyenne dépense pour ses vacances, généralement à l'étranger ! D'ailleurs le gouvernement a déjà entrepris des mesures pour que la formule puisse s'appliquer à tous ceux qui pourraient en profiter, et non seulement aux étudiants et aux jeunes gens.

La formule est constructive en ce qu'elle favorise l'intégration de la production et de la consommation, l'autarcie et l'initiative personnelles et communautaires plutôt que l'instinct de thésaurisation. Elle constitue un mécanisme de redistribution du produit des secteurs les plus modernes et les plus productifs par l'intermédiaire de l'appareil fiscal, et un modèle défini par les critères de l'efficacité sociale.

Ceux qui s'attendaient à ce que ce post-scriptum de *La capitulation tranquille* traite d'économique et suggère des remèdes pratiques à la croissance galopante des société étrangères au Canada seront sans doute déçus. Ils en concluront peut-être que j'ai renoncé aux sciences économiques pour m'abandonner aux joies de la spéculation dans un domaine plus vaste, et pour lequel je ne suis pas brevetée. Je tiens à rassurer mes lecteurs : je n'ai pas abandonné l'économique, science utile malgré ses limites. Au contraire, j'ai travaillé avec le sentiment qu'il existe des solutions pratiques au problème des « investissements étrangers », et à celui, de façon générale, du rapatriement de l'économie, mais que ces solutions ne se peuvent concevoir en dehors d'une analyse complète du contexte politique et social des problèmes économiques du Canada et du Québec.

Kari Levitt,
Montréal, le 15 décembre 1971.

Cette édition québécoise de La capitulation tranquille *est dédiée à la mémoire de mon père, Karl Polanyi, qui m'a ouvert la perspective d'un socialisme humain. Nous partagions les racines du vieux monde, une existence dans le nouveau monde d'Amérique, et les espoirs de libération humaine qui caractérisent le meilleur du Tiers-Monde.*

1

La recolonisation
du Canada

L'année même qui marquait le centenaire de la Confédération, le Canada s'interrogeait sur ses chances de survie
comme pays souverain et indépendant. Ainsi dans son numéro du premier juillet 1967, la revue à grand tirage *Star
Weekly* publiait des entrevues avec deux personnalités
éminentes de la vie politique canadienne sous le titre: « Le
Canada peut-il survivre? ».

Un des *interviewés* était Walter Gordon, alors président
du Conseil Privé et du comité ministériel responsable d'un
groupe d'étude chargé de diriger une enquête sur les conséquences des investissements étrangers pour l'économie
canadienne. Le « Livre Blanc » qui devait exposer les grandes
lignes de la politique gouvernementale dans ce domaine
avait été promis pour l'automne 1967. Il ne fut publié qu'en
février 1968.[1] Ce fut le « Rapport Watkins », du nom du
professeur Melville H. Watkins qui dirigeait une équipe
d'économistes recrutés dans diverses universités. Les ministres ne pouvant s'entendre sur la question, le rapport ne
suscita aucune prise de position politique.

A la question posée par le *Star Weekly*, Walter Gordon
répondit de la façon suivante:

« Durant les cinquante dernières années nous
nous sommes libérés de tous liens coloniaux avec
la Grande-Bretagne. Mais après avoir obtenu

notre indépendance par rapport à l'Angleterre, il semble bien que nous ayons glissé, sans guère nous en rendre compte, dans un état de semi-dépendance relativement aux Etats-Unis.

Bien que cette situation comporte ses avantages, si nous ne freinons pas la tendance actuelle — *si nous n'arrivons pas à nous entendre sur des objectifs nationaux* — alors, comme je l'ai déjà laissé entendre, il se peut que le Canada ne dure pas un autre siècle comme pays distinct et indépendant.

Le choix est clair. Nous pouvons faire ce qu'il faut pour reprendre la maîtrise de notre économie et garder ainsi notre indépendance, ou accepter de devenir une dépendance coloniale des Etats-Unis, sans autre perspective d'avenir que l'espoir d'une éventuelle absorption. ».

Au cours de la même entrevue, M. Gordon disait aussi :

« A mon avis, nous avons déjà concédé une trop grande part de la propriété et du contrôle de nos richesses naturelles et de nos principales industries à des étrangers et notamment aux Américains. Or, l'histoire nous enseigne que le contrôle économique entraîne inévitablement le contrôle politique. C'est là tout le principe du colonialisme. C'est vraiment un triste paradoxe de constater que, dans un monde déchiré par des pays qui exigent et obtiennent leur indépendance, notre propre pays, qui est libre, indépendant et fortement développé, se trouve hanté par le spectre d'un avenir colonial ou semi-colonial. »

Il ne fait pas de doute que le point de vue de M. Gordon n'était partagé que par une minorité au sein du cabinet. La majorité des ministériels craignait plutôt que les opinions exprimées par M. Gordon ne réduisent le flot des investissements américains dans le pays et ne ralentissent ainsi sa croissance économique. D'ailleurs, la démission subséquente de M. Gordon comme membre du cabinet et son retrait de la scène politique peuvent être interprétés comme un signe de dissension de la part des conseillers du parti libéral et du gouvernement fédéral.

Dans une autre entrevue publiée par la plus grande revue mensuelle canadienne, *Maclean's Magazine,* à l'occasion du centième anniversaire de la Confédération, M. Pearson, qui était alors premier ministre du Canada, reconnaissait que le Canada était en fait un satellite politique des Etats-Unis. A propos de l'attitude du Canada relativement à la Guerre du Viet-Nam, M. Pearson soulignait: « nous ne pouvons faire abstraction du fait que toute dissension notoire avec les Etats-Unis sur la question du Viet-Nam que le gouvernement américain pourrait considérer comme injuste ou inamicale de notre part aurait pour effet immédiat d'amener Washington à examiner de façon plus critique certains aspects particuliers de nos relations avec les Etats-Unis dont nous tirons de part et d'autre de grands avantages. »

L'intervieweur ayant alors fait observer que « cela ressemble fort à la situation d'un pays satellite », M. Pearson a admis: « Cette perspective n'est guère agréable, mais dans le domaine économique lorsqu'on effectue environ 60 pour cent de ses échanges commerciaux avec un seul pays, on se trouve dans un état de dépendance économique très marqué. »

Cette dépendance, cependant, dépasse largement le cadre des échanges commerciaux ordinaires. Plus tôt, au cours de l'année du centenaire, en réponse à un groupe de quelque quatre cents professeurs de l'Université de Toronto qui lui demandaient de se dissocier de la Guerre du Viet-Nam, M. Pearson faisait l'inventaire des avantages que retirait le Canada de son intégration à la production de défense américaine. Il en concluait que, pour de multiples raisons, l'établissement d'un embargo sur l'exportation de matériel militaire aux Etats-Unis et l'abrogation des accords sur la production de défense auraient de graves conséquences, qu'aucun gouvernement canadien ne pouvait envisager froidement.

Le nouveau mercantilisme par les investissements directs

Les liens commerciaux évoqués par M. Pearson proviennent largement de l'activité, au Canada, de sociétés dont la maison-mère est aux Etats-Unis. Ce ne sont là que des manifestations d'un nouveau mercantilisme pratiqué par des empires commerciaux qui franchissent les frontières des économies nationales et sapent la souveraineté des pays étrangers où leurs filiales et leurs succursales sont installées.

Ce nouveau mercantilisme ressemble fort à l'ancien, par la façon dont les sociétés se servent de leur pouvoir économique, de leur influence politique et même de la force militaire de leurs gouvernements nationaux pour protéger leurs investissements contre tout bouleversement dans les marchés où elles s'approvisionnent et où elles écoulent leurs produits.

Les incertitudes provenant du marché libre ont été réduites et parfois même supprimées par la conversion des transactions commerciales en transferts entre sociétés grâce au système de l'intégration verticale. De plus, les grandes entreprises ont utilisé leur puissance pour obtenir des gouvernements métropolitains ou périphériques une série d'accords commerciaux préférentiels et bilatéraux ainsi que des concessions fiscales qui rappellent les privilèges de l'ancien mercantilisme.

Les « aspects particuliers de nos relations avec les Etats-Unis » dont parle M. Pearson se résument à une série d'accords préférentiels que le gouvernement américain a consentis aux hommes d'affaires canadiens. Signalons, parmi ces mesures, la suppression, jusqu'à tout récemment, du contingentement des importations de pétrole brut; l'accord de libre-échange partiel sur les automobiles et les pièces d'automobiles (qui est contraire aux dispositions générales du GATT); l'exemption pour le Canada de la taxe américaine d'égalisation des taux d'intérêt et (jusqu'à une date récente) les directives du gouvernement américain à l'intention des sociétés internationales relativement aux investissements directs à l'étranger.

Les avantages et les concessions accordés par les Etats-Unis aux pays étrangers dépendent largement des pressions que les divers *lobbies* et groupes d'intérêts américains peuvent exercer sur leur gouvernement. Ainsi les produits agricoles, secteur où dominent les intérêts canadiens, n'ont bénéficié que de faibles concessions et le marché américain leur est dans une large mesure fermé. C'est que les agriculteurs américains peuvent excerer une forte influence politique, tandis que les consommateurs américains n'en ont guère. De même, les exportations canadiennes de plomb et de zinc font l'objet, sur le marché américain, d'un contingentement extrêmement rigoureux par suite du pouvoir dont les producteurs américains des états montagneux disposent au Sénat pour protéger leurs intérêts régionaux.

Dans le cas du minerai de fer, par contre, les producteurs américains n'ont pas réussi à se protéger efficacement contre les importations canadiennes. Les vastes gisements de fer du Labrador ont été mis en exploitation grâce à des capitaux et à des entreprises mobilisés par la sidérurgie américaine, qui a besoin de sources d'approvisionnement stables, importantes et bon marché. C'est d'ailleurs cette même sidérurgie américaine, alliée aux consommateurs d'électricité de l'Etat de New-York, qui a finalement amené le Congrès à décréter la participation américaine à l'aménagement de la Voie maritime du Saint-Laurent, un bon quart de siècle après que le Canada l'ait demandée. Quant à l'exemption dont bénéficient les importations de pétrole brut canadien du système de contingentement américain, elle résulte des besoins énergétiques des puissants états de l'Ouest bien plus que des démarches des producteurs canadiens.

La participation des grands fabricants d'automobiles américains comme signataires officiels de l'entente entre le Canada et les Etats-Unis, qui définit la forme de libre échange instaurée pour l'industrie automobile, constitue sans doute la preuve la plus éclatante que les pourparlers qui ont eu lieu entre les deux pays étaient en fait des négociations, non seulement entre les gouvernements, mais aussi avec les trois grandes sociétés internationales.

Le professeur Aitken, à qui l'on doit l'étude la mieux documentée et la plus approfondie des relations entre l'industrie primaire canadienne et les Etats-Unis, résume fort bien la situation du Canada dans ses négociations avec les Américains:

> « La dépendance mutuelle, même lorsqu'elle est explicitement reconnue par les deux parties, ne garantit aucunement que les intérêts et les aspirations du Canada feront l'objet d'une considération satisfaisante quand il s'agit de déterminer la ligne de conduite des Etats-Unis... Jusqu'ici, le Canada a été réduit à fonder ses objections sur l'équité ou le *fair play*. Il n'y a donc pas lieu de s'étonner que les résultats aient été décevants. L'expérience a confirmé un principe que l'on aurait pu formuler dès le départ. Pour faire prendre quelque décision que ce soit aux Etats-Unis, le Canada doit prouver que cette décision sert les intérêts nationaux des Etats-Unis. »[2]

Dans le même contexte, le professeur Aitken rappelle que les accords préférentiels bilatéraux entre les Etats-Unis et le Canada ont pour effet inévitable d'amoindrir l'autonomie politique du Canada:

> « S'il veut vraiment enrayer et retarder le processus d'intégration continentale, le Canada doit rejeter ces ententes préférentielles lorsqu'on les lui propose. De fait, c'est d'après la réaction du Canada à de telles offres d'accords bilatéraux que les observateurs étrangers seront portés à juger de l'attachement des Canadiens à leur autonomie et des avantages économiques auxquels ils sont prêts à renoncer pour la conserver. »[3]

Ces relations particulières avec les Etats-Unis ont d'ailleurs leur prix. Ainsi, le Canada ne peut pas exporter de pétrole brut au Japon et les lois des Etats-Unis interdisent aux filiales canadiennes des entreprises américaines d'approvisionner les pays qui figurent sur la liste noire du gouvernement américain. A cause de la loi américaine sur le commerce avec les pays ennemis, la *Ford of Canada* n'a pas pu fournir de camions à la Chine, et quatre minoteries ont dû refuser des commandes de Cuba. Plusieurs fabricants canadiens de produits pharmaceutiques ont dû renoncer à vendre à la *Society of Friends* des remèdes destinés tant au Viet-Nam-Sud qu'au Viet-Nam-Nord. L'industrie de la potasse de la Saskatchewan, qui est entièrement contrôlée par des filiales américaines, n'a pu exporter en Chine qu'après avoir obtenu une exemption spéciale de l'interdit que les Américains font peser sur de telles transactions. Certes, les pertes commerciales qui résultent ainsi de la mise en vigueur, hors du territoire américain, de la loi sur le commerce avec les pays ennemis peuvent sembler minimes si on les compare aux avantages qui proviennent du libre accès au marché américain; mais un tel raisonnement écarte toute possibilité de réorientation radicale du commerce extérieur du Canada.

La capacité du Canada de résister aux pressions économiques et diplomatiques de son voisin dépend de l'ampleur des investissements canadiens — qu'ils soient publics ou privés — par rapport aux entreprises américaines et aux lobbies. Dans les secteurs contrôlés par des sociétés canadiennes et où les marchés ne font pas l'objet d'arrangements ou de concessions de la part des Américains, la liberté de commerce est manifestement plus grande. Dans le cas, par exemple, des ventes de blé aux pays communistes, les producteurs américains ne pouvaient guère qu'exprimer leur envie et leur mécontentement. De plus, les gains réalisés à la suite des contrats spéciaux de vente par les cultivateurs des Prairies, l'industrie des transports et les politiciens qui ont négocié ces contrats, ont été considérables.

L'affaire de la *Mercantile Bank* illustre bien que les interventions américaines peuvent parfois être infructueuses quand elles se heurtent aux intérêts d'entreprises canadiennes fortement organisées. Dans le cas en question, les Etats-Unis avaient adressé à Ottawa une protestation diplomatique, rédigée en termes assez durs, par laquelle ils informaient le gouvernement canadien que sa législation bancaire était « inacceptable » pour le gouvernement américain. Mais cette intervention, pas plus que la menace des banques commerciales américaines de refuser aux banques canadiennes leurs services de compensation, n'obtint pour la *First National City Bank* l'autorisation de s'introduire dans le système bancaire canadien. La « *Citibank* », en effet, avait acquis des intérêts prédominants dans la *Mercantile Bank of Canada*, après avoir été avertie que les lois bancaires canadiennes ne permettraient pas à cette dernière de prendre de l'expansion. Pensant à tort qu'ils pourraient par leurs pressions briser le monopole du système bancaire canadien, les Américains n'avaient tenu compte, ni de cet avertissement, ni des lois canadiennes. Finalement, la *Citibank* fut obligée de battre en retraite et de vendre ses intérêts dans la *Mercantile Bank*, à des conditions qui lui permirent de minimiser ses pertes.

On peut, bien sûr, avoir de bonnes raisons de souhaiter une concurrence plus poussée dans le système bancaire canadien, mais il n'en reste pas moins que l'intrusion de la banque américaine a été bloquée par le monopole étroit qu'exercent un petit nombre de banques canadiennes. C'est là une structure que la législation fédérale a solidement protégée. La prédominance des entreprises canadiennes dans le secteur bancaire, comme dans celui des transports et des communications, est un héritage historique qui date de l'époque de l'économie mercantile. De fait, le Canada est un des rares pays qui aient réussi à empêcher la pénétration américaine dans le secteur bancaire, contrairement à ce qui s'est produit dans le secteur industriel.

L'intervention américaine, par contre, a parfaitement réussi à protéger les privilèges de la revue *Time*. L'édition canadienne de cette revue a atteint en 1967 un tirage de 356,000 exemplaires vendus. C'est, dans son domaine, la revue qui a la clientèle la plus « select » au Canada, le revenu annuel moyen des abonnés à *Time* étant de $13,000. Parlant du rédacteur en chef chargé des quatre pages du *Time* consacrées chaque semaine au Canada, un ministre du gouvernement fédéral a déjà dit que c'était « sans doute le journaliste le plus influent au Canada ». *Time*, dont la matière éditoriale est payée d'avance, puisqu'elle provient des Etats-Unis, a réalisé en 1966 6.5 millions de dollars avec sa publicité canadienne. Le tirage global de la revue se divise en cinq éditions régionales et mêmes locales, en plus de l'édition canadienne. Avec le *Reader's Digest*, *Time* absorbe près de 60 pour cent des budgets publicitaires accordés aux revues au Canada. En conséquence les revues mensuelles à grand tirage, comme *Maclean's Magazine* et *Chatelaine* ont perdu toute rentabilité financière à moins d'obtenir des subventions de l'Etat.

Au cours d'un débat à la Chambre des Communes, un porte-parole du Nouveau Parti Démocratique a accusé le *Time* d'avoir « mauvaise réputation » et l'a qualifié de « déplorable » et de « foncièrement vicieux ». Durant le même débat, M. John Diefenbaker, qui était alors chef de l'opposition, a déclaré, toujours au sujet du *Time*, que cette revue « s'emploie à interpréter et à refaire les nouvelles de façon à orienter la pensée des Canadiens. » Et il ajoutait: « Ce n'est pas une revue canadienne. Elle consacre, dans chaque numéro, trois ou quatre pages aux nouvelles du Canada, qui lui permettent de se présenter faussement comme une revue canadienne. Elle se sert chaque semaine de ces quatre pages pour exposer aux Canadiens son point de vue, qui n'est pas un point de vue canadien. Et cela, dans quel but? Dans celui de dire aux Canadiens ce qu'ils devraient faire. » Pour sa part, M. Walter Gordon déclarait, toujours à propos du *Time* « A-t-il de l'influence? Oui, et sans doute beaucoup trop: elle s'exerce au Canada à partir de New York. »

En 1960 une commission royale fut chargée d'étudier les moyens qui permettraient au revues canadiennes de survivre malgré la concurrence déloyale du *Time* et du *Reader's Digest*. Le président de la commission était le sénateur Grattan O'Leary, un des plus éminents directeurs d'entreprises de presse au Canada. La commission recommanda que les fonds placés en publicité dans les éditions canadiennes de revues étrangères ne soient plus déductibles aux fins de l'impôt. Si les recommandations de la commission avaient été mises en vigueur, le *Time* aurait perdu sa position concurrentielle sur le marché de la publicité canadienne. L'édition américaine aurait simplement continué de circuler au Canada au même titre que toutes les autres revues américaines. « On peut dire, écrit le président de la commission, que pour tout pays les communications sont aussi essentielles à sa survie que les moyens de défense. Il faut donc leur accorder au moins la même protection. »

Mais le président Kennedy lui-même intervint pour signaler au premier ministre du Canada son désir que le *Time* ne soit frappé par aucune loi fondée sur les conclusions du rapport O'Leary. Washington fit pression sur le gouvernement Pearson en faisant de cette exigeance une condition préalable à la signature de l'entente sur le libre échange partiel dans l'industrie de l'automobile et des pièces d'automobile. Comme l'écrit Walter Gordon dans son livre *A Choice for Canada*, « Les accords sur les marchés de l'automobile auraient été compromis s'il y avait eu quelque différend avec Washington au sujet du *Time*. »[4] De fait, le *Time* et le *Reader's Digest* furent exemptés des effets de la loi adoptée en 1965, selon laquelle les fonds affectés à la publicité placée dans des revues étrangères et s'adressant au public canadien ne pouvaient plus faire l'objet de déductions fiscales. Grâce à ce privilège, les deux revues conservèrent leur position de force, se trouvant désormais protégées de toute concurrence de la part d'autres revues américaines. Outragé, le sénateur O'Leary déclara que cette mesure équivalait à « un arrêt de mort probable pour les périodiques canadiens, avec toutes les conséquences qui peuvent en découler pour notre histoire future. »

Il n'y avait pas, au Canada, de groupes d'intérêts assez puissants pour contrer les pressions exercés par M. Henry Luce. De plus, dans ses négociations relatives au « marché commun » de l'automobile, le gouvernement canadien en était réduit à mendier les faveurs, non seulement du Congrès américain mais aussi des trois Grands de l'industrie automobile. La situation était si délicate que même Walter Gordon reconnut que « dans les circonstances, la décision d'accorder les exemptions était imposée par la réalité. » Quant au malheureux M. Gordon, il ajoutait: « la tâche d'expliquer les raisons de cette décision au caucus du parti libéral fut pour moi une des plus pénibles de toute ma carrière au gouvernement. » Mais il eut sa leçon. La souveraineté est incompatible avec le statut de succursale. Plus le contrôle et la propriété de l'industrie canadienne se trouvent entre des mains étrangères, plus la liberté de choix du gouvernement canadien se trouve restreinte, tant dans le domaine économique que dans celui de la politique.

La suppression des contrôles fiscaux et monétaires

Les premières manifestations d'inquiétude, au Canada, relativement au contrôle exercé par les grandes sociétés américaines, se produisirent lorsque l'euphorie suscitée par le boom des années 1950 fut suivie de trois années pendant lesquelles le revenu *per capita* n'accusa aucune augmentation au pays. En même temps, la mainmise américaine sur l'économie continuait d'augmenter, comme l'illustra alors une série d'achats, par l'entreprise américaine, de maisons canadiennes établies depuis longtemps. Mais l'inquiétude exprimée alors par une poignée de personnalités publiques fut dédaigneusement écartée, dans l'ensemble, par les milieux d'affaires et le gouvernement. Les efforts de Walter Gordon pour pénaliser l'acquisition des entreprises canadiennes par les Américains, en 1963, furent neutralisés par le cabinet et les milieux d'affaires. De son côté, l'inoubliable M. Coyne, alors gouverneur de la Banque du Canada, signalait que le Canada vivait « au delà de ses moyens » et qu'il lui fallait atténuer son état de dépendance par rapport au capital étranger. M. Coyne, malheureusement, n'avait pas compris que les mesures de restriction du crédit qu'il préconisait, en s'imaginant qu'elles stimuleraient l'épargne dans le pays, auraient pour effet d'augmenter le flot de capitaux provenant des marchés américains où les conditions d'emprunt étaient plus favorables. De plus, sa politique de restriction ne fit qu'affaiblir l'économie canadienne en réduisant le pouvoir d'achat au moment où il aurait fallu l'augmenter au contraire.

L'inquiétude, cependant, se propagea lorsque la Trésorerie des Etats-Unis adressa ses directives, officiellement incitatives, aux milieux financiers et industriels américains, en 1965. Ces instructions données à neuf cents sociétés multinationales par le président Johnson entraînaient, comme le fit observer M. Kierans, « un renforcement de la mainmise américaine sur notre économie qui compromet la réalisation de nos propres objectifs économiques et porte atteinte à notre souveraineté politique. »[5]

Les directives ordonnaient à toutes les sociétés en cause d'augmenter les exportations, de relever le montant des dividendes et autres paiements provenant de l'étranger, d'accroître les emprunts à long terme dans les autres pays, de rapatrier les actifs à court terme détenus à l'étranger (et particulièrement dans les institutions financières canadiennes) et de retarder ou même d'abandonner les projets d'investissements directs. Ainsi, les fonds américains exportés à des fins d'investissement direct et les profits réinvestis ne devraient pas dépasser, pour les années 1965 et 1966, 90 pour cent des investissements globaux de chaque société à l'étranger pendant les trois années 1962, 1963 et 1964. Cette règle avait pour but de ramener les exportations de capitaux américains destinées aux investissements directs en 1966 au niveau de 1964. Les présidents de toutes les sociétés multinationales visées s'engagèrent personnellement à soumettre au gouvernement américain des rapports trimestriels détaillés.

La proclamation de décembre 1965, qui englobait, dans la zone visée par ce programme, le Canada ainsi que divers autres pays producteurs de pétrole (jusqu'alors été épargnés par les mesures du genre), précisait clairement que le programme avait pour but de permettre l'augmentation des dépenses militaires sans soumettre pour autant le dollar à des pressions excessives :

> « Pour ma part », disait le Secrétaire d'Etat au Commerce, J. T. Connor, « je suis sûr que les dirigeants des milieux d'affaires américains comprennent parfaitement la gravité de notre situation sur le plan international. L'augmentation de nos efforts militaires au Viet-Nam pèsera encore sur notre balance des paiements. Pour compenser ces dépenses accrues, il nous a semblé nécessaire de renforcer le programme volontaire en 1966. »[6]

Bien entendu, les Etats-Unis ont le droit de diminuer leurs exportations de capitaux. Mais quand un pays, comme le Canada, s'est placé dans une situation où le gouvernement d'un autre pays peut dicter la politique d'investissement sur son territoire, réglementer les dividendes et déterminer la politique d'achat de la majeure partie du secteur productif de son économie, le pays en cause a pratiquement perdu tout contrôle sur son activité économique. C'est pourquoi les directives du gouvernement américain ont troublé nombre de Canadiens qui, jusqu'alors, ne s'étaient guère inquiétés de la mainmise étrangère sur leur industrie. De plus, le contrôle exercé par la Trésorerie américaine est beaucoup plus ample qu'il n'apparaît au premier abord.

En 1964, par exemple, le montant brut des investissements effectués au Canada par les filiales et les succursales d'entreprises américaines était évalué à 2,557 millions de dollars. De cette somme, cependant, seulement 126 millions (soit 5 pour cent) provenaient directement des Etats-Unis. Le financement interne s'établissait à 2,008 millions (soit 78 pour cent), tandis que 423 millions (17 pour cent) avaient été fournis par des institutions financières canadiennes. Mais d'après les directives du gouvernement américain, la politique d'investissements établie par les autorités de Washington ne devait pas viser uniquement les fonds provenant des Etats-Unis (les 5 pour cent) mais tous les fonds qui n'avaient pas été empruntés au Canada. Comme le faisait observer M. Kierans: « Nous n'avons plus affaire aux grands nombres prévus par la théorie économique mais à une direction unique. Il ne s'agit plus de décisions indépendantes et disparates de milliers d'hommes d'affaires, mais d'une politique gouvernementale rigoureuse. »[7]

D'après les manuels, le gouvernement d'un pays indépendant doté d'un système bancaire évolué peut influencer le niveau de l'activité économique et des prix par ses politiques fiscale et monétaire. Ainsi, la politique fiscale est censée permettre le contrôle des dépenses en général et plus particulièrement du taux d'accumulation du capital. Mais comment le Canada peut-il exercer un contrôle fiscal global, alors que les décisions en matière d'investissement dans la plupart des secteurs industriels modernes du pays sont en fait déterminées par la Trésorerie américaine?

Bien que la politique monétaire ne puisse avoir qu'une efficacité restreinte dans un pays qui est ouvert aux vastes importations de capital étranger et qui maintient un taux de change fixe, le Canada a conservé, dans ce domaine, une certaine liberté d'action jusqu'en 1963. Cette année-là, le gouvernement canadien, dans ses négociations, a volontairement renoncé à ses derniers moyens de contrôle dans le domaine de la politique monétaire lorsqu'il a mendié et obtenu de ne pas être atteint par la taxe de 15 pour cent, dite « d'égalisation de l'intérêt », imposée par les Etats-Unis, en échange de l'engagement de ne pas laisser les réserves dépasser un plafond de 2.6 milliards de dollars.

En janvier 1966, le président de la *Royal Bank of Canada*, M. Earl McLaughlin, faisait observer que l'indépendance du Canada, en ce qui avait trait à la politique monétaire, n'avait jamais été aussi restreinte:

« La vulnérabilité de notre politique monétaire aux influences extérieures, avec un taux de change fixe, a été fortement accentuée par l'accord conclu en juillet 1963 avec les Etats-Unis, selon lequel nos réserves de devises étrangères ne devaient pas dépasser 2.6 milliards de dollars. Il est impossible de satisfaire à ces exigences imposées de l'extérieur et de protéger en même temps le dollar canadien par une politique de restrictions monétaires. Par suite de nouvelles ententes, il semble bien que nos propres autorités monétaires seront liées par un réseau de « directives » dont les ficelles seront tirées à Washington. »[8]

Parlant de la diminution continuelle de la liberté d'action du Canada, M. McLaughlin a fortement critiqué le gouvernement canadien:

« Les pressions qui semblent purement extérieures sont souvent les conséquences de concessions demandées et obtenues par notre propre gouvernement à des fins nationales égoistes. Mais les concessions peuvent toujours être annulées, et une économie qui repose sur des concessions est beaucoup plus vulnérable qu'elle ne devrait l'être. »

Dans ces termes mesurés qui sont de tradition à la banque centrale, M. Louis Rasminsky, gouverneur de la Banque du Canada, expliquait à ses confrères la situation de la façon suivante:

« Je voudrais dire un mot de certaines restrictions importantes qui frappent la politique monétaire du Canada. Il n'y a pas, au Canada, de contrôle du change et pour ce qui est des capitaux les marchés canadiens sont liés de bien des façons aux marchés étrangers et particulièrement à ceux des Etats-Unis. Il n'y a pas non plus de contrôle des nouvelles émissions d'obligations et nombre d'emprunteurs canadiens qui ont accès aux deux marchés évaluent soigneusement les conditions qui leur sont faites... avant de décider du marché sur lequel ils lanceront leurs obligations à long terme. Cette situation est peut-être unique. Dans la plupart de vos pays, vos gouvernements, vos municipalités et vos grandes entreprises ne vendent sans doute pas de nouvelles émissions d'obligations à long terme à l'étranger.

Les liens entre les marchés de capitaux canadiens et américains sont si serrés que des changements importants dans les conditions de crédit au Canada peuvent entraîner de vastes importations ou exportations de capitaux. Il peut en résulter une contrainte particulière, étant donné les ententes que nous avons conclues avec les Etats-Unis et par lesquelles nous nous sommes engagés à maintenir certains niveaux dans nos réserves, en échange de l'exemption dont bénéficient les nouvelles émissions d'obligations canadiennes sur les marchés financiers américains relativement à la taxe d'égalisation.»[9]

Les récentes crises qui ont affecté la balance des paiements des Etats-Unis ont pris une telle ampleur que même le Canada n'a pu se soustraire aux mesures correctives. Les directives de janvier 1968, émises par le gouvernement américain, n'étaient plus incitatives mais impératives. Elles ont provoqué au Canada une sortie de capitaux considérable, qui par ses effets sur le dollar canadien a semé la panique à Ottawa. Comme d'habitude, le gouvernement canadien a envoyé d'urgence son ministre des finances quémander à Washington un statut spécial pour le Canada, le plus fidèle des satellites des Etat-Unis..[10]

Le Canada obtint alors une nouvelle exemption. En retour, il renonçait à ce qui pouvait lui rester d'indépendance monétaire. Satisfaisant aux exigences de Washington, le Canada accepta de convertir en titres américains, un milliard de dollars puisés dans ses réserves de change. Ce montant représentait plus de la moitié de son actif liquide, dont il ne pourrait désormais se servir qu'à la discrétion de la Trésorerie américaine. Et ce n'était pas tout! En échange du libre accès aux marchés financiers américains Ottawa consentait à mettre à exécution, pour le compte de Washington, les règlements relatifs à la balance des paiements des Etats-Unis, en émettant ses propres directives restrictives à l'intention des banques et des autres institutions financières canadiennes ainsi que des entreprises industrielles de droit canadien. Le gouvernement canadien émit le vœu que les investissements des entreprises canadiennes placés à l'étranger n'augmentent pas au point que Washington puisse reprocher aux sociétés américaines de se soustraire à ses règlements en acheminant leurs investissements par la voie des maisons canadiennes...

En décembre 1968, M. W. E. Clendenning, porte-parole de la *Richardson Securities*, une des principales maisons financières canadiennes, déclara que les ententes entre Ottawa et Washington avaient eu pour effet « de cimenter le Canada et les Etats-Unis dans une union monétaire, prélude de la situation qui existerait dans le domaine monétaire et dans celui du change advenant un accord officiel de libre-échange entre les Etats-Unis et le Canada. » Les ententes, précisait M. Clendenning, portaient un autre coup à la liberté monétaire, déjà restreinte, du Canada vis à-vis des Etats-Unis.[11]

De fait, les taux d'intérêt canadiens sont reliés à ceux des Etats-Unis. Ils ne doivent pas dépasser un certain niveau, quels que soient les besoins de l'économie canadienne. Autrement, les réserves canadiennes dépasseraient le seuil établi par les ententes canado-américaines. Le Canada serait alors obligé d'acheter des obligations américaines, c'est-à-dire qu'il lui faudrait consentir aux Etats-Unis des prêts à court terme en même temps qu'il importerait du capital d'investissement à long terme, dans les deux cas sous forme d'obligations et d'investissements impliquant un contrôle direct. M. Clendenning soulignait aussi que toute tentative de la part du Canada de retourner à un taux

de change flexible ou d'augmenter la valeur du dollar canadien provoquerait à Washington des représailles qui pren-
draient la forme d'une annulation des exemptions dont
bénéficiaient les exportations de capitaux au Canada relativement aux restrictions portant sur la balance des paiements.

Si M. Clendenning estime que dans l'ensemble le prix
de ces ententes, bien qu'élevé, n'est pas excessif, le directeur
général adjoint de la Banque Royale du Canada, M. D. B.
Marsh soutient pour sa part que le Canada a payé les accords
bien trop cher, s'imaginant à tort, au moment des négociations, que le dollar canadien était dans une mauvaise situation. D'après Marsh, on sous-évaluait grossièrement le
dollar canadien (et on continue de le faire). Selon lui, ce
n'est pas le dollar canadien mais le dollar américain qui se
trouve dans une situation précaire et les concessions accordées
par Ottawa ont pour effet d'améliorer la balance de paiements des Etats-Unis plutôt que la nôtre.

L'impossibilité de combler l'écart entre les taux d'intérêt canadiens et américains oblige le gouvernement canadien à choisir entre une expansion monétaire indésirable
(avec la hausse des prix qui en résulterait) et la réduction
des dépenses de l'Etat. A l'occasion de l'adoption de mesures
économiques d'urgence, en septembre 1967, le journaliste
Bruce Macdonald écrivait dans le *Globe and Mail*:

> « Dans une note confidentielle que l'on a fait
> circuler discrètement, un important conseiller en
> investissements, qui est en contact avec les milieux
> les plus influents à Ottawa et à Washington,
> affirmait que l'augmentation substantielle du crédit
> décrétée par la banque centrale, dans le but de
> satisfaire aux besoins des gouvernements et des
> milieux d'affaires, avait largement contribué à la
> tendance inflationniste qui s'est manifestée au
> Canada.
>
> A cause de son taux de change fixe, le gouver-
> nement actuel ne peut pas se permettre des déficits

aussi considérables que ceux de ses prédécesseurs, puisqu'il lui est impossible de hausser les taux d'intérêt au-dessus du niveau américain, comme cela se faisait de 1958 à 1962. Aussi, lorsque le public ne veut plus acheter ses obligations, il lui faut les imposer aux banques, ce qui produit une expansion monétaire qui, à son tour, entraîne une hausse des prix.

Même s'il ne l'a jamais affirmé explicitement, M. Sharp semble avoir reconnu l'existence des contraintes qu'imposent au Canada le taux de change fixe et l'entente avec Washington, lorsqu'il concluait que la seule solution viable résidait dans d'importantes réductions des dépenses et des emprunts de l'Etat. »[12]

Il est donc clair que les politiques fiscale et monétaire du Canada ont été utilisées pour aider le Trésor américain à équilibrer sa balance des paiements et à protéger le dollar américain. C'est l'exemple classique d'une économie coloniale.

Le Canada a payé très cher son statut particulier. D'un accord à l'autre, depuis 1963, il s'est acheminé vers un système monétaire colonial en vertu duquel les surplus de recettes de devises étrangères sont automatiquement prêtés à la métropole. A toutes fins pratiques, le Canada a perdu « *le droit de battre monnaie.* »*

* En français dans le texte original.

NOTES

1. Rapport de la *Task Force on the Structure of Canadian Industry*, Bureau du Conseil Privé, Ottawa, janvier 1968.
2. Hugh G. J. Aitken: *American Capital and Canadian Resources* (Cambridge: Harvard University Press, 1961. p. 156). Aitken ajoute que le Canada ne pourra vraiment progresser que lorsqu'il lui sera possible « d'allier ses intérêts à ceux de groupes particuliers, aux Etats-Unis, qui pour leurs propres fins seront disposés à appuyer les mêmes politiques que le Canada.» (p. 157)
3. *Ibid*. p. 171.
4. Walter Gordon: *A Choice for Canada* (Toronto: McClelland and Stewart Ltd. 1966).

5. Allocution de E. W. Kierans, ministre de la Santé du Québec, devant la *Toronto Society of Financial Analysts*. Février 1966.

6. *U. S. Department of Commerce*, Communiqué du 6 décembre 1965.

7. Kierans, *op. cit.*

8. Allocution de W. E. McLaughlin, président de la Banque Royale du Canada, à la 97ème assemblée annuelle des actionnaires de la banque. Janvier 1966.

9. Leçon inaugurale de Louis Raminsky, gouverneur de la Banque du Canada, à la 20ème session de l'*International Banking Summer School*. Queen's University, Kingston, août 1967.

10. M. H. Watkins raconte cet incident dans un article dont j'ai pris connaissance au moment de la dernière révision de mon manuscrit. Traitant de la crise du dollar canadien de janvier 1968, Watkins explique que la crise « n'a pris fin que lorsque M. Sharp, qui était alors ministre des Finances, téléphona à M. Fowler, secrétaire d'Etat américain à la Trésorerie, pour lui demander de dire aux maisons américaines d'exhorter au calme leurs filiales canadiennes. L'étau se desserra provisoirement. Ottawa constata qu'il ne pouvait communiquer avec des entreprises canadiennes qu'en passant par Washington. » (*Journal of Canadian Studies*, février 1969.)

11. E. W. Clendenning, auteur d'une étude sur le coût des exemptions accordées au Canada relativement au contrôle des capitaux par le gouvernement américain. Cf. *The Gazette*, 7 décembre 1969 et le *Globe and Mail*, 11 décembre 1969.

12. Cf. *Globe and Mail*, 5 septembre 1967.

2

Le nouveau mercantilisme

Il est maintenant évident que les conclusions du groupe d'études créé à l'instigation de Walter Gordon ont été rejetées à la fois par le gouvernement et par les milieux académiques. La grande majorité des économistes canadiens demeurent convaincus qu'il n'y a pas là pour eux de motifs d'inquiétude. De façon générale ils soutiennent que les investissements directs étrangers favorisent le développement économique du pays sans créer de problèmes qu'on ne puisse résoudre par des mesures législatives. Ils considèrent que le pouvoir économique, détenu par les organismes de production, et le pouvoir législatif, contrôlé par le gouvernement, sont indépendants l'un de l'autre. Le premier serait soumis à la démocratie du marché, le second à la démocratie du scrutin. Dans ce monde chimérique de cowboys et d'Indiens style dix-neuvième siècle, ils estiment que la volonté du peuple peut toujours s'imposer par la plume du législateur.

Sous l'influence du professeur Harry Johnson, économiste éminent d'origine canadienne mais dont le port d'attache intellectuelle se trouve à l'université de Chigago et au *London School of Economics*, les économistes officiels se sont employés sans répit à démontrer le caractère à la fois souhaitable et inévitable d'une intégration accélérée du Canada à l'économie américaine. Toute tentative d'enrayer la mainmise américaine ou de récupérer des secteurs contrôlés par l'étranger dans l'industrie canadienne est condisérée comme l'expression d'un nationalisme aberrant dont bénéficieraient les capitalistes canadiens, avides et paresseux, aux dépens du consommateur. Depuis longtemps les économistes canadiens prêchent, dans leurs manuels, la libre circulation des produits, du capital et des personnes entre les deux pays. Dans l'ensemble ils ont opté pour « le continentalisme » par opposition au « nationalisme économique ».

Depuis plus d'une dizaine d'années, le professeur Johnson dirige la croisade contre les nationalistes canadiens. Sous prétexte que l'interdépendance croissante entre le Canada et les Etats-Unis a été bénéfique pour l'essor du pays et que l'intégration économique le serait plus encore, les économistes canadiens ont octroyé à la tendance continentaliste une auréole de respectabilité scientifique. Pour eux, une politique est économiquement rationnelle si elle porte à son maximum la valeur marchande totale des produits et des services. En conséquence, si le « continentalisme » est plus efficace à cet égard alors le nationalisme économique devient tout simplement une position irrationnelle, défendue par des gens qui sont incapables de raisonner logiquement, soit parce que leur formation économique laisse à désirer, soit parce qu'ils sont victimes d'une vieille xénophobie qui remonte à la défaite des Loyalistes, au temps de la Révolution américaine.[1]

Vivant dans l'univers de leurs manuels, les économistes officiels sont prisonniers des inventions de leur discipline. Dans cet univers, « l'entreprise », « le consommateur », « l'entrepreneur », « le gouvernement » ne sont que des abstractions dégagées de toute forme institutionnelle précise, les termes des équations qui donnent des profits et des pertes et aboutissent à une forme ou une autre d'équilibre. Un tel jeu ne constituerait guère qu'une façon agréable de perdre son temps, si les conclusions tirées de ces exercices stériles n'avaient pas ensuite tout le poids de l'autorité professionnelle.

Nous ne préconisons pas l'empirisme, mais plutôt la construction de modèles qui reflètent l'essentiel du processus politico-économique. Ils nous faut une théorie qui nous amène à nous poser des questions sensées, car toute analyse qui n'a pas ses racines dans la réalité pousse à la distortion, tant dans la recherche que dans l'élaboration des politiques.[2] Le simple bon sens nous indique que l'étude de la prise de décision dans l'épicerie du coin ne suffit guère à expliquer le fonctionnement d'Eaton's, de même qu'une enquête sur le garage d'à côté n'est guère utile pour comprendre la politique d'investissement de la General Motors. Pourtant on s'accroche à une « théorie de l'entreprise » qui, même si on s'efforce de lui apporter des ajustements marginaux, pour ce qui est de la concurrence imparfaite et des oligopoles, ne rend pas compte du type dominant d'entreprise à notre époque : la grande société multinationale. S'il visitait nos salles de cours, Alfred Marshall* serait horrifié de constater à quel point on a respecté la lettre et violé l'esprit de ses recherches.

Peu d'économistes canadiens semblent se rendre compte que la succursale ou la filiale d'une société multinationale n'est pas une entreprise du genre dont parlait Marshall, mais dont les actionnaires habitent par hasard à l'étranger ; elle est plutôt partie intégrante d'un complexe de production et de commercialisation où les principales décisions se prennent en fonction de la viabilité, de la sécurité, de l'expansion et du rendement de l'ensemble de l'entreprise à l'échelle planétaire. De même, l'implantation d'investissements directs étrangers ne constitue pas un apport de capital semblable à la vente d'obligations à l'étranger, mais l'intrusion dans le système économique et social canadien d'une société privée strictement contrôlée, dont l'activité est de nature à diminuer beaucoup plus qu'à relever l'efficacité et la puissance de l'industrie canadienne.[3]

La théorie économique traditionnelle s'est enlisée dans des problèmes qui, à vrai dire, ne présentent guère d'intérêt. Ainsi le concept de la maximisation des profits par l'égalisation du coût marginal et du revenu marginal s'inspire d'une vue statique de l'entreprise, selon laquelle toutes les décisions

---

* Bon vieux père de la théorie économique d'Angleterre de la fin du siècle dernier.

de stratégie ont préalablement été prises. On suppose que l'entreprise en cause fabrique un produit standardisé, à l'intention d'un marché connu, et par un procédé technique défini, ce qui se traduit par le coût fixe de l'équipement et des autres frais généraux. Même en faisant intervenir, pour renforcer l'analyse, des facteurs tels que le coût de la promotion des ventes ou les imperfections des marchés, la détermination des prix et des volumes de la production, dans de telles circonstances, demeure une question de routine et ne représente qu'un aspect peu intéressant de la gestion. Ayant confiné leur champ de recherche par des paramètres trop restreints, les analystes ont été amenés à se poser de fausses questions et ont abouti à des alternatives fictives: l'entreprise doit-elle maximiser ses profits ou ses ventes? Doit-elle viser avant tout à l'expansion? Doit-elle minimiser les risques? Les profits sont-ils un moyen d'expansion ou une fin en eux-mêmes? L'augmentation des ventes doit-elle avoir pour but de relever les profits ou est-elle une fin en elle-même? Si certains économistes se sont efforcés de définir un schème d'analyse qui puisse encadrer l'étude d'une entreprise, la plupart, on le comprend facilement, n'ont pas osé aborder la question.[4]

Malgré le gouffre béant qui sépare de la réalité la théorie économique contemporaine, les économistes manifestent une réticence évidente à apporter des corrections majeures à des constructions intellectuelles qui ont pour elles l'élégance et la sanction des milieux académiques. Il ne fait aucun doute que l'élaboration d'une nouvelle économie politique constitue une tâche difficile, qui ne peut s'accomplir que dans un certain désordre intellectuel. La première difficulté tient au fait que, malgré tous les efforts des positivistes et des spécialistes en économétrie visant à dégager cette discipline de tous postulats moraux, la science économique continue de reposer sur le calcul utilitaire du plaisir et de la souffrance, ainsi que sur le mythe victorien de l'harmonie des intérêts. La consommation est considérée comme bonne (principe du plaisir), tandis que le travail et l'effort sont mauvais (principe de la souffrance). On considère comme un axiome que l'augmentation de la production, doublée d'une réduction des facteurs employés, constitue toujours un progrès. Le marché, à condition qu'il ne soit influencé par aucune intervention externe, est jugé démocratique en ce sens qu'il se conforme aux préférences du consommateur (réalisant ainsi la répartition optimale des ressources productives). Le bien-être est posé comme synonyme de l'augmentation du volume global des biens et services consommés, indépendemment de leur nature et de leur qualité. On évalue, en fin de compte, le niveau de vie et les « agréments » de l'existence d'après le produit national brut par habitant.

L'analyse économique moderne provient de l'observation inductive du fonctionnement d'une société plus ou moins concurrentielle, durant la seconde moitié du dix-neuvième siècle en Angleterre. Elle a par la suite été façonnée pour devenir un système de pensée logique à partir de postulats sur les motivations économiques du comportement humain, postulats sur lesquels sont venues se greffer une série cohérente et élaborée de déductions. C'est ainsi que la « rationalité » a été définie comme un comportement visant à la satisfaction de besoins économiques considérés comme illimités. Les moyens de satisfaire ces besoins étant par contre limités, on en a conclu que la rareté — donc la nécessité du choix — faisait partie de l'ordre naturel. Les besoins économiques donnent donc naissance à des « motivations économiques » auxquelles on a apposé l'étiquette de « rationnelles ». Les difficultés viennent de ce que le comportement rationnel se teinte de considérations normatives qui ont des répercussions sociales. La faim et le désir du gain ayant été définis comme des motivations économiques, l'être humain était censé agir en conséquence dans sa vie quotidienne. L'honneur et la fierté, le sens civique et les obligations morales, l'amour-propre et la décence ont été fusionnés en un seul mot : « l'idéal ». On en est ainsi venu à croire que l'homme se composait de deux éléments : l'un « matérialiste » et l'autre « idéaliste », l'un économique et l'autre non économique, l'un rationnel et l'autre non rationnel. Avec le système capitaliste d'organisation économique, la société, pour la première fois dans l'histoire, s'est trouvée assujettie aux seuls mobiles de la faim et du gain. Les motivations économiques sont devenues la loi suprême et les individus ont dû en faire le fondement de leur comportement sous peine de famine. Les rapports traditionnels, tant sur le plan social que sur le plan personnel, ont été ainsi abolis et la société a été axée sur les exigences de la production et du rendement par l'imposition d'un système autonome de prix fixés par le marché, s'appliquant non seulement aux produits fabriqués mais aussi à la terre, au travail, à la nature et à l'homme.[5]

Karl Polanyi a signalé, il y a longtemps, que le monde des motivations économiques reposait sur une fiction utilitariste du dix-neuvième siècle. En fait, la faim et le désir du gain ne sont pas plus « économiques » que l'amour ou la haine. Il n'existe pas d'expérience économique à proprement parler, c'est-à-dire au sens où l'homme peut avoir des expériences religieuses, esthétiques ou sexuelles. (Ces dernières visent à répéter des expériences antérieures de même nature. Lorsqu'il s'agit de productions matérielles, ces termes n'ont pas de signification inhérente.) Si, au dix-neuvième siècle, on considérait la faim et l'appât du gain comme des mobiles économiques, c'est simplement parce que l'organisation de la production dans une économie de marchés ne peut fonctionner qu'à condition que la satisfaction de tous les besoins humains soit subordonnée à la nécessité de gagner de quoi vivre. Or, affirme Polanyi, « si l'on fait l'inventaire des sociétés humaines, on constate que la faim et l'appât du gain ne sont pas considérés comme des moyens de stimuler la production. »[6]

La théorie de « la main invisible » d'Adam Smith et les calculs de Bentham, fondés sur les principes de la faim et de l'appât du gain, sont aussi périmés que la technologie des débuts de la révolution industrielle. Mais si tout l'attirail matériel du dix-neuvième siècle a été relégué aux musées, le bagage philosophique et psychologique de cette époque continue de nous hanter. Dans un monde où les besoins sont artificiellement créés, nous sommes fondés de mettre en doute le postulat selon lequel toute augmentation des dépenses et du revenu national reflète une augmentation du bien-être de la population. Dans la société d'abondance, il y a longtemps que l'aiguillon de la faim ne sert plus de stimulant à la production. La course au succès, absurde et effrénée, est dans une large mesure un piège dans lequel la société s'est elle-même enfermée. On peut fort bien envisager la création d'un milieu social et une organisation correspondante de l'économie qui soient plus conformes à la nature humaine que la jungle concurrentielle dans laquelle vivent les Nord-Américains. Dans la ronde de la création et de la satisfaction des désirs, l'efficacité ne s'impose que dans le but d'assurer la survie des grandes entreprises. Pour le reste d'entre nous, le système équivaut à une participation collective et maladive à une course sans fin, dont se retirent volontairement de plus en plus de coureurs. Si la société rejetait son système de valeurs, l'économie nord-atlantique arrêterait de tourner. Contrairement à ce que prétendent les marxistes les plus superficiels, l'idéologie n'est pas une « superstructure ». Le consensus sur le système de valeurs en vigueur dans la société constitue l'infrastructure sur laquelle reposent nos institutions économiques et politiques.

La théorie économique et le développement économique

La plus acerbe critique de la théorie actuelle est celle qui en conteste les fondements philosophiques et psychologiques et qui, par voie de conséquence, dénonce le rôle de l'économiste comme apologiste inconscient de la grande entreprise capitaliste — ou du « socialisme » axé sur la production, comme en URSS ou en Europe de l'Est. Mais ce n'est pas là le coup le plus rude porté à l'orthodoxie. Ce qui contrarie de plus en plus les économistes, ce sont les contradictions internes de leurs théories et l'écart entre les propositions de leurs manuels et la réalité économique et politique du monde contemporain. Il est de plus en plus évident que deux des principes fondamentaux de l'orthodoxie académique n'apportent aucune explication rationnelle de la transformation de l'économie internationale depuis une quinzaine d'années. Il s'agit de la théorie du commerce international et de la théorie de l'entreprise. Les auteurs d'une étude récente sur le commerce international et sur l'implantation de l'industrie américaine à l'étranger concluent que « ni la théorie de l'entreprise ni la théorie des mouvements de capitaux internationaux ne fournissent d'explications valables des décisions administratives d'investir dans les secteurs de production à l'étranger. »[7] Dans la même optique, le professeur Mikesell souligne que pour comprendre l'essor des entreprises américaines en Europe occidentale, il faut examiner « la nature des sociétés américaines».[8] Les économistes académiques ont néanmoins négligé l'étude de l'entreprise typique, contrôlée par les gestionnaires. On en a fait un champ d'étude à part, qu'on a appelé l'organisation industrielle. La mathématique économique et la théorie de l'équilibre général sont venues renforcer l'optique mécaniste dans l'étude du fonctionnement des entreprises.[9]

C'est pour ces raisons que les auteurs insatisfaits de la théorie économique courante ont cherché des éclaircissements dans les études sur le comportement des milieux d'affaires et sur les rapports entre la technologie et les principes du commerce international. Un grand nombre des travaux contemporains les plus intéressants dans ce domaine, en langue anglaise, proviennent d'économistes rattachés à la *Harvard Business School*,[10] à la *School of Industrial Management* et au *Center for International Studies* du *Massachussetts Institute of Technology*,[11] aux Nations Unies, à l'O.C.D.E. et à divers autres organismes publics ou privés qui s'intéressent au commerce international et au développement économique.[12] Le débat en cours sur les conséquences des investissements directs pour la balance des paiements des Etats-Unis et le sous-développement de l'Amérique latine a aussi donné naissance à une documentation et à des spéculations intéressantes.[13]

Le développement et
le sous-développement

Le fondement de notre thèse, c'est que les succursales et les filiales des grandes entreprises américaines à dimensions multinationales aient remplacé les anciennes compagnies européennes dans l'exploitation des richesses naturelles et l'organisation de la production des marchandises. Dans ce nouveau mercantilisme, comme dans l'ancien, la firme métropolitaine exerce directement la fonction d'entrepreneur et perçoit en conséquence un « profit sur le risque » à partir de ses investissements. Elle organise l'extraction ou la cueillette des matières nécessaires à la métropole et elle fournit à la périphérie les produits achevés, qu'ils soient fabriqués sur place ou dans la métropole.

Les nouvelles entreprises mercantiles transgressent les frontières géographiques. Elles doivent s'étendre pour réaliser leurs profits et elles doivent augmenter sans cesse ces profits pour financer leur expansion. Elles « exportent » le capital et les titres de propriété mais les liens entre les filiales et les maisons-mères garantissent l'augmentation des exportations de la métropole en produits fabriqués, par la création de marchés étrangers pour le capital et les biens de consommation.

Les anciennes entreprises mercantiles exerçaient leur monopole sur les marchés en fournissant des marchandises rares, provenant de pays lointains. Elles bénéficiaient de l'appui généreux de l'Etat sous forme de divers privilèges. De même, la force de l'entreprise multinationale moderne, face à la concurrence, tient à la supériorité de ses techniques de commercialisation et de son organisation,[14] qui lui permettent de monopoliser les profits du risque par son expérience dans la création de produits et de besoins nouveaux. L'aide institutionnelle de l'Etat prend la forme d'une présence politique et culturelle de la métropole, à l'étranger, à laquelle s'ajoutent les fonds publics affectés aux programmes bilatéraux ou multilatéraux d'aide aux pays sous-développés.

L'entreprise internationale a créé des voies de circulation pour le capital et les marchandises ainsi que des réseaux de transmission des goûts et des techniques qui ignorent les frontières politiques. La tendance à l'auto-financement et la préférence pour les filiales en propriété exclusive ou sous contrôle étroit favorisent la concentration du marché international des capitaux aux Etats-Unis, métropole par excellence du système contemporain d'entreprises multinationales. Dans les pays où il pénètre, le nouveau mercantilisme efface les liens nationaux qui servaient à l'intégration de la vie économique et sociale. Les vieux pays périphériques, comme le Canada, régressent, tandis que les nouveaux, tout en obtenant leur indépendance politique, n'arrivent pas facilement à sortir de leur situation coloniale de satellites économiques.

Le Canada a été découvert, exploré et mis en valeur tout d'abord comme partie du système mercantile français, puis comme élément du système anglais. Il a accédé à l'indépendance nationale durant une courte période de l'histoire où les mouvements de marchandises, de capitaux et de personnes obéissaient à des forces économiques qui fonctionnaient dans le cadre de marchés internatiationaux relativement libres et concurrentiels. On pourrait dire du Canada d'aujourd'hui que c'est le plus riche des pays sous-développés. La régression qui l'a plongé dans un état de dépendance économique et politique ne peut aucunement être attribuée à un manque de ressources, contrairement à une théorie à la mode dans certains milieux. Son manque de dynamisme interne ne peut pas non plus s'expliquer par une culture traditionnelle. C'est donc dans les institutions et les processus de la société moderne qu'il faut chercher les raisons de son sous-développement et de sa fragmentation. A notre avis, l'explication se trouve dans la dynamique du nouveau mercantilisme pratiqué par les grandes entreprises américaines d'envergure internationale.

Le développement économique

L'équation entre le développement économique et le niveau
de revenu est presque devenue un axiome, tout comme le
sous-développement est devenu synonyme de pauvreté et
de faibles revenus. C'est pourquoi on utilise généralement
le produit national brut par habitant comme indice du développement économique. Si l'on se fonde sur de tels critères,
le Canada est plus développé que le Royaume-Uni, la France
ou l'Allemagne; de même, le Vénézuéla est en avance sur le
Japon. Mais s'il existe de toute évidence un rapport entre
le développement économique et la croissance des revenus,
il nous semble que c'est ailleurs que dans les facteurs qu'on
qualifie normalement « d'économiques » qu'il faut chercher
une explication plus fondamentale du développement et du
sous-développement. Sans doute est-il utile de rappeler ici
les travaux d'un des rares économistes modernes qui aient
refusé de se pencher sur la croissance des revenus ou de la
formation du capital: Joseph Schumpeter. Pour lui, le
développement se définit exclusivement en termes d'initiative
et d'innovation endogènes:

> « Par développement nous ne désignerons donc que
> les changements de la vie économique qui ne sont
> pas imposés de l'extérieur, mais qui proviennent
> de l'initiative interne. Si de tels changements ne se
> produisent pas à l'intérieur du secteur économique
> lui-même et que le phénomène que l'on appelle le
> développement économique provient uniquement
> du fait que les données se transforment et que
> l'économie s'adapte continuellement en consé-
> quence, nous dirons alors qu'il n'y a *pas* de déve-
> loppement économique. Nous voulons dire ainsi
> que le développement économique n'est pas un
> phénomène qui s'explique par des raisons écono-
> miques mais que l'économie, qui par elle-même

ne se développe pas, est entraînée par les changements du monde qui l'environne. C'est donc ailleurs
que dans les faits décrits par la théorie qu'il faut
chercher les causes et par conséquent les explications du développement. »[15]

L'expansion de l'entreprise internationale dans l'économie mondiale, réalisée par le moyen des investissements
directs, implique le développement du système de l'entreprise
capitaliste mais pas nécessairement celui des économies des
pays où sont situées les succursales et les filiales. Si l'on
insiste sur l'initiative endogène, l'économie de la métropole
apparaît comme *active*, c'est à dire une source de développement, tandis que l'économie des pays d'investissement se
présente comme *passive*, ne constituant qu'un lieu de
production. L'investissement étranger direct peut ainsi recréer certains aspects de l'ancien mercantilisme qui a précédé
la formation des Etats-nations du dix-neuvième siècle, et
accélérer la fragmentation des économies nationales et des
systèmes politiques nationaux dans des régions comme le
Canada. La conjoncture actuelle est particulièrement défavorable à l'intégration économique et politique nationale
dans les nouveaux états créés depuis la dernière guerre
mondiale. Dans ces cas, on assiste à une décolonisation qui
se double d'une recolonisation.

La théorie de l'entreprise

Dépouillée de ses artifices, la théorie de l'entreprise qui
continue de dominer dans l'orthodoxie académique est tirée
des observations d'Alfred Marshall. Elle veut que les entreprises, orientées par les signaux que fournit le mécanisme
des prix, soient obligées de satisfaire les préférences et les
besoins des consommateurs sous peine de disparition. Une
des principales failles de la théorie marshallienne de l'entreprise (tout comme de la théorie walrasienne de l'interdépendance des marchés) provient de ce que l'entrepreneur
est comme la cinquième roue d'une automobile — la roue

de secours. Il n'est pas vraiment essentiel au fonctionnement du système, sauf dans les cas d'urgence (ou de « déséquilibre »). Selon Marshall, qui était conscient de ce problème, l'entrepreneur apporte « l'organisation », pour laquelle il touche l'équivalent d'un salaire. Mais on n'a jamais clairement expliqué pourquoi un système de marchés, censément autonome et dans lequel les ajustements sont automatiques, a besoin de centres d'organisation autres que ceux qu'exigent les tâches administratives de routine.[16]

Bien avant que l'entreprise de production dominante ait complètement remplacé l'entrepreneur individuel par une élite décisionnelle collective, Schumpeter avait déjà expliqué en profondeur la nature du profit de l'entreprise moderne. Pour lui, le profit résulte de l'introduction délibérée de l'innovation dans l'économie par l'entrepreneur. C'est donc « la volonté et l'action » de l'entrepreneur qui créent le profit. Cet entrepreneur se distingue du « capitaliste », ce dernier n'étant qu'un rentier qui prête des fonds et touche des intérêts. Les capitalistes ont l'argent, mais les entrepreneurs ont les idées, dont ils se servent pour créer des situations qui, par le risque, font apparaître le profit. Un particulier et une société peuvent évidemment exercer à la fois les fonctions de rentier et d'entrepreneur. De fait, c'est précisément ce qui arrive dans le cas de la société moderne qui s'autofinance.

L'entrepreneur de Schumpeter est plus dynamique que le *manager* de Marshall. Il impose sa volonté aux consommateurs et aux producteurs: il leur apprend à vouloir de nouveaux produits ou services. Un produit entièrement nouveau, dit Schumpeter, doit être « imposé aux consommateurs ».[17] Le profit de l'entrepreneur est strictement différent de l'intérêt, qui est le revenu provenant du capital prêté. Il est différent aussi de la prime sur le risque, qui représente des frais évaluables. Les entrepreneurs innovent et leur profit est assimilable à une « quasi-rente », provenant du monopole temporaire que leur apportent leurs innovations. Schumpeter appelle innovation l'emploi d'un nouveau procédé de production, le lancement d'un produit ou d'un service nou-

veau ou amélioré, l'ouverture d'un nouveau marché, l'acquisition d'une nouvelle source d'approvisionnement ou encore
la mise en œuvre de nouvelles méthodes d'organisation
commerciale, y compris la formation ou la destruction
de monopoles des marchés par des fusions.[18] Dans pareil
cadre, l'innovation implique le développement économique,
et le développement économique ne peut se faire sans l'innovation: « sans développement il n'y a pas de profit, et
sans profit il n'y a pas de développement. »[19] Le profit est
donc le résultat de l'innovation et la source d'accumulation
de la richesse. Le profit finance l'expansion et l'investissement
qui, à son tour, crée l'épargne. On ne peut guère deviner si
le tsar de l'empire Procter & Gamble a lu les écrits du professeur Schumpeter, mais la ressemblance entre les théories
de l'économiste et les remarques de M. McElroy, lorsqu'il
souligne que la grande entreprise ne manque jamais de
capital mais « cherche les idées qui peuvent justifier le placement de capitaux », indique bien que Schumpeter a étudié
le fonctionnement de l'entreprise américaine.

Contrairement au capitaliste de Marx, qui tire ses
profits de l'exploitation du travail en vue de la production
de marchandises courantes destinées à un marché concurrentiel, l'entrepreneur de Schumpeter peut être un producteur
mais ne l'est pas nécessairement. L'entrepreneur-innovateur
crée surtout des situations où le prix de vente de ses produits
dépasse leur coût de production et de mise en marché.
Le profit est alors un surplus auquel ne correspond aucune
créance. L'ancêtre de l'entrepreneur moderne est le marchand
de jadis qui vendait sa verroterie et ses autres pacotilles aux
tribus africaines. « Tout repose sur le principe que les ache-
teurs évaluent, dans une large mesure, un nouveau produit
comme un don de la nature ou un tableau de maître, c'est
à dire que le prix ne dépend pas du coût de production. »[20]

On reconnaît généralement que si les Etats-Unis peuvent rivaliser avec leurs concurrents sur les marchés mondiaux
malgré le niveau élevé de leurs salaires, c'est à cause de leur
aptitude à fabriquer sans cesse de nouveaux produits.[21]
Cette concurrence par l'innovation, d'ailleurs, ne se limite

pas au domaine de l'exportation. Au contraire, les entreprises américaines ont perfectionné la technique de l'innovation et de l'amélioration des produits tout d'abord sur le marché interne et l'ont ensuite appliquée à l'échelon mondial par le commerce extérieur et l'investissement direct.

Etant donné qu'il n'y a pas de substituts parfaits pour les nouveaux produits, ceux-ci peuvent se vendre à des prix beaucoup plus élevés que ceux des anciens produits moins perfectionnés.[22] D'où la « quasi-rente », c'est à dire le profit tiré d'un monopole temporaire, que les concurrents ne peuvent obtenir que par l'imitation et à condition de créer une organisation commerciale apte à l'innovation perpétuelle. Dans l'optique de Schumpeter, la concurrence n'est jamais parfaite, les connaissances ne sont jamais certaines, et les profits sont d'autant plus assurés et permanents que le producteur s'efforce de réduire ses risques tout en fournissant les produits nécessaires au coût prévu et en vendant les produits programmés au prix établi d'avance. A notre époque, l'entrepreneur de Schumpeter a pris une dimension collective: c'est désormais en quelque sorte un « exécutif général ».[23]

Si les membres du conseil d'administration et les principaux actionnaires détiennent l'autorité officielle à titre de propriétaires légaux de l'entreprise, ils n'exercent en fait leur autorité que lorsque la société ne distribue plus de dividendes ou est acculée à la faillite. Et même alors, ils ne peuvent guère faire autre chose que de trouver de nouveaux gestionnaires.[24] Pour employer les termes de Sombart, on peut donc dire que la grande entreprise est un organisme économique indépendant qui transcende les individus qui le constituent. Cet organisme, d'ailleurs, a sa vie propre qui se prolonge souvent au delà de la vie de ses membres. Le succès de ces entreprises dépend, en fin de compte, du talent des principaux gestionnaires, parmi lesquels se trouvent généralement certains membres du conseil d'administration.[25] Le rôle actif que Schumpeter attribuait à l'entrepreneur n'a aucune commune mesure avec l'influence que, par son pouvoir décisionnel, la grande entreprise moderne exerce sur son environnement social et économique.

Les grandes entreprises maîtrisent les techniques qui leur permettent de manipuler nos besoins personnels et sociaux selon leurs intérêts et en fonction de leur survie. Elles peuvent amener les gens à acheter des produits qu'ils ne désirent pas vraiment et à en produire dont personne n'a vraiment besoin. Comme le signale le professeur Johnson, dans la société d'abondance la véritable rareté a été remplacée par une rareté artificielle et le bon fonctionnement de notre économie exige le maintien de ces artifices. L'augmentation des revenus implique la satisfaction de désirs qui sont de moins en moins essentiels. La marge des désirs à satisfaire s'éloigne de plus en plus du domaine physique pour tomber dans le domaine psychologique et sociologique. Le nécessaire devient d'ordre psychologique tandis que le luxe relève de la psychiatrie. Quant aux structures décisionnelles, elles se font de plus en plus bureaucratiques. Le travail même devient un produit, comme moyen de production, c'est à dire un article de l'équipement humain, et les universités deviennent des usines qui produisent des biens de production.[26]

La théorie du commerce international

Avant le dix-neuvième siècle le commerce à grande échelle était international en ce sens que les marchandises et les forces circulaient plus librement d'un pays à l'autre qu'à l'intérieur des frontières de chaque Etat.[27] Les techniques industrielles et l'organisation des marchés étaient bien plus perfectionnées pour les produits destinés au commerce international que pour ceux qui servaient à la consommation locale. Les grands marchands de la Ligue hanséatique qui habitaient en Europe et dans les pays du Levant, « n'é-taient pas nécessairement citoyens de quelque pays »,[28] comme le soulignait Adam Smith. En fait, les célèbres diatribes d'Adam Smith contre les marchands étaient inspirées par son désir de voir apparaître une économie nationale, fondée sur le capital autochtone investi dans l'agriculture et l'industrie.

Durant le dix-neuvième siècle, la mobilité interne des marchandises et des forces productives a augmenté avec l'apparition des économies nationales modernes. En même temps, on voyait se développer des marchés distincts pour les divers facteurs de production. En se dissociant de l'activité des entrepreneurs, le capital financier acquit une grande mobilité internationale grâce à la création d'un marché mondial pour les emprunts. La main d'œuvre a franchi l'Atlantique pour répondre au jeu de l'offre et de la demande dans le marché international qui venait de se former. Si la mobilité internationale du capital financier et de la main d'œuvre a atteint son sommet dans les années qui précédèrent la première Guerre mondiale, les entreprises commerciales gardaient une dimension nationale et les décisions des entrepreneurs n'avaient qu'une portée locale, sauf dans le cas des mines et des plantations coloniales.

Dans le système classique de l'économie de marchés, les revenus perdus dans les métropoles et provenant de la participation à l'économie internationale allaient aux producteurs d'articles d'exportation, aux rentiers qui investissaient à l'étranger pour financer l'essor du commerce international et aux propriétaires de plantations, de mines et de champs de pétrole qui pouvaient fournir des produits agricoles ou minéraux à des conditions favorables.

Impuissants devant les forces des marchés, les états se trouvaient généralement amenés, par la menace ou les promesses, à suivre les règles du libre échange, des budgets annuels équilibrés et des devises librement échangeables, dont la valeur était déterminée par des taux fixes de conversion en or et en livres sterling. Aussi longtemps que l'Angleterre et les autres pays d'Europe ont dominé l'organisation industrielle du monde, la production et l'exportation sont demeurées entre les mains d'entreprises nationales. Quand la concurrence devenait serrée, les entreprises se partageaient les marchés en concluant des ententes et en formant des cartels et il en résultait une certaine concentration industrielle. Mais le financement restait dans une large mesure distinct de la production. Le marché du capital, qui se composait des banques et des autres institutions financières, était puissant par rapport aux unités de production, c'est-à-dire les entrepreneurs.

L'économie mondiale contemporaine ressemble à l'ancien mercantilisme par la réintégration de l'entrepreneur métropolitain et du capital métropolitain. La principale différence, c'est que les nouvelles entreprises internationales ont ajouté la fabrication sur place et à grande échelle, dans les pays étrangers, à l'ancienne pratique de l'extraction minière et de l'exploitation agricole à l'intention de la métropole.

Déjà en 1929 le professeur Williams mettait en parallèle la tendance contemporaine et l'organisation du commerce international avant le dix-neuvième siècle. « Le commerce international d'avant le dix-neuvième siècle, écrivait-il, se caractérise de façon frappante par un mouvement des facteurs de production qui est à la fois le fondement, l'instrument et la conséquence des profits attendus de l'extension internationale des marchés et des sources de matières premières. »[29]

Les défenseurs du nouveau « supranationalisme » commercial ont eux aussi été frappés par la ressemblance entre l'ancien mercantilisme et le nouveau. Exaltant le rôle créateur des sociétés multinationales, qui répandent la technologie moderne aux quatre coins du monde, un de ces propagandistes affirmait que « par bien des aspects (les entreprises internationales) ressemblent aux compagnies à charte britanniques des dix-septième et dix-huitième siècles, car elles s'aventurent elles aussi en terrain inexploré » et « elles appliquent souvent des politiques qui n'ont pas reçu l'approbation explicite ni même l'acquiescement des gouvernements des pays intéressés. »

Comme le faisait observer le professeur Williams il y a une quarantaine d'années, ce qui intéresse l'entrepreneur, dans l'industrie moderne, c'est son entreprise et ses produits, et non la géographie politique. Le nombre s'accroît sans cesse des entreprises industrielles qui franchissent les frontières politiques.

> « Elles concrétisent dans certains cas la politique d'un pays qui a choisi de projeter à l'étranger son capital, sa technique et son savoir dans le cadre d'une industrie donnée et de son marché, au lieu de les affecter chez lui à d'autres domaines. Dans d'autres cas, elles représentent un regroupement international de capitaux et d'administrateurs dans des entreprises universelles dont les ramifications s'étendent à de nombreux pays. Elles reflètent manifestement des rapports organiques entre le commerce international, le mouvement des facteurs productifs, les transports et l'organisation des marchés. »[30]

Ces rapports organiques dont parle Williams sont maintenus principalement par le processus de l'investissement direct à l'étranger. Et les pionniers de ce nouveau mercantilisme sont incontestablement les grandes entreprises américaines qui, depuis une vingtaine d'années, ont transformé l'économie internationale.

Continentalisme et nationalisme

L'argument invoqué par les économistes canadiens qui prônent l'intégration continentale se fonde sur une théorie statique et néo-classique des « avantages comparés ». Il en ressort que la baisse des tarifs douaniers serait bénéfique pour le Canada parce qu'elle encouragerait la spécialisation dans une exploitation efficace des richesses naturelles et défavoriserait une industrie manufacturière inefficace. Mais cet argument porte à faux. Il ne dissipe pas le danger que l'intégration économique aux Etats-Unis, dans le contexte d'une économie dominée par les succursales et les filiales, enraye l'intégration interne de l'économie canadienne, perpétue l'écart technologique et prive le pays des « avantages comparatifs dynamiques» provenant de l'innovation et de l'avance technologique autochtones. Le professeur Harry Johnson ne semble pas comprendre que le nationalisme économique, tel que nous le proposons, ne vise pas à fournir à l'industrie une protection douanière mais à protéger plutôt l'initiative des entrepreneurs locaux, qu'ils s'agisse d'entreprises publiques ou privées, particulièrement dans le domaine stratégique de la « nouvelle technologie». Toute politique visant à protéger les entreprises canadiennes de la pénétration des investissements directs américains devra s'accompagner d'un abaissement des tarifs douaniers du Canada sur l'importation d'articles d'usage courant quelle qu'en soit l'origine.

Ce n'est pas en rabâchant les propositions tautologiques de la théorie du commerce international que l'on peut répondre à ceux qui s'opposent à une intégration plus poussée du Canada au complexe économico-politico-militaire américain. Les dogmes de cette théorie reposent sur des postulats institutionnels qui ne tiennent compte, ni de la stratégie compétitive des entreprises multinationales modernes, ni des liens politiques entre ces entreprises et le gouvernement de leur pays.[31] De plus, la suppression de la souveraineté nationale qu'implique le système économique des filiales peut fort bien entraîner des pertes économiques substantielles. Dans le monde actuel, où l'innovation dans le domaine de la technologie et dans celui de l'organisation sociale conditionne la possibilité pour tout pays de tirer parti de ses ressources et de choisir ce qu'il produira et à qui il le vendra, la « succursalisation» de l'économie canadienne risque fort, dans un avenir prochain, de réduire sérieusement la qualité matérielle de l'existence. L'expérience historique, depuis un siècle, démontre que la puissance économique dépend de la création d'un milieu culturel, social et politique qui favorise les initiatives autochtones. C'est là un domaine des sciences sociales que nous connaissons encore très mal. Mais il n'y a pas de raisons de croire, *a priori*, que les progrès réalisés dans le domaine des communications et l'interdépendance de plus en plus prononcée à l'échelle planétaire aient diminué l'aptitude des petits pays à atteindre un haut niveau de vie en adoptant des politiques qui protègent leur population contre l'assimilation culturelle et économique aux grands empires. Au contraire, ce n'est peut-être qu'en bloquant délibérément la pénétration des entreprises multinationales que des pays bien plus pauvres que le Canada réussiront à échapper à la misère et au chômage. L'intégration continentale d'entreprises industrielles qui ne sont le plus souvent que des succursales ou des filiales d'entreprises américains accélère l'érosion de la liberté de choix du Canada en matière de politique économique. En fin de compte, cette situation peut s'avérer extrêmement coûteuse pour le Canada.

Les objectifs d'une politique rationnelle

Une politique économique est rationnelle lorsqu'elle affecte les moyens les plus efficaces à la réalisation d'objectifs sociaux précis, quels que soient ces objectifs. Si les Canadiens désirent, entre autres choses, conserver leur identité en Amérique du Nord et profiter des avantages qui proviennent d'une société aux dimensions restreintes, d'un sentiment d'appartenance collective plus prononcé et de la participation à la prise de décisions, il faut considérer de telles aspirations comme tout aussi « réalistes » que le désir de jouir d'un niveau de vie confortable. La politique économique la plus rationnelle est peut-être alors celle qui rejette les douteux avantages matériels de « l'américanisation » en faveur de la possibilité de façonner soi-même son milieu social et économique. De même, si parmi leurs objectifs sociaux les Canadiens français éprouvent le désir d'être « maîtres chez eux » au Québec, toute politique canadienne, pour être rationnelle, doit tenir compte de ce fait. Il en va ainsi des désirs et des aspirations de tout peuple qui tient à rester en dehors du système inter-américain tel qu'on le conçoit actuellement.

Mais si les Canadiens anglais veulent avant tout rivaliser avec les Américains dans le mode de vie américain... si

le Canada n'a pas de système de valeurs foncièrement différent de celui qui prévaut aux Etats-Unis... si l'on considère
la consommation privée comme le fondement de la politique
sociale... si l'on n'estime pas que la protection des particuliers et de la collectivité contre les manipulations d'entreprises bureaucratiques privées et motivées par l'appât du
gain constitue un objectif important de toute politique nationale... si le nationalisme canadien n'est, comme l'affirme
Harry Johnson, qu'un mélange d'esprit de clocher, de sentiment d'infériorité et d'anti-américanisme né de l'envie que
nous inspirent nos voisins,[32] alors les nationalistes ont tort.
Ils ont tort parce que le Canada ne mérite pas de survivre.
Nous garderons peut-être officiellement notre souveraineté
politique, mais la convergence des intérêts amènera de plus
en plus les dirigeants canadiens à suivre les politiques établies par les Etats-Unis.

Conscients de ce problème de souveraineté, certains
continentalistes soutiennent que l'intégration rehaussera le
revenu du Canada et qu'avec un revenu élevé on peut tout
acheter, y compris l'indépendance. C'est ainsi qu'à partir
d'une expérience empirique et d'une étude du roman anglais,
le professeur Johnson affirme avoir découvert que l'indépendance est le fruit d'un haut niveau de revenu.[33] « Je suis
porté à croire, écrit-il, qu'une intégration économique plus
poussée qui permettrait aux Canadiens d'accéder à un niveau
de vie plus près de celui des Américains augmenterait à la
fois leur désir et leur possibilité de se servir de la souveraineté
politique pour prendre des mesures sociales et politiques
plus conformes à leurs propres conceptions et à leurs besoins. »[34] Comment un homme aussi intelligent que M.
Harry Johnson peut-il être aussi naïf? N'a-t-il donc pas
constaté que les personnages de ses romans anglais sont
indépendants de fortune? Y a-t-il quelqu'un de plus dépendant qu'un employé qui touche un fort salaire? Et peut-on
être plus indépendant qu'un homme qui peut se fier à ses
propres ressources sans avoir à mendier la faveur d'un
emploi?

On veut nous faire croire que l'économique et le politique sont indépendants l'un de l'autre et que le gouvernement canadien peut toujours avoir recours à des mesures législatives pour obliger les entreprises qui fonctionnent au Canada, quelle que soit leur puissance, à agir conformément aux besoins et aux aspirations du pays. On affirme qu'il n'y a pas de raison que la présence des entreprises américaines chez nous influence la politique canadienne, que ce soit sur le plan interne ou sur le plan externe. S'il y a sans doute des économistes assez naïfs pour croire que l'élaboration de la politique gouvernementale peut se faire dans des compartiments conventionnels et soigneusement séparés (l'économique, le politique, le social, etc), tous ceux qui ont des rapports avec le gouvernement savent que toute politique économique a des répercussions sociales et politiques. A vrai dire, on peut mettre en doute la naïveté du professeur Johnson en ce qui a trait à la nature du pouvoir et de la dépendance. En effet, en commentant la recommandation du rapport Watkins voulant qu'il soit interdit aux sociétés contrôlées par les Américains de suivre des politiques établies aux Etats-Unis au lieu de celles du gouvernement canadien, le professeur Johnson, à ce qu'on rapporte, a qualifié les conclusions du rapport d'aventuristes parce que, disait-il, « elles visent à exploiter la tolérance des Américains envers les prétentions du Canada à l'indépendance et elles ne seraient acceptées par les Etats-Unis que dans la mesure où le Canada resterait pour eux un allié loyal et utile.»[35]

La ploutocratie des entreprises et la démocratie nationale

Les conséquences néfastes du système des succursales ont été soulignées avec inquiétude par des hommes politiques, des historiens, des politicologues, des journalistes, des philosophes et même des comptables, mais rarement par des économistes. Nous avons déjà évoqué l'entrevue accordée par Walter Gordon au *Star Weekly* en 1967. Le même journal avait interviewé aussi une autre personnalité canadienne éminente: Kenneth McNaught, professeur d'histoire à l'Université de Toronto. Parlant des économistes canadiens, M. McNaught s'exprimait en ces termes:

« De tous les avis qu'ont formulés les spécialistes quant à notre avenir, le plus sot est celui qui veut que nous n'ayons pas à nous inquiéter de l'augmentation incontrôlée des investissements américains chez nous. Comme autrefois les partisans de l'union commerciale avec les Etats-Unis, certains économistes nous invitent maintenant à oublier notre nationalisme et à ne rechercher que l'efficacité économique...

Aucun pays, écrit Madison, ne garde longtemps sa stabilité si son gouvernement ne sert pas les intérêts des grands propriétaires. Or les grands propriétaires de nos moyens de production sont actuellement les entreprises américaines. La preuve en est écrasante et le Bureau de la Statistique nous la confirme presque quotidiennement.»[36]

La conclusion est évidente. Comme le dit le professeur McNaught, si les Canadiens veulent pouvoir choisir eux-mêmes ce qui leur plaît et rejeter ce qui leur déplaît, « il leur faudra reprendre le contrôle des principaux secteurs de leur économie et proclamer hautement la suprématie du politique sur l'économique. »

Le conflit entre les impératifs de l'entreprise multinationale et la souveraineté de l'Etat-nation est de plus en plus reconnu par les intellectuels et les hommes politiques. Le plus connu parmi ceux qui ont prévu cette situation est sans doute l'ancien sous-secrétaire d'Etat américain George Ball qui affirmait que le principe de l'Etat-nation était dépassé et céderait devant celui de l'entreprise multinationale, concept moderne qui répond aux besoins de notre époque. Le danger qui menace l'Etat-nation est bien réel, étant donné que certaines entreprises sont plus puissantes que nombre de pays actuels. Certains estiment même que l'expansion des entreprises américaines à l'étranger finira par donner aux Etats-Unis le contrôle des trois quarts du monde non socialiste d'ici l'an 2000, sinon avant.[37]

La préoccupation de protéger la souveraineté de l'Etat-nation est souvent présentée comme une forme de nationalisme sentimental et rétrograde. Une telle attitude, pourtant, est entièrement justifiée du fait qu'il s'agit de maintenir la primauté du citoyen et des institutions politiques par lesquelles il peut espérer maîtriser son environnement, contre la concentration du pouvoir des entreprises. Les hommes d'affaires n'ont pas peur des mots. On pourrait difficilement imaginer une description plus claire du conflit entre le pouvoir des grandes entreprises et la liberté individuelle que la déclaration suivante, par laquelle un administrateur de la *Steel Company of Canada* (sous contrôle canadien) entendait défendre l'entreprise multinationale:

> « Si nous souhaitons vraiment une société libre et responsable, la grande entreprise constitue un heureux contrepoids aux pouvoirs excessifs du gouvernement. Etant donnée la façon dont le droit droit de vote a été généralisé, les gouvernements modernes ne sont pas responsables devant le contribuable. Ils obéissent surtout aux exigences de gens qui n'ont pas d'enjeu dans la société. L'entreprise représente ceux qui, eux, ont un enjeu dans la société: les actionnaires. Il est excellent que les pays en voie de développement soient obligés de modeler leurs politiques sur celles des grandes entreprises. Cette situation rend plus responsables des gouvernements qui sont peu portés à l'être. Ainsi ces gouvernements doivent s'efforcer de gagner les faveurs des éléments les plus responsables de la société. L'entreprise multinationale joue un rôle important en faveur de l'internationalisme. »[38]

En fait l'entreprise multinationale n'est responsable envers personne, sauf elle-même. Elle sert ses propres intérêts, sans se préoccuper de ceux de quelque autre groupe. Son internationalisme est aussi faux que son appel au *laissez-faire* et à la « main invisible » des marchés. Elle représente un retour au capital de risque, doté d'une forte mobilité internationale, par rapport au système multilatéral, concurrentiel et autonome d'organisation économique qui caractérise le dix-neuvième siècle et le début du vingtième.

L'entreprise multinationale cherche à s'approprier la quasi-rente provenant du progrès technologique, par une stratégie mondiale de planification et de contrôle des entreprises. Dans ce nouveau contexte du commerce international, le capital d'investissement en portefeuille privé a été remplacé par l'aide et les prêts gouvernementaux, sur le plan international comme sur le plan national. Une proportion écrasante de ce qu'on appelle maintenant « l'investissement international privé » se compose d'investissements en actions à des fins de contrôle. Les économies des pays d'investissement se trouvent ainsi dans une nouvelle situation de dépendance par rapport aux entreprises internationales et aux gouvernements métropolitains. Si certaines entreprises internationales sont assez puissantes pour n'entretenir de relations particulières avec aucune des métropoles, la plupart cependant conservent leur base dans leur pays d'origine, surtout aux Etats-Unis. En dépit de légers conflits d'intérêts, elles sont nettement intégrées à la structure politico-industrielle de leur métropole. C'est pourquoi la menace qui pèse sur la souveraineté canadienne prend la forme d'un danger d'assimilation à l'empire américain. Le Canada, il est vrai, constitue un cas unique, mais comme l'a souligné le professeur R. F. Mikesell, « étant donné que les sociétés-mères préfèrent contrôler totalement leurs succursales étrangères plutôt que de s'engager dans des entreprises mixtes, et étant donné que le gouvernement américain a tendance à étendre sa juridiction, en matière de commerce comme dans d'autres domaines, aux succursales étrangères des entreprises américaines, ces succursales se trouvent de plus en plus souvent en conflit avec les politiques nationales des autres pays et suscitent par conséquent la crainte d'une domination étrangère. »[39]

Contrairement à une erreur répandue, les rapports particuliers entre le Canada et les Etats-Unis ne proviennent pas principalement des liens commerciaux étroits qui existent entre les deux pays. C'est plutôt le modèle du commerce des articles de consommation courante qui reflète l'intégration effectué par l'intermédiaire de l'investissement direct de la part des entreprises américaines. Les grandes décisions portant sur l'investissement au Canada et l'expansion de l'industrie canadienne se prennent à New York, Détroit ou Chicago, et non pas à Toronto ou Montréal. La situation de satellite dans laquelle se trouve le Canada est renforcée, comme dans l'ancien système mercantile, par la série de faveurs, de privilèges et d'avantages que le Canada obtient en négociant avec les Etats-Unis dans une position de faiblesse. La vulnérabilité du Canada devant tout changement dans les tarifs douaniers, les contingentements, les conditions de crédit, les commandes militaires et les mouvements de capitaux aux Etats-Unis, augmente à mesure que les exportations commerciales des entreprises sous contrôle canadien se trouvent remplacées par des transferts entre les sociétés et par le troc négocié à partir de données politiques.

On fera sans doute valoir que les entrepreneurs canadiens ont connu leur meilleure époque durant l'intermède entre l'effondrement de l'ancien mercantilisme, au milieu du siècle dernier, et l'incorporation de l'économie canadienne au nouveau système mercantile, durant les vingt dernières années. L'absorption a été facilitée par l'héritage de l'élite commerciale anglo-canadienne. La situation privilégiée de cette élite est à l'origine de conflits entre le Canada central et le reste du pays, de même qu'entre Canadiens français et Canadiens anglais. Ces tensions, par ailleurs, viennent renforcer l'effet désintégrateur d'investissements directs excessifs de la part des Américains.

L'aversion que lui inspiraient les capitalistes de Toronto a amené Harry Johnson à chercher la démocratie dans les supermarchés de banlieue et dans les fabriques de diplômes qui promettent de transformer leurs finissants en mini-capitalistes capables de réaliser des profits sur les connais-

sances acquises par eux durant leur séjour dans les maisons
d'enseignement. Mais ce n'est pas là qu'on trouvera la démocratie. Là, il n'y a que le piège qui fait tomber les captifs aux
mains du pouvoir silencieux exercé par la bureaucratie
anonyme des riches entreprises qui échappent largement
au contrôle de la démocratie nationale. Conditionnés aux
« plaisirs et conforts » de notre époque de consommation
de masse, décrite par W. W. Rostow, les Canadiens vivent
en captivité dans une cage moins dorée qu'on ne le dit.
La pauvreté et le chômage qui sévissent à l'état chronique
à l'est du boulevard Saint-Laurent, à Montréal, ainsi que la
frustration de tous ceux qui, dans les villes comme les cam-
pagnes, se trouvent privés de tout pouvoir et de tout statut
social, telle est la contrepartie de l'efficacité des grandes entreprises et des contrats syndicaux exemplaires dont bénéficient les employés d'une élite d'entreprises particulièrement
profitables.

Au Canada, les ressources économiques sont distribuées
de façon à satisfaire avant tout les besoins des grandes entreprises privées, dont la plupart sont contrôlées par les Américains. L'ancien système d'une économie diversifiée allant
de l'ouest à l'est et doublée d'un gouvernement central
fort a été largement détruit par les forces économiques qui
favorisent la concentration à l'échelon continental sous
l'égide des grandes entreprises et, en conséquence, la fragmentation politique entre régions. Les entrepreneurs canadiens d'hier sont devenus les percepteurs de jetons de présence et les vice-présidents salariés des succursales d'aujour-
d'hui. Ils ont littéralement vendu le pays. A quelques exceptions près, les entreprises industrielles privées qui sont encore
sous contrôle canadien sont trop petites ou trop inefficaces
pour pouvoir se vendre à des conditions avantageuses.

Seule une intervention massive et créatrice de la part
du secteur public peut refaire les structures de l'économie
canadienne en fonction des véritables besoins humains
de notre époque. Pour avoir un sens, l'exercice de la démocratie politique exige que nous soyons libres de façonner à
notre gré les institutions canadiennes sans crainte de repré-

sailles de la part des grandes entreprises. Cette ambition est d'autant plus difficile à réaliser que les entreprises en question ont leur base dans le pays du monde le plus porté au nationalisme, avec lequel nous avons par surcroît une frontière de 4000 milles. A vrai dire, on peut même se demander à bon droit si la chose est encore possible.

NOTES

1. Cf. Harry G. Johnson: *The Canadian Quandary.* Aussi A. E. Safarian: « *Foreign Ownership and Control of Canadian Industry* » dans Rotstein: *The Prospects of Change* (1965), *Foreign Ownership of Canadian Industry* (1966) et divers articles sur la commission Watkins dans le *Journal of Canadian Studies* (août 1968). Aussi H. E. English: « *Are these Jeremiahs Really Necessary?* » dans l'*International Journal* (été 1966); D. W. Slater: « *The Watkins Report* » dans *The Canadian Banker* (été 1968) et les reportages sur la communication de Slater au colloque du parti libéral dans le *Globe and Mail*, octobre 1966. Les économistes dissidents sont peu nombreux. On note parmi eux les professeurs M. H. Watkins, A. Rotstein et S. Hymer, ainsi qu'un certain nombre d'étrangers éminents (voir plus loin).

2. Cf. Gunnar Myrdal: *Asian Drama*, vol. 1 (New York, Random House, 1968), p. 26. Comme l'a si bien expliqué le professeur Kaldor: « Toute théorie se fonde inévitablement sur des abstractions, mais ces abstractions ne sont pas choisies dans le vide; elles doivent correspondre aux traits caractéristiques du processus économique défini par l'expérience. » Cf. Nicholas Kaldor: « *Capital Accumulation and Economic Growth* », dans *The Theory of Capital* (Londres, Macmillan and Co., 1961), pp. 177-178.

3. Depuis quelques années des économistes américains ont porté leur attention sur le phénomène de l'entreprise multinationale et ses rapports avec le marché international des capitaux. Etant donné notre mentalité d'employés de succursales, il est fort probable que les milieux académiques canadiens ne se pencheront sérieusement sur le conflit entre l'expansion des grandes entreprises et la souveraineté nationale que lorsque l'exemple leur aura été donné par leurs collègues dans des universités américaines prestigieuses (voir plus loin).

4. Cf. notamment W. Baumol: *Business Behavior, Value and Growth*, édition révisée (New York, Harcourt, Brace & World Inc., 1966).

5. Cf. Karl Polanyi: « *Our Obsolete Market Mentality* » et « *The Economy as an Instituted Process* » dans G. Dalton (ed.): *Primitive, Archaic and Modern Economies: The Essays of Karl Polanyi* (New York, Doubleday, 1968).

6. Ibid. pp. 63-64.

7. Cf. William Gruber, Dileep Mehta et Raymond Vernon: « *The R and D Factor in International Trade and International Investment of United States Industries,* » dans *Journal of Political Economy*, février 1967, p. 30. Le professeur Vernon se plaint aussi de l'insuffisance des moyens d'analyse disponibles pour l'étude des changements dans le commerce et les investissements internationaux: « Si l'on ne continue pas de chercher à mettre au point de meilleurs instruments, la théorie écono-

mique perdra sans doute de son utilité pour résoudre les problèmes relatifs au commerce international et aux mouvements de capitaux.» Cf. « *International Investment and International Trade in the Product Cycle*» dans le *Quarterly Journal of Economics*, mai 1966, p. 190.

8. Cf. Raymond F. Mikesell: « *Decisive Factors in the Flow of American Direct Investment to Europe*», dans *Economia Internazionale*, août 1967, p. 447. (Texte révisé d'une communication au « Colloque sur la politique industrielle de l'Europe intégrée et l'apport des capitaux extérieurs» organisé par les professeurs Maurice Bye et André Marchal, de l'Université de Paris, en mai 1966.)

9. A cause de la prédominance des modèles de Marshall (l'entreprise à profit maximal) et de Walras (l'équilibre général), le profit de l'entrepreneur a été écarté du champ d'étude de l'analyse économique courante. C'est pourquoi les travaux de Joseph Schumpeter n'ont jamais été vraiment intégrés aux « principes» fondamentaux de la micro-économique et de la macro-économique contemporaines ni à ceux de la théorie du commerce international. Cf. aussi R. A. Gordon: *Business Leadership in the Large Corporation* (Washington, Brookings Institution, 1945), p. 18.

10. Ce n'est sans doute pas par hasard que l'université qui a hébergé Joseph Schumpeter durant les nombreuses années qu'il a passées en Amérique a fourni un sol si fertile à des travaux fructueux sur les rapports entre la grande entreprise américaine et le développement économique au sens où l'entendait Schumpeter. Il y a lieu de noter particulièrement l'œuvre de John Kenneth Galbraith, surtout *The New Industrial State* (Boston, Houghton Mifflin Company, 1967) et les travaux de Raymond Vernon: « *International Investment and International Trade in the Product Cycle*» (*Quarterly Journal of Economics*, mai 1966), « *Multinational Enterprise and National Sovereignty*» (Harvard Business Review, mars-avril 1967) et « *U.S. Enterprise and the Canadian Economy*» (Canadian Forum, avril 1969). Un certain nombre de dissertations doctorales sur le même sujet, ont aussi été faits à Harvard durant les années 60: Y. Aharoni: *The Foreign Investment Decision Process* (Boston: Division of Research, Harvard School of Business, 1966); G. C. Hufbauer: *Synthetic Materials and the Theory of International Trade* (Cambridge: Harvard University Press, 1966); S. Hirsch: *Location of Industry and International Competition* (Oxford: Clarendon Press 1967); L. T. Wells: *Product Innovation and Directions of International Trade* (Thèse de doctorat inédit, Harvard School of Business, 1966).

11. On trouvera une étude complète et lucide de l'innovation dans l'organisation des grandes entreprises dans l'ouvrage d'Alfred D. Chandler: *Strategy and Structure, Chapters in the History of the Industrial Enterprise* (Cambridge: M.I.T. Press, 1962). Cf. aussi Charles P. Kindleberger: *Foreign Trade and the National Economy* (Yale University Press, chapitres 6 et 7) et « *The International Firm and the International Capital Market*» dans The Southern Economic Journal (octobre 1967), ainsi que Stephen Hymer: *The International Operations of Foreign Firms, A Study of Direct Foreign Investment* (thèse de doctorat inédite, M.I.T. 1960).

12. Cf. *Problems and Prospects in the export of Manufactured Products from the Less Developed Countries,* Conférence des Nations Unies sur le commerce et le développement économique, décembre 1963

(notes rédigées par Raymond Vernon); C. Freeman et A. Young: *The Research and Development Effort in Western Europe, North America and the Soviet Union* (O.C.D.É, 1965); C. Freeman: « *The Plastics Industry, a Comparative Study of Research and Innovation* » (National Institute Economic Review, no. 26, novembre 1963), pp. 22-62, et « *Research and Development in Electronic Capital Goods* » (ibid. no 34, novembre 1964) pp. 40-91. Le meilleur résumé sur les rapports entre la grande entreprise américaine et l'économie internationale, par le jeu de l'investissement direct, est sans doute celui de Raymond Mikesell: « *Decisive Factors in the Flow of American Investment to Europe.* » (Voir note 8.)

13. L'ouvrage le plus utile parmi ceux qui sont nés de la controverse aux Etats-Unis est incontestablement celui de Judd Polk, Irene Meister et Lawrence Veit: *U.S. Production Abroad, A Survey of Corporate Investment Experience* (New York: National Conference Board Special Study, 1966). Aussi Walter Salant: *The U.S. Balance of Payments in 1968* (Washington: The Brookings Institution, 1963); Phillip Bell: « *Private Capital Movements and the Balance of Payments Position* »; U. S. Congress, Subcommittee on International Exchange and Payments of the Joint Economic Committee: *Factors Affecting the U. S. Balance of Payments* (87ème législature, 2ème session, 1962), pp. 395-481; Jack N. Berman: « *The Foreign Investment Muddle: The Perils of Adhoccery* » (Columbia Journal of World Business, automne, 1965).

14. Cf. par exemple D. B. Keesing: « *Impact of Research and Development on United States Trade* » (Journal of Political Economy, février 1967), pp. 38-48.

15. Cf. Joseph Schumpeter: *The Theory of Economic Development* (Cambridge: Harvard University Press, 1949), p. 63.

16. Cf. R. H. Coase: « *The Nature of the Firm* » (Economica, vol. IV, 1937). Reproduit dans Stigler and Boulding (éditeurs): *Readings in Price Theory* (Homewood, Richard D. Irwin, Inc. 1952) pp. 331-351. Je remercie le professeur Stephen Hymer d'avoir attiré mon attention sur cet article.

17. Cf. Schumpeter: *The Theory of Economic Development*, p. 135.

18. Ibid. p. 66.

19. Ibid. chapitre IV.

20. Ibid. p. 135.

21. Cf. notamment D. B. Keesing: « *Impact of Research and Development on United States Trade* » (Journal of Political Economy, février 1967).

22. Tous les travaux sur le « cycle des produits » et le commerce international nous intéressent au premier plan. Dans un important article qui résume les travaux de Raymond Vernon, on souligne que « durant les premières étapes du cycle d'un produit, souvent le consommateur ne se préoccupe pas outre mesure du prix. Le fabricant qui réussit est celui qui sait adapter rapidement la conception de son produit et sa stratégie commerciale à des besoins, chez les consommateurs, qui commencent à peine à être clairement définis. » Cf. L. T. Wells, Jr.: « *A Product Life Cycle for International Trade* » (Journal of Marketing, vol. 32, juillet 1968).

23. L'exécutif général que décrit le professeur Chandler dans *Strategy and Structure* est l'entrepreneur de Schumpeter. Si les décisions courantes peuvent être prises, en dernière analyse, par un individu, il semble bien qu'au niveau de l'entreprise la décision collective cons-

4

titue la pratique la plus répandue. Les problèmes, en ce cas, sont plus complexes, moins routiniers, à long terme plutôt qu'à court terme : ils se présentent sous la forme de difficultés à surmonter plutôt que sous celle de besoins immédiats à combler. Dans tout système économique, ceux qui prennent les décisions critiques sont ceux qui ont le pouvoir réel, plutôt que l'autorité juridique, de décider de l'emploi des ressources disponibles. Ce sont eux qui définissent les objectifs des entreprises qu'ils dirigent.

24. Ibid. p. 313.

25. Ibid. p. 8.

26. Cf. H. G. Johnson : « *The Political Economy of Opulence* », communication présentée à l'assemblée annuelle de l'Association Canadienne des Sciences Politiques, à Kingston en juin 1960. Reproduit dans l'ouvrage de Johnson : *The Canadian Quandary* (Toronto : McGraw-Hill, 1963), pp. 236–252.

27. J. H. Williams souligne que dans son ouvrage *Postulates of English Political Economy* Bagehot en vient à la conclusion que la théorie des avantages comparatifs », fondée sur l'hypothèse ricardienne de l'immobilité internationale et de la mobilité nationale des forces de production, ne peut s'appliquer à aucun pays au monde avant la période classique anglaise et que même alors elle ne vaut que pour le « grand commerce » dans lequel l'Angleterre s'est lancée avant les autres pays. Dans une telle optique, le siècle de l'industrialisation européenne, dominé par l'Angleterre, l'étalon-or et une liberté relative du commerce, se caractérise par une prolifération des unités de production, une dissociation de l'entrepreneur et des sources de capitaux, de vastes déplacements démographiques d'un littoral à l'autre de l'Atlantique et la formation ainsi que la consolidation des Etats-nations en Europe et dans les Amériques. Au cours de cette période, les réalités institutionnelles se sont mises à correspondre plus étroitement que jamais auparavant (et même depuis) au principe de la libre concurrence, même relative, des marchés. Cf. Williams : *Postwar Monetary Plans* (New York : Alfred A. Knopf, 1944), p. 137.

28. Cf. Adam Smith : *Wealth of Nations*, vol. III, chap. IV : « Le marchand, a-t-on dit, n'est pas nécéssairement le citoyen de quelque pays que ce soit. L'endroit où est située la base de son commerce lui importe peu et la moindre contrariété peut l'amener à déplacer d'un pays à un autre son capital et toutes les entreprises qui en dépendent. »

29. Cf. Williams. Op. cit. p. 149.

30. Ibid. pp. 144–145.

31. Au cas où l'on nous accuserait d'être injuste envers le professeur Johnson en évoquant des opinions qu'il a exprimées il y a plusieurs années, nous soulignons que son point de vue n'a pas changé. Dans un article sur le rapport Watkins, il rejette l'idée que l'entreprise multinationale constitue un élément nouveau et différent de l'entreprise décrite dans les manuels et il ajoute que les auteurs du rapport ont été abusivement influencés par la propagande de la Chambre de Commerce Internationale et de l'Harvard School of Business. Cf. Johnson : « *The Watkins Report* », dans l'International Journal, automne 1968, pp. 615–620.

32. Cf. Johnson : « *Problems of Canadian Nationalism* », International Journal, été 1961. Reproduit dans The Canadian Quandary, p. 16.

33. Ibid. p. 127.

34. Ibid. p. 15.

35. Cf. *Globe and Mail*, 29 juillet 1968. Compte rendu de la Conférence de Couchiching.

36. Cf. *Star Weekly*, juillet 1967.

37. Cf. *Toronto Star*, 31 juillet 1968. Compte rendu d'une communication de J. N. Behrman, ancien adjoint au Secrétaire d'Etat au Commerce des Etats-Unis, à la Conférence de Couchiching. M. Behrman ajoutait que sa prévision ne se réaliserait que si on trouvait « le moyen de partager les richesses entre tous.» Autrement, disait-il, le monopole exercé par les Etats-Unis deviendrait « inacceptable» pour le reste du monde.

38. Il s'agit de M. J. W. Younger, secrétaire de la *Steel Company of Canada*, dont les propos sont rapportés dans le *Globe and Mail* du 11 février 1969.

39. Cf. R. F. Mikesell: « *Decisive Factors in the Flow of American Direct Investment to Europe*», dans Economia Internazionale, août 1967.

3

L'avènement de l'État-Nation

Pour une perspective historique

La plupart de nos économistes ne semblent pas avoir compris l'apport de Harold Innis à la compréhension de nos relations actuelles avec les Etats-Unis.[1] En traitant — à tort — ses études sur le commerce des pêcheries et de la fourrure comme gruau indigeste comparativement aux constructions élégantes de la théorie économique moderne, on a privé les générations récentes d'économistes canadiens des fondements d'une théorie du développement de leur pays.

Dans un excellent article sur la théorie qui fait des matières premières la base du développement économique du Canada, le professeur M. H. Watkins souligne que le déclin de l'influence d'Innis au Canada coïncide avec un intérêt croissant pour ses théories aux Etats-Unis.[2] Bien plus, sur le plan chronologique, Innis a devancé les économistes de l'Amérique latine en abordant sous l'angle de « la métropole et la périphérie » les économies de matières premières d'Amérique, de même qu'il a tenté comme eux d'élargir les paramètres de l'analyse de façon à y inclure des facteurs que la tradition rejetait comme externes au domaine strictement économiques.[3]

Dans ses écrits, Innis explique comment les rapports commerciaux entre la métropole et l'arrière-pays ont façonné l'économie, la société et les structures gouvernementales d'un des pays périphériques du Nouveau Monde. Plus précisément, il analyse la relation entre les matières premières et le type de développement économique, le lien symbiotique entre « le centre et les régions marginales », et l'influence de l'unité d'entreprise typique sur la superstructure politique de l'Amérique du Nord.

> « L'histoire économique du Canada est dominée par l'écart entre le centre et la zone marginale de la civilisation occidentale... L'agriculture, l'industrie, les transports, le commerce, la finance et l'action gouvernementale deviennent subordonnés à la production des matières premières destinées à un pays plus spécialisé dans la fabrication. Comme dans les systèmes mercantiles, ces tendances générales peuvent être renforcées par la politique gouvernementale. »[4]

L'ancien mercantilisme, issu de la colonisation européenne à la fin du quinzième siècle, donna naissance au nouveau monde des Amériques. On ne peut pas comprendre les problèmes actuels du Canada, ni d'ailleurs les « problèmes structurels » de l'Amérique latine ou des économies de plantations dans les Antilles, sans la perspective historique.

L'institution économique typique de l'ancien mercantilisme était la société marchande qui bénéficiait d'une charte royale ou de quelque autre forme de monopole accordée par la métropole. Ses activités dans les régions périphériques allaient de l'exploration, du commerce et du pillage jusqu'à l'organisation et au financement de l'agriculture locale et de l'extraction des matières premières, pour alimenter le marché métropolitain. La forme institutionnelle de l'organisation de la production et les liens particuliers entre les établissements productifs de l'arrière-pays et les entreprises mercantiles de la métropole devinrent des facteurs importants dans la fondation des nouvelles sociétés d'Amérique.

Au Canada, les grands organismes centralisés qui contrôlaient le commerce des fourrures correspondaient, sur le plan politique, à des gouvernements bureaucratiques et centralisés. La traite des fourrures renforçait le paternalisme de la Vieille France. Le fait que les marchands de fourrures anglais et américains dépendaient de sources britanniques pour leurs produits manufacturés a évité à la vallée du Saint-Laurent d'être absorbée par la nouvelle république américaine et renforcé ses attaches avec la Grande-Bretagne. Les régions productrices de matières premières en Amérique du Nord, c'est-à-dire le sud des Etats-Unis et la zone du Saint-Laurent, dépendaient étroitement des industries anglaises; c'est pourquoi la zone de production des fourrures est demeurée britannique. De son côté, la région du coton, après la Guerre civile américaine, à été réduite à un état de subordination par rapport aux territoires centraux, tout comme de nos jours l'ancienne zone des fourrures, au nord, qui produit maintenant du blé, du papier-journal, des minéraux et du bois, tombe de plus en plus sous leur influence.[5]

Le professeur Aitken est un des rares spécialistes de l'histoire économique du Canada à avoir eu assez d'imagination pour sentir qu'en dépit de ses grandes richesses et de son indépendance politique officielle, le Canada demeure un satellite périphérique des Etats-Unis. Il a compris la continuité du développement économique du Canada. « Durant toute son histoire, écrit-il, le Canada a été le satellite économique à la fois de l'Angleterre et des Etats-Unis. »[6]

La classe des entrepreneurs commerciaux

La traite des fourrures a doté le Canada d'une classe d'entrepreneurs autochtones qui ont pu se réorienter vers d'autres matières premières quand le commerce des fourrures s'est mis à décliner. Cette classe était transcontinentale de par son orientation, commerciale de par son optique et pro-britannique de par ses intérêts. Quand le commerce des fourrures s'est effondré, au début des années 1820, un certain nombre de marchands montréalais ont fait faillite, mais la plupart ont réussi à replacer leurs capitaux dans le commerce entre l'Angleterre et l'intérieur du continent nord-américain.

Jusqu'en 1825, année de l'inauguration du Canal Erié, tout le bassin des Grands Lacs, y compris le vieux nord-ouest américain, était tributaire de Montréal. Durant les vingt années suivantes, les marchands de Montréal mirent en œuvre toute leur influence politique pour mobiliser les ressources internes et celles de la métropole en vue de l'amélioration des canalisations du Saint-Laurent. Ils espéraient ainsi ravir à New York le commerce d'importation et d'exportation avec le Mid-West américain. Ils réussirent à aménager leurs canaux mais ils perdirent néanmoins la partie. Tel était le résultat d'une économie mercantile, où le potentiel était évalué en termes d'échanges commerciaux plutôt qu'en capacité de production.

L'effondrement du système mercantile anglais, à partir de 1840, plongea le Canada dans un état de crise. Le commerce du bois d'œuvre périclita par suite de la suppression du tarif préférentiel britannique. Les lois sur la navigation furent abrogées. Les efforts déployés en vue de remplacer les Etats de la Nouvelle-Angleterre pour approvisionner les Antilles anglaises avaient échoué, de même que le grand projet de capturer le commerce continental. Privés désormais de la protection que leur offrait l'ancien système mercantile, les ancêtres des vieilles familles anglaises les plus éminentes de Montréal se prononcèrent pour l'annexion aux Etats-Unis. L'attrait du continentalisme commençait à se manifester.

De plus, la colonisation agricole du Haut-Canada commençait à dépasser les limites des terres productives pour atteindre la zone marginale du plateau précambrien. Au Canada, il n'y avait pas, comme aux Etats-Unis, de « frontières mobiles ». Avec le Traité de Réciprocité de 1854, le Canada central et les Maritimes étaient déjà en train de devenir une source de matières premières pour la métropole américaine.

La Confédération

Une volte-face décisive se produisit en 1866. Le Nord ayant triomphé du Sud, la métropole américaine se forma. Confiants dans leur « destin manifeste », les Etats-Unis se réfugièrent dans le protectionnisme et abolirent la réciprocité.

Ne pouvant obtenir de tarifs préférentiels de l'Angleterre ni les avantages de la réciprocité avec les Etats-Unis, le Canada se trouvait livré à ses propres ressources. Au même moment, les armées hostiles du nord des Etats-Unis constituaient, croyait-on, un danger militaire. La seule solution qui restait se trouvait dans l'intégration économique et politique transcontinentale. En 1867, le Parlement anglais adoptait donc le *British North America Act* qui réunissait sous l'égide d'une législature fédérale les trois provinces du Canada, du Nouveau-Brunswick et de la Nouvelle-Ecosse. Les électeurs du Nouveau-Brunswick avaient cependant rejeté le projet de confédération et l'assemblée législative de la Nouvelle-Ecosse en aurait certainement fait autant si elle en avait eu l'occasion. En fait, les colonies maritimes furent manœuvrées par les intrigues de l'autorité coloniale britannique alliée à des politiciens coloniaux qu'on appelle aujourd'hui les Pères de la Confédération. C'est ainsi que le Canada devint un Etat, presque malgré lui.

La consolidation de l'Etat-nation

De même que l'institution économique typique de l'ancien mercantilisme était l'entreprise commerciale qui intégrait étroitement l'arrière-pays et la métropole par les liens du commerce, des investissements et des ententes exclusives, de même l'agent prépondérant d'industrialisation au dix-neuvième siècle fut l'entreprise exerçant son activité sur des marchés fortement concurrentiels. Cette unité d'entreprise pouvait être soit l'entreprise familiale fondée sur l'accumulation du capital, dont parlait Marx, soit la société décrite par Marshall, qui groupait de nombreux actionnaires. Dans les deux cas, le succès ou l'échec de l'entrepreneur dépendait de son aptitude à exploiter le marché et à manipuler le gouvernement. On retrouve là, à peu de choses près, l'entreprise décrite dans les manuels.

Au Canada, le rôle de l'entrepreneur a été joué principalement par les financiers et les promoteurs des chemins de fer. Ce sont eux, plutôt que les producteurs de blé, qui occupaient les postes de commande dans les affaires et au gouvernement. Les entrepreneurs et les politiciens locaux se retrouvaient d'ailleurs dans la même classe sociale, la plupart des politiciens ayant des intérêts personnels investis dans les chemins de fer. L'échange de « bons procédés » que permettait une telle alliance faisait fonctionner le mécanisme institutionnel de l'accumulation du capital.

Contrairement à ce qui se produisait aux Etats-Unis, ce mécanisme, au Canada comme dans beaucoup de pays d'Amérique latine, ne fonctionnait pas à coups de pressions ni de lobbies auprès du gouvernement. Les milieux d'affaires étaient directement représentés au sein du gouvernement fédéral. C'est donc le gouvernement qui jouait le rôle d'entrepreneur national, définissait les politiques et établissait les conditions auxquelles l'entreprise privée pouvait fonctionner et chercher à réaliser ses profits.

L'historien libéral Frank Underhill a fort bien décrit les rapports entre le premier des premiers ministres canadiens et les entrepreneurs privés :

> « Macdonald rattacha au gouvernement national les intérêts des groupes d'affaires ambitieux et dynamiques, composés de spéculateurs ou d'entrepreneurs, qui visaient à s'enrichir grâce à la nouvelle collectivité nationale ou qui cherchaient à en occuper les postes de commande : les promoteurs des chemins de fer, les banquiers, les industriels, les sociétés foncières, les entrepreneurs en construction et autres. Ces hommes constituaient le moteur de ce qu'il (Macdonald) appelait la « Politique nationale » et ils en retiraient les principaux

bénéfices. Pour réaliser leurs ambitions, ils exigeaient de vastes prélèvements sur les fonds des contribuables sous forme d'investissements publics. En échange, ils apportaient au gouvernement conservateur l'appui dont il avait besoin pour rester au pouvoir. Dans les faits, le nationalisme né de la confédération reposait donc sur une triple alliance entre le gouvernement fédéral, le parti conservateur et les milieux d'affaires les plus influents. »[7]

On connaît la stratégie sur laquelle se fondait la « Politique nationale ». L'expansion agricole vers l'ouest en constituait un élément essentiel. On s'attendait à ce que la demande croissante de produits alimentaires dans les villes industrielles d'Angleterre fournisse tôt ou tard un marché pour le blé des prairies canadiennes. La colonisation et la mise en valeur de l'Ouest canadien exigeait la construction d'un chemin de fer transcontinental qui traverserait un millier de milles de steppes inhabitables, entre les établissements de la vallée du Saint-Laurent et de celle de la Rivière Rouget Le chemin de fer devait se défrayer à la longue en assuran. le transport du blé vers Montréal et de là en Angleterre, ainsi que l'acheminement des produits fabriqués au Canada central vers les nouveaux établissements de l'Ouest. La « Politique nationale » visait aussi à protéger le système en bloquant partiellement les importations américaines par de fortes douanes imposées en 1878.

Pour son financement immédiat et futur, le *Canadian Pacific Railway* reçut 25 millions d'acres de terres, divisées en lots de 640 acres le long d'une bande de 24 milles de chaque côté de la voie. Le gouvernement lui accorda en outre 25 millions de dollars en espèces, un monopole ferroviaire de vingt ans pour tout l'ouest du pays, une autorité spéciale sur le tarif-passagers et le tarif-marchandises, toutes les plates-formes de routes gouvernementales dont l'aménagement était terminé, et une exemption fiscale à perpétuité.

Les capitalistes du centre du Canada qui tiraient avantage de la protection accordée à l'industrie du pays étaient les mêmes qui bénéficiaient par surcroît de l'aide gouvernementale aux chemins de fer. Le capital privé canadien, à partir des sociétés ferroviaires, s'est déplacé vers le secteur financier et l'industrie, y compris les entreprises qui fournissaient l'acier et le matériel roulant aux chemins de fer et celles qui approvisionnaient en engrais et en équipement aratoire les cultivateurs de l'Ouest. Du point de vue du développement, le système aurait difficilement pu être plus cohérent et efficace.

L'épargne domestique fut ainsi mobilisée par l'élite anglo-canadienne au pouvoir. De plus, la vente d'obligations des sociétés ferroviaires garanties par le gouvernement permit d'obtenir d'importants capitaux anglais. Le coût — et le risque — des emprunts à l'étranger furent impitoyablement transmis à l'ensemble de la population sous la forme de fortes douanes sur les produits d'importation, de prix élevés pour les articles de fabrication canadienne, de taux de transport élevés et de lourdes charges financières. La majeure partie du coût fut absorbée par les cultivateurs des Prairies, l'expansion vers l'Ouest étant financée par voie d'exploitation, organisée par le gouvernement et effectuée par les sociétés ferroviaires canadiennes et les milieux d'affaires. Les revenus provenant des chemins de fer augmentèrent du fait que le tarif douanier provoquait un afflux de produits manufacturés coûteux, importés de l'étranger ou provenant du Canada central. La puissance financière des chemins de fer était en outre protégée par le monopole que le gouvernement leur avait accordé et qui leur permettait de maintenir un tarif-marchandises élevé. Ainsi, les rentiers londoniens étaient assurés de toucher leurs coupons d'intérêt.

Le Canada de cette époque correspond donc au modèle classique des investissements anglais à l'étranger avant 1913. Les investisseurs pouvaient compter sur des dividendes assurés, en livres sterling, tandis que les risques — et le contrôle — étaient assumés par l'entrepreneur emprunteur et le gouvernement du pays périphérique. En 1913, environ

75 pour cent de tous les investissements anglais à l'étranger étaient placés au Canada, aux Etats-Unis, en Inde, en Amérique latine, en Australie et en Nouvelle-Zélande. De tous ces investissements, la plus forte concentration, soit 14 pour cent, se trouvait au Canada.

Le fardeau de la dette à intérêt fixe contractée en devises étrangères s'appesantit dramatiquement sur les Prairies durant les années 1930. Les ravages causés au blé par les sauterelles et la sécheresse ayant atteint les dimensions du désastre, des dizaines de milliers d'agriculteurs dont les terres et les fermes étaient hypothéquées auprès de maisons financières de l'est se trouvèrent en faillite, ainsi que nombre de municipalités et même certaines provinces. En 1930, l'intérêt sur la dette extérieure du Canada était passé, de 3 pour cent qu'il était antérieurement, à $6\frac{1}{2}$ pour cent du produit national brut, ce qui représentait 25 pour cent des revenus d'exportation du pays. Mais malgré l'ampleur du désastre, le contrôle et l'initiative économiques restaient entre les mains de Canadiens.

Ecartée du pouvoir économique et politique, la population des Maritimes et de l'Ouest fut celle qui paya le plus cher pour la construction du pays. Les protestations furent nombreuses: dans les Maritimes, elles prirent la forme de récriminations incessantes contre les douanes et de demandes de compensation financière par des subventions, tandis que dans l'Ouest le ressentiment montait contre l'exploitation pratiquée par le *Canadian Pacific Railway* ainsi que par les financiers et industriels du centre du pays. Mais les structures du pouvoir étaient assez fortes pour survivre. Il est vrai que leur succès ne fut pas immédiat. Il est vrai aussi que chaque fois où la réussite de la « Politique nationale » sembla compromise, l'électorat se vit offrir, comme alternative, l'intégration continentale sous la forme de la réciprocité. Mais malgré le lourd fardeau imposé à la population par la classe des entrepreneurs, l'électorat rejeta la réciprocité en 1891, en 1911 et en 1921.

D'après Aitken, la « Politique nationale » donna naissance à un sentiment d'identité et à des aspirations nationales:

« Le but général de cette politique était de permettre le maintien de la souveraineté politique canadienne sur le territoire situé au nord de la frontière américaine, c'est-à-dire d'en empêcher l'absorption par les Etats-Unis et de construire un Etat national qui pourrait décider de son propre destin économique et affirmer son indépendance, tant à l'égard de la mère-patrie que des Etats-Unis, à l'intérieur de limites qui ne dépasseraient pas celles, inévitables, de toute économie qui dépend de l'exportation de matières premières pour ses revenus extérieurs. Cette politique se fondait sur l'apparition d'un sentiment d'identité et d'aspirations nationales comparables au sentiment de « destin manifeste » qui avait marqué l'expansion des Etats-Unis. »[8]

L'image des champs de blé canadiens s'étendant à travers les prairies d'est en ouest, attira durant la première décennie du vingtième siècle des millions d'immigrants européens. Le pays connut alors un taux de croissance qu'il ne retrouva que durant le *boom* des années 1950. Il ne semblait pas alors ridicule de proclamer que le vingtième siècle serait celui du Canada. Mais le grand projet d'édifier une économie nationale canadienne d'est en ouest était déjà imperceptiblement miné par la multiplicité des liens nord-sud dans le domaine du commerce et des investissements. Les vieux produits de base, comme le blé, continuaient de s'acheminer vers l'est et l'Europe, mais les nouveaux s'orientaient vers les Etats-Unis et l'attraction du marché américain se trouvait renforcée par les liens commerciaux créés par l'investissement direct. S'éloignant de l'orbite britannique, le satellite canadien tombait dans le champ de gravité de la nouvelle planète américaine. Le Canada ne fut jamais aussi indépendant que durant les années où l'Angleterre pouvait lui fournir un appui politique et les capitaux nécessaires pour suivre une stratégie fondée sur le principe de « l'expansion défensive »[9] contre le danger d'absorption par les Etats-Unis.

L'édifice que visait à construire la « Politique nationale » traditionnelle commença à craquer durant la Première Guerre Mondiale, à mesure que la Grande-Bretagne perdait sa prééminence et que les Etats-Unis accédaient au rang de puissance mondiale. De nouvelles fissures vinrent s'ajouter avec l'effondrement de l'économie internationale durant les années 30. Enfin l'économie politique fondée sur l'axe est-ouest se désintégra complètement durant les années qui suivirent la Seconde Guerre Mondiale. Comme le fait observer Aitken, il est plus difficile de résister à de telles tendances séculaires qu'à une invasion militaire ou à un annexionnisme agressif. Le danger qu'elles constituent (si danger il y a) est subtil. Sa gravité provient de ce qu'il n'est plus dans l'intérêt économique immédiat du Canada de résister à une telle poussée. Il ne s'agit pas, comme le disait récemment M. Pearson, d'un viol mais d'une séduction. Alors pourquoi ne pas se détendre et en profiter?[10] En fin de compte, les chances de succès de la résistance canadienne à la pénétration américaine dépendent de la valeur que les Canadiens attachent à leur survie culturelle. Selon Aitken, le danger qui les menace serait comparable à celui auquel sont exposés les Canadiens français, au sein du Canada, depuis 1760.

En même temps que se désintégrait l'ancienne économie nationale, on assistait à une régression dans le sens d'une fragmentation régionale du système politique canadien. Les mesures d'urgence prises par le gouvernement fédéral pour remédier à la catastrophe causée par la dépression, la mobilisation du pays durant la Seconde Guerre Mondiale et les premiers engagements dans la voie de l'Etat-providence dissimulèrent longtemps la nouvelle tendance à la décentralisation économique et politique. Le renversement du processus d'unification nationale ne date pas, cependant, de la fin des années 1950, même si c'est à cette époque qu'il s'est clairement manifesté, mais plutôt de la rupture de l'économie internationale, entre les deux guerres, et de la montée du nouveau mercantilisme développé par les grandes entreprises d'origine américaine, qui brisèrent les vieux liens de l'économie nationale canadienne et sapèrent le contrôle du gouvernement fédéral sur la vie économique du pays. L'ascension des forces économiques continentalistes représente un facteur primordial d'explication de la tendance à la décentralisation régionale.

L'exploitation des ressources naturelles relève de la compétence provinciale et l'expérience démontre que les provinces préconisent l'extraction maximale de ces richesses, le plus rapidement possible et sur la plus grande échelle possible, sans se soucier particulièrement de la nationalité des clients auxquels ces produits sont vendus. Il faut encore reconnaître à Aitken le mérite d'avoir si clairement perçu, par ses études sur les « nouveaux produits de base », les répercussions de l'investissement direct américain sur les relations fédérales-provinciales au Canada:

> « Si l'intégration économique continentale constitue quelque danger, c'est un danger pour le Canada comme nation. Ce n'est pas un danger pour les provinces comme telles dont beaucoup, étant donné leur dépendance par rapport au capital américain et aux marchés américains, trouveraient plus facile de défendre leurs intérêts régionaux si elles avaient chacune deux sénateurs au Congrès américain, au lieu de la situation actuelle où toute pression sur le gouvernement américain doit se faire par l'intermédiaire d'Ottawa. »[11]

Dans le débat actuel sur l'unité nationale, on considère généralement le Québec comme le trouble-fête dans le domaine des relations fédérales-provinciales. C'est là une analyse superficielle, et même erronée, du problème. Le grand problème national, ce n'est pas le séparatisme québécois, mais la difficulté de maintenir notre souveraineté politique à une époque où notre souveraineté économique est si gravement compromise. La résistance unique à l'assimilation linguistique et culturelle que livre la population canadienne française dont le noyau se trouve au Québec pourrait être décisive en faveur de la survie du Canada. La situation ne deviendra grave que si la crise d'identité du Canada anglais aboutit à une tentative destructive de définir le « canadianisme » à partir du souci de maintenir des rapports périmés et dysfonctionnels entre Ottawa et Québec. Le pendant politique d'une « nouvelle politique nationale » (s'il n'est pas déjà trop tard pour en faire une) doit être l'octroi *de facto* et *de jure* au Québec d'un statut qui reconnaisse son rôle unique de patrie culturelle des francophones de l'Amérique du Nord. Si l'on ne reconnaît pas explicitement le fait que le Québec n'est pas une province comme les autres, on s'expose à la fragmentation de plus en plus poussée de la structure fédérale, les neuf autres provinces réclamant alors les pouvoirs fiscaux et autres dont le Québec a besoin.

On a pu voir une manifestation de cette tendance à la fragmentation politique et à l'affaiblissement du pouvoir fédéral quand la course à la direction du parti conservateur, en 1967, a abouti à un concours entre les premiers ministres de deux provinces marginales. Les leaders conservateurs de l'Ontario et du Québec, solidement établis, ne semblaient guère portés à renoncer à leur position de force dans la politique provinciale pour un avenir obscur et incertain à Ottawa.

Quant au Parti Libéral, c'est presque par accident qu'il a trouvé son nouveau chef et premier ministre. La personnalité télégénique de M. Trudeau, son ascendance canadienne-française et son attitude intransigeante envers les aspirations du Québec à une plus grande souveraineté ont provoqué une véritable idylle entre lui et le Canada anglais. Reste à voir comment son libéralisme et son antinationalisme philosophiques lui permettront de renforcer le Canada vis-à-vis des Etats-Unis.

Ainsi la triple alliance du gouvernement fédéral, du Parti Conservateur et des milieux d'affaires canadiens, qui avait donné naissance à l'Etat-nation canadien et assuré sa viabilité économique et politique par le triomphe de « l'histoire sur la géographie » et du « politique sur l'économique », s'est désintégrée de façon définitive. La tendance continentaliste l'a emporté. Elle a bénéficié de l'aide et de la bienveillance des gouvernements libéraux qui ont ouvert tout grand les digues aux investissements directs américains durant la période de l'après-guerre. Aucun pays n'a jamais cédé si rapidement, si tranquillement ni de si bon cœur son contrôle sur les postes de commande de son économie et sur ses politiques fiscales et monétaires.

NOTES

1. Cf. notamment H. A. Innis: *The Fur Trade in Canada: an Introduction to Canadian Economic History* (New Haven, 1930); édition révisée, Toronto, 1956.

2. Cf. M. H. Watkins: « *The Staple Theory of Economic Growth* », reproduit dans Easterbrook et Watkins: *Approaches to Canadian Economic History* (Toronto: McClelland and Stewart, 1967), pp. 51-52. Voir aussi les œuvres des économistes américains D. C. North et R. E. Baldwin, qui ont réinterprété les causes de la croissance des Etats-Unis avant la Guerre Civile à partir des produits de base des plantations et des changements dans l'importance des matières premières des diverses régions; aussi H. S. Perloff et L. Wingo, qui font une distinction entre les « bonnes » et les « mauvaises » exportations de matières premières dans le contexte de la croissance régionale aux Etats-Unis; et R. E. Caves et R. H. Holton, qui font ressusciter la théorie des produits de base dans une étude économétrique du rôle des exportations dans la croissance économique du Canada.

3. Cf. notamment Celso Furtado: *The Economic Growth of Brazil* (publié d'abord en espagnol en 1959), University of California Press, 1963, et *Development and Underdevelopment* (publié d'abord en espagnol en 1961), University of California Press, 1964. Aussi W. Baer: « *The Economics of Prebisch and E. C. L. A.* » dans Economic Development and Cultural Change, no 2, Première Partie, 1962, pp. 169–182.

4. Cf. Innis: « *The Importance of Staple Products* », dans *The Fur Trade in Canada*, reproduit dans Easterbrook et Watkins, *op. cit.* p. 18.

5. Cf. Innis: « *The Fur Trade* », dans Easterbrook et Watkins, *op. cit.* pp. 25–26.

6. Cf. H. G. J. Aitken: « *Defensive Expansionism: The State and Economic Growth in Canada*, dans H. G. J. Aitken (éditeur): *The State and Economic Growth* (New York: Social Science Research Council, 1959), reproduit dans Easterbrook et Watkins, *op. cit.* p. 185.

7. Cf. Frank Underhill: *The Image of Confederation, Massey Lectures*, troisième série (Toronto, 1964), pp. 24–25.

8. Cf. H. G. J. Aitken: « *Defensive Expansionism* », *op. cit.* p. 209.

9. Cf. Aitken: *American Capital*, p. 134.

10. Cf. *Globe and Mail*, 29 juillet 1968.

11. Cf. Aitken: *op. cit.* p. 178.

4

La régression vers la dépendance

Il y a environ soixante ans, Wilfrid Laurier déclarait que le vingtième siècle appartiendrait au Canada. Au milieu du siècle, il était devenu évident que le Canada appartenait désormais aux Etats-Unis. Le Canada offre vraiment l'illustration la plus dramatique qui soit de l'étiolement d'une classe d'entrepreneurs autochtones et du retour à un état de sous-développement malgré une croissance continuelle du revenu.

Jusqu'à récemment le changement de statut du Canada est passé largement inaperçu. La plupart des Américains sont à peine conscients de l'existence du Canada. S'ils l'étaient davantage, nos dirigeants politiques ne seraient pas obligés de leur rappeler si souvent et si poliment que le Canada n'est pas le cinquante et unième Etat de l'Union ni le treizième district du *Federal Reserve System*. Pour leur part, les Canadiens ont tendance à être bien plus conscients de leur richesse relative que de leur situation de satellite néo-colonial par rapport aux Etats-Unis. Quant au reste du monde, la question le laisse plutôt indifférent.

L'instrument qui a servi à la recolonisation de l'économie canadienne depuis l'époque de John A. Macdonald et de Wilfrid Laurier est l'investissement direct, et plus précisément l'investissement direct américain. Il y a une différence essentielle entre l'importation de capitaux étrangers par la vente d'actions ou d'obligations et les investissements directs sous la forme de succursales ou de filiales contrôlées par une maison-mère située à l'extérieur du pays. Dans le premier cas, l'emprunteur garde le contrôle de l'entreprise tandis que dans le second c'est incontestablement le prêteur qui le détient. La dette contractée par l'emprunt peut être liquidée par remboursement, tandis que l'investissement direct crée une dette qui, dans la plupart des cas, devient permanente. Dans une étude effectuée par un organisme qui représente des entreprises américaines ayant des placements dans divers pays étrangers, on trouve la description suivante de la différence entre l'investissement direct et l'investissement de portefeuille, sous forme de détention d'actions ou d'obligations : [1]

« Par investissement direct il faut entendre un investissement effectué dans le but de créer sous une forme ou une autre une organisation permanente à l'étranger — usine, raffinerie, bureau de vente, entrepôt — qui fabriquera, façonnera et commercialisera des produits destinés à la consommation locale ou, dans certains cas, à la vente dans de tierces régions. Une telle activité réunit généralement le personnel, la technologie, les connaissances, l'outillage et le matériel américains en vue d'augmenter la capacité de production des pays où l'investissement est effectué et d'ouvrir d'importants débouchés aux produits du pays investisseur. Les capitaux placés dans la location, l'extraction et le traitement des ressources minérales, l'exploitation des ressources agricoles, l'établissement d'entreprises industrielles, commerciales et bancaires, et la création et la gestion de services publics dans les pays étrangers, constituent tous des investissements directs.

Il importe de faire la distinction entre les investissements directs et les autres genres d'investissements privés à l'étranger, qu'il s'agisse d'opérations bancaires ou d'achats d'actions. Un crédit ou un prêt bancaire à un étranger représente simplement une transaction financière entre le prêteur et l'emprunteur, avec un terme fixe;… la banque peut exiger des garanties de l'emprunteur. L'investissement de portefeuille peut prendre deux formes: l'achat de bons et d'obligations ou l'achat d'actions étrangères par un résident américain. Comme les crédits bancaires, l'achat d'obligations comporte un terme fixe et n'inclut aucune participation à la propriété. L'achat d'actions comporte une participation à la propriété mais qui généralement ne suffit pas à en conférer le contrôle. Un investissement n'est considéré comme direct que s'il entraîne un contrôle d'au moins 25 pour cent, ce qui implique alors une certaine influence sur la gestion. »

Cet exposé fait bien ressortir que l'acquisition de marchés pour le pays investisseur est un des principaux mobiles de l'investissement direct à l'étranger. Les travaux portant sur le sous-développement, y compris ceux qui ont trait au Canada, soutiennent que les investissements directs apportent par ailleurs des débouchés aux pays qui les reçoivent. Cette contradiction est plus apparente que réelle. En général le pays d'investissement acquiert un marché pour ses matières premières en même temps qu'il fournit un débouché aux produits finis du pays investisseur. Les investissements directs américains en Europe sont concentrés dans la production et la vente d'articles manufacturés sur les marchés des pays en cause, tandis que dans les régions sous-développées de l'Amérique latine et du Moyen-Orient, ils ont servi surtout à l'extraction des matières premières. Le Canada se trouve dans une situation unique en ce sens qu'il accueille de vaste investissements américains à la fois dans le secteur des matières et dans celui de la fabrication. Ainsi, le Canada a acquis des marchés pour ses matières premières industrielles et du même coup il est devenu un marché pour les produits manufacturés par les entreprises américaines établies chez nous et aux Etats-Unis.

Tableau 1 : Investissements directs au Canada - 1945 et 1965

	Investissements directs américains (en millions de dollars)		Autres investissements directs étrangers (en millions de dollars)	
	1945	1965	1945	1965
Produits du bois et du papier	316	1,164	32	195
Produits du fer et du minerai	272	1,769	5	244
Métaux non ferreux	203	1,021	8	91
Produits végétaux et animaux	184	798	63	181
Produits chimiques et dérivés	118	947	26	224
Minéraux non métalliques	39	160	4	102
Textiles	28	97	28	44
Fabrications diverses	31	142	2	6
TOTAL — SECTEUR MANUFACTURIER *(à l'exclusion des raffineries de pétrole)*	*1,191*	*6,098*	*168*	*1,087*
Pétrole et gaz naturel	141	3,600	—	930
Mines et fonderies	215	1,875	22	143
Services publics *(à l'exclusion des pipe-lines)*	358	286	17	20
Mise en marché	147	695	55	362
Maisons financières	198	1,041	141	644
Autres entreprises	54	345	6	82
TOTAL	*2,304*	*13,940*	*409*	*3,268*

SOURCE: Bureau fédéral de la Statistique: *Canadian Balance of International Payments, Third Quarter 1968*, p. 25, décembre 1968.

Avant la Première Guerre Mondiale, le Canada représentait le prototype du pays emprunteur dans l'ancien style. On y trouvait la plus forte concentration d'investissements de portefeuille britanniques de toutes les grandes régions du monde: 14 pour cent de tout le capital britannique à l'étranger était placé au Canada, comparativement à 20 pour cent aux Etats-Unis et 20 pour cent dans l'ensemble de l'Amérique latine.

Puis, en cinquante ans le Canada devint le prototype du pays emprunteur dans le nouveau style. En 1964, 80 pour cent des investissements étrangers à long terme au Canada étaient américains. Les investissements directs américains, sous forme de filiales et de succursales, représentaient 12.9

Tableau 2 : Pourcentage du contrôle par des non résidents dans des industries canadiennes sélectionnées – 1926-1963

POURCENTAGE CONTROLE PAR DES NON RESIDENTS	1926	1939	1948	1963
Secteur manufacturier	35	38	43	60
Pétrole et gaz naturel	—	—	—	74
Mines et fonderies	38	42	40	59
Chemins de fer	3	3	3	2
Autres services publics	20	26	24	4
TOTAL	17	21	25	34
POURCENTAGE CONTROLE PAR DES RESIDENTS AMERICAINS				
Secteur manufacturier	30	32	39	46
Pétrole et gaz naturel	—	—	—	62
Mines et fonderies	32	38	37	52
Chemins de fer	3	3	3	2
Autres services publics	20	26	24	4
TOTAL	15	19	22	27

SOURCE: Bureau Fédéral de la Statistique: *Canadian Balance of International Payments, 1963, 1964 and 1965,* août 1967, p. 127.

milliards de dollars. Pays relativement secondaire, le Canada absorbait 31 pour cent de tous les investissements américains directs à l'étranger, soit plus que toute l'Europe ou que toute l'Amérique latine.

Par suite de la pénétration de ces investissements directs dans l'économie canadienne, les entreprises étrangères contrôlent maintenant environ 60 pour cent de l'industrie manufacturière, 75 pour cent de l'industrie du pétrole et du gaz naturel et 60 pour cent de l'industrie minière et des fonderies au Canada, alors qu'il y a vingt-cinq ans, le contrôle étranger n'affectait que 38 pour cent de l'industrie manufacturière et 42 pour cent des mines et fonderies (voir tableaux 1 et 2).[2]

Le passage des investissements de portefeuille aux investissement directs et le remplacement simultané des entrepreneurs canadiens par des Américains ont correspondu à une diminution relative des besoins de capitaux étrangers. On estime que la valeur comptable de tout l'actif étranger au Canada en 1926 représentait 117 pour cent du produit national brut annuel du Canada. En 1948, cette proportion était tombée à 50 pour cent. Depuis, elle est remontée à 61 pour cent.[3] On retrouve la même tendance dans le coût des emprunts à l'étranger, qui représentait à la fin des années 1920 quelque 3 pour cent du produit national brut, pour atteindre 6 pour cent durant les années 30 et retomber à seulement 2 pour cent durant la période 1957-1964. L'intérêt et les dividendes versés à l'étranger, qui représentaient 16 pour cent des revenus de l'exportation durant les années 1920, est monté à 25 pour cent durant les années 30 et retombé à 9 pour cent durant la période actuelle.

L'utilisation de la valeur des actifs étrangers au Canada pour mesurer l'apport du capital étranger à la capacité de production du pays appelle certaines précautions. Tout d'abord « l'afflux de capitaux » ainsi établi comprend, selon leur valeur comptable, les investissements directs provenant de profits réalisés au pays et réinvestis sur place. De fait, une partie notable des actifs étrangers au Canada ont été financés à même l'épargne canadienne. De plus, il ne s'agit là que de données brutes: pour évaluer la dette nette du Canada il faudrait soustraire la valeur des actifs canadiens à l'étranger. Si l'on tient compte de ces deux facteurs, on constate que la valeur des actifs étrangers au Canada dépasse largement le total net de l'afflux de capitaux tel qu'il figure dans la balance des paiements du Canada.

Il ne fait aucun doute qu'avant la Première Guerre Mondiale le Canada, tout comme les Etats-Unis, manquait de capitaux. Il contracta alors de vastes emprunts sans guère investir à l'étranger. C'est ainsi qu'au tout début du vingtième siècle, durant le boom du blé, de 1909 à 1913, les importations nettes de capital atteignirent un sommet de 42 dollars par tête.

Durant les vingt-sept ans qui s'écoulèrent entre le début de la dépression et la fin de la Seconde Guerre Mondiale (soit de 1930 à 1947), il n'y eut aucune augmentation de la valeur des actifs étrangers au Canada. Bien plus, durant la Seconde Guerre Mondiale et l'immédiat après-guerre, le Canada avait acquis une force économique et une maturité dans ses institutions fiscales et monétaires qui lui permirent d'exporter des capitaux importants et de contribuer au financement de l'effort de guerre et de reconstruction de la Grande-Bretagne. De 1940 à 1950, le Canada marqua dans ses comptes courants un excédent de 6.5 milliards de dollars. De 1946 à 1950, *les exportations nettes* de capitaux furent en moyenne de huit dollars par habitant.[4]

C'est durant les années cinquante que la perte de contrôle canadien sur l'industrie minière et manufacturière a commencé de s'accélérer. Depuis 1950, on a enregistré un déficit aux comptes courants dans la balance des paiements tous les ans sauf un, et durant le boom des années 1950 les importations nettes de capitaux ont été en moyenne de 12 dollars par habitant. Après la récession de 1957-58, les capitaux ont continué d'affluer au Canada, malgré l'augmentation du taux de chômage et le ralentissement de la croissance de la production. Enfin, durant les dix années de 1957 à 1967 la dette nette du Canada a plus que doublé, passant de 11.8 milliards à 24 milliards de dollars.

Ceux qui considèrent que tous les débats sur la propriété et le contrôle de notre économie ne représentent qu'une forme aberrante de nationalisme se sont réconfortés à l'idée que le Canada dépend de moins en moins de sources de financement extérieures. Toutefois, les statistiques se prêtent à une tout autre interprétation. Il est tout simplement faux de dire que le Canada manque de capitaux. Il y a longtemps que la coûteuse infrastructure exigée par sa situation géographique a été mise en place et défrayée. Le revenu *per capita*, au Canada, est le deuxième au monde, immédiatement après celui des Etats-Unis, et le taux d'épargne personnelle y est plus élevé. La dure vérité, c'est que la mainmise des entreprises américaines sur les secteurs de production de biens de consommation, de l'économie canadienne, a été dans une large mesure financée par l'épargne que les sociétés ont tirée de la vente de matières premières canadiennes extraites et traitées par de la main d'œuvre canadienne, ou par la vente aux consommateurs canadiens de produit manufacturés par des filiales américaines, à des prix protégés par les barrières douanières. Ainsi, de 1957 à 1964, les investissements directs américains dans l'industrie manufacturière, les mines et le pétrole provenaient dans une proportion de 73 pour cent de bénéfices réinvestis et de réserves d'amortissement, tandis que 12 pour cent de ces fonds venaient de banques ou d'autres institutions financières canadiennes, et seulement 15 pour cent de nouveaux apports de capitaux en provenance des Etats-Unis. En plus, durant la même période, les versements de dividendes, d'intérêts, de *royalties* et de salaires administratifs ont excédé les entrées de nouveaux capitaux.

Origines et types des investissements, de la Confédération au Centenaire

Le tableau de la page 77 illustre les étapes suivant lesquelles l'économie nationale, orientée d'est en ouest et financée par le capital britannique a été peu à peu remplacée par le nouveau mercantilisme issu des investissements directs des grandes entreprises américaines. (Voir aussi les tableaux 3 et 4).

En 1867, il y avait peu de capitaux étrangers au Canada. Des 200 millions de dollars qu'ils représentaient alors, les obligations du Royaume-Uni atteignaient 185 millions, le reste provenant d'investissements directs américains.

Durant les années où s'est façonné l'Etat-nation canadien, soit de 1867 à 1900, il y eut un afflux de 815 millions en obligations britanniques et de 160 millions en investissements directs américains.

Pendant le boom du blé (de 1900 à 1913), la dette globale du Canada augmente de 2,545 millions en obligations, dont la majeure partie est britannique, et de 530 millions en investissements directs, surtout américains. En 1913, le capital étranger au Canada atteint 3,850 millions, dont 3,080 millions en investissements de portefeuille, presque exclusivement britanniques. Par ailleurs, sur les 770 millions qui restent sous forme d'investissements directs, 520 millions sont américains. Comme en Australie, en Inde, en Amérique latine et aux Etats-Unis, le capital anglais sert surtout à financer l'aménagement d'un système de communications transcontinental, destiné à approvisionner en produits alimentaires et agricoles les marchés que l'industrialisation des métropoles a créés en Europe. Les emprunteurs sont alors des entrepreneurs canadiens, publics et privés. A cette époque, le Canada manque réellement de capitaux... mais pas d'entrepreneurs. Le contrôle du secteur de production des articles courants reste aux mains de Canadiens. Le nombre d'entreprises canadiennes bien connues qui ont été fondées avant la Première Guerre Mondiale en témoigne.

Durant la Première Guerre Mondiale et les années qui suivirent, on assiste à une vaste liquidation des investissements britanniques et à une augmentation correspondante des investissements de portefeuille américains. Par suite de la faiblesse financière de l'Angleterre et de l'accélération des investissements directs américains, la part des actifs étrangers appropriés par les Américains au Canada atteint 53 pour cent en 1926. Les investissements directs constituent alors environ 30 pour cent de tous les investissements étrangers.

Avec l'effondrement de l'économie mondiale (de 1926 à 1939) les entrées de capitaux étrangers ont été ralenties au Canada comme dans tous les autres pays du monde. Pendant ces treize années, la valeur des actifs étrangers n'augmente que de 910 millions de dollars, comparativement à une augmentation de 2,153 millions pour les treize années précédentes, et de 2,545 millions durant le boom du blé. Les actifs britanniques diminuent tandis que la valeur

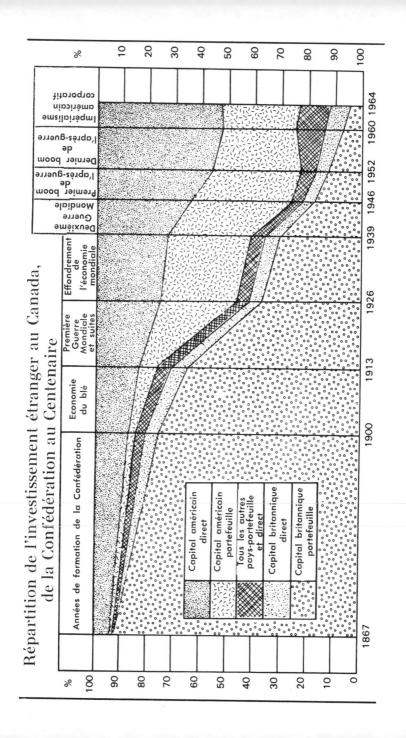

Répartition de l'investissement étranger au Canada, de la Confédération au Centenaire

Tableau 3 : Capitaux étrangers investis au Canada – fins d'années sélectionnées

(Valeur comptable en millions de dollars canadiens)

	1867	1900	1913	1926	1939	1946	1952	1960	1964	1965
Royaume-Uni:										
directs	—	65	200	336	366	335	544	1,535	1,944	2,013
portefeuille	185	1,000	2,618	2,301	2,110	1,333	1,340	1,824	1,519	1,485
Total	*185*	*1,065*	*2,818*	*2,637*	*2,476*	*1,668*	*1,884*	*3,359*	*3,463*	*3,498*
Etats-Unis:										
directs	15	175	520	1,403	1,881	2,428	4,532	10,549	12,901	13,940
portefeuille	—	30	315	1,793	2,270	2,729	3,466	6,169	8,542	9,365
Total	*15*	*205*	*835*	*3,196*	*4,151*	*5,157*	*7,998*	*16,718*	*21,443*	*23,305*
Autres: directs	—	—	50	43	49	63	144	788	1,044	1,255
portefeuille	—	35	147	127	237	290	358	1,349	1,404	1,449
Total	*—*	*35*	*197*	*170*	*286*	*353*	*502*	*2,137*	*2,448*	*2,704*
Total — directs	15	240	770	1,782	2,296	2,826	5,220	12,872	15,889	17,208
total — portefeuille	185	1,065	3,080	4,221	4,617	4,352	5,164	9,342	11,465	12,299
Grand total	*200*	*1,305*	*3,850*	*6,003*	*6,913*	*7,178*	*10,384*	*22,214*	*27,354*	*29,507*
Investissements directs en pourcentage de tous les investissements étrangers	7.5	18.5	20.0	30.0	33.5	39.0	50.0	58.0	58.0	58.3
Investissements américains en pourcentage de tous les investissements étrangers	7.5	15.5	21.5	53.0	60.0	72.0	77.0	75.0	78.5	79.0

SOURCE: Bureau fédéral de la statistique: *The Canadian Balance of International Payments, 1963, 1964 and 1965*, aussi *International Investment Position*, p. 126, et *Quarterly Estimates of the Canadian Balance of International Payments, Third Quarter 1968*, p. 17.

Tableau 4 : Évolution de la dette canadienne à long terme – périodes sélectionnées

(En millions de dollars canadiens)

	Royaume-Uni	E.-U. directs	E.-U. (portefeuille)	Autres pays	Total
Période de formation 1867–1900 (33 ans)	+880	+160	+30	+35	+1,105
Economie du blé 1900–1913 (13 ans)	+1,753	+345	+285	+162	+2,545
Première Guerre Mondiale 1913–1926 (13 ans)	–181	+883	+1,478	–27	+2,153
Effondrement de l'économie mondiale 1926–1939 (13 ans)	–161	+478	+477	+116	+910
Seconde Guerre Mondiale 1939–1946 (7 ans)	–808	+547	+459	+67	+265
Premier boom de l'après-guerre 1946–1952 (6 ans)	+216	+2,104	+737	+149	+3,208
Dernier boom de l'après-guerre 1952–1960 (8 ans)	+1,475	+6,017	+2,703	+1,635	+11,830
Les années 60 1960–1965 (5 ans)	+139	+3,391	+3,196	+567	+7,293
TOTAL DES ENTREES (1867–1964)	+3,498	+13,940	+9,365	+2,704	+29,507
ENTREES 1952–1965 (13 ans)	+1,614	+9,408	+5,899	+2,202	+19,123

SOURCE: données tirées du tableau 3.

comptable des investissements directs américains continue d'augmenter de 478 millions, malgré la dépression.

Au cours de la Seconde Guerre Mondiale, le Canada exporte des capitaux importants. Les actifs étrangers n'augmentent alors que de 265 millions, mais les investissements directs américains accusent une hausse de 547 millions qui reflète la liquidation de 808 millions d'actifs britanniques. En 1946 la part américaine de la dette extérieure du Canada monte à 72 pour cent et les investissements étrangers directs représentent près de 40 pour cent de cette dette.

La première phase du boom de l'après-guerre (de 1946 à 1952) est surtout marquée par la Guerre de Corée et l'entreposage des matières premières aux Etats-Unis. La dette extérieure du Canada augmente alors de 3,208 millions en six ans. Les deux tiers de ces investissements sont des investissements directs américains, surtout dans le domaine des richesses naturelles. En 1952, les investissements directs dépassent les investissements de portefeuille et la part américaine de la dette extérieure du Canada atteint 77 pour cent.

Durant la dernière phase du boom (de 1952 à 1960) on relève les plus fortes entrées de capital étranger de toute l'histoire du Canada. Plus de la moitié de l'augmentation des investissements étrangers, qui atteint 11,830 millions, est attribuable aux investissements directs américains (soit 6,017 millions) dont une grande partie est placée dans l'industrie manufacturière. Les emprunts sous forme d'obligations augmentent aussi, le boom ayant créé une grave pénurie de capitaux tant dans le secteur public que dans le secteur privé. Une politique monétaire restrictive amène les gouvernements locaux et régionaux ainsi que les sociétés à chercher des prêts à New York. En 1960, les investissements directs représentent 58 pour cent de la dette à long terme du Canada. Les entreprises américaines contrôlent directement 48 pour cent de tout le capital étranger au Canada.

Au cours des années 60 on peut déceler un changement dans la composition des investissements. Bien que la moitié de l'augmentation de la dette, qui se chiffre à 7,293 millions pendant la période quinquennale de 1960 à 1965, soit constituée d'investissements directs américains, ce genre d'investissement se fixe à seulement 58 pour cent de la dette extérieure du Canada. Ce phénomène s'explique en partie par la réorientation des investissements directs américains vers l'Europe, ainsi que par les emprunts particulièrement élevés que contractent sur le marché américain les gouvernements provinciaux et les sociétés canadiennes.

Tels sont donc les grands courants de cette époque, de la confédération au centenaire. La dépendance du Canada par rapport au capital étranger a diminué. Par contre le contrôle exercé par les entreprises métropolitaines a augmenté. Ce paradoxe s'explique par la pratique trompeuse qui consiste à considérer les investissements directs comme des entrées de capitaux au même titre que les investissements de portefeuille. En réalité, les transferts de capitaux ne représentent qu'un aspect secondaire du processus des investissements directs, qui implique par ailleurs l'implantation des méthodes de commercialisation, de la technologie et des techniques de mise en marché. Il n'y a pas alors d'emprunteur bien défini, comme dans le cas des obligations. Les investissements directs obéissent à des lois qui leur sont propres. Les emprunts contractés à l'étranger peuvent être remboursés avec le temps et n'impliquent pas de contrôle étranger; les investissements directs, au contraire, n'ont pas de terme fixe. Le capital placé en investissements de portefeuille subit l'attrait des taux de rendement; les investissements directs se fondent sur des mobiles bien différents. Aitken a fort bien décrit l'impact des investissements directs sur l'économie canadienne:

> « Les investissements directs ont pour caractéristique d'entraîner le prolongement au Canada d'organisations dont la base est à l'étranger. Ces organisations s'établissent au Canada à des fins qui leur sont propres et elles apportent avec elles leurs coutumes commerciales, leurs méthodes de production, leur personnel spécialisé et souvent

même leurs débouchés. Si le Canada mettait fin dès demain à tous ses emprunts à l'étranger, ces organisations, dont les investissements sont directs, continueraient néanmoins d'exister et de fonctionner. Bien plus, un grand nombre d'entre elles continueraient de se développer en finançant leur croissance par les revenus réinvestis. Les liens qui les intègrent (ainsi que les secteurs de l'économie canadienne contrôlés par elles) à des organisations étrangères continueraient aussi d'exister. »[5]

NOTES

1. Cf. *The United States Balance of Payments, An Appraisal of U.S. Economic Strategy*, International Economic Policy Association (Washington, 1966), pp. 24–25.

2. Ces données ne comprennent pas l'évaluation comptable des filiales étrangères d'entreprises canadiennes qui sont elles-mèmes contrôlées par l'étranger. Si l'on tenait compte de ces filiales la valeur des investissements directs au Canada passerait de 17.2 milliards à 22.9 milliards, pour l'année 1965.

3. Cf. A. E. Safarian: *Foreign Ownership of Canadian Industry* (Toronto, 1966), p. 10.

4. Données établies par P. Hartland et citées par Aitken dans *American Capital and Canadian Resources* (Cambridge: Harvard University Press, 1961), p. 60.

5. Cf. Aitken, pp. 66–67.

5

Qui décide?

La principale institution de l'économie contemporaine est la filiale, ou la succursale étrangère, de la grande entreprise moderne. Dans *The New Industrial State*, John Galbraith a donné un nom à ce secteur de l'économie américaine que caractérisent quelques centaines de sociétés fortement organisées, dynamiques sur le plan technique et pourvues de capitaux massifs: il l'appelle « le système industriel ». Mais peu importe le nom que Galbraith a choisi pour décrire le phénomène en cause; ce qu'il y a de remarquable c'est la clarté avec laquelle il a su percevoir la différence qualitative entre les processus d'un système caractérisé par des entreprises géantes et ceux d'un système composé d'une multitude de petites entreprises.[1] Cette différence est essentielle pour qui veut comprendre les effets de l'expansion de l'entreprise métropolitaine sur les *hinterlands*, les zones périphériques ou marginales de son domaine.

En bref, le raisonnement de Galbraith est le suivant. Les impératifs de la technologie moderne accroissent le volume des capitaux investis et de la durée de l'investissement. En outre, le capital et la période d'investissement se rattachent de plus en plus spécifiquement à une tâche précise. Il s'ensuit un besoin croissant de personnel spécialisé, la spécialisation exigeant à son tour une organisation de plus en plus poussée. Dans le but de s'assurer des profits stables et croissants, tout en réduisant les risques et l'incertitude, l'entreprise est amenée à s'engager dans la planification. On pourrait ajouter, d'ailleurs, que le risque n'est pas tellement supprimé que transmis aux petits entrepreneurs et aux économies périphériques.

Le « système industriel » et sa contrepartie politique, le « nouvel Etat industriel, » exigent une forte concentration du pouvoir entre les mains de l'élite gestionnaire, c'est-à-dire de la « technostructure ». L'engagement de temps et d'argent qu'exige la technologie moderne sont tels que les besoins du consommateur doivent être prévus des mois ou même des années d'avance. La grande entreprise moderne se livre donc à une planification globale et systématique, impitoyable dans son efficacité et n'obéissant qu'aux exigences de sa propre survie.

> « En plus de décider des futurs désirs du consommateur et du prix qu'il paiera, l'entreprise doit prendre toutes les mesures possibles pour que le consommateur désire le produit qu'elle a décidé de fabriquer, à un prix qui soit rémunérateur pour elle. Elle doit faire en sorte que la main d'œuvre, les matériaux et l'équipement dont elle a besoin lui soient accessibles à un coût conciliable avec le prix qu'elle touchera. Elle doit contrôler ce qui se vend. Elle doit contrôler ses sources d'approvisionnement. Elle doit remplacer les marchés par la planification. »[2]

Contrairement aux postulats de la doctrine économique, il s'ensuit que lorsqu'il s'agit de décider des produits à fabriquer, l'initiative n'appartient pas au consommateur souverain, qui donne au marché des instructions par lesquelles la production se plierait à ses volontés, mais bien plutôt aux grands organismes de production qui cherchent à contrôler les marchés qu'ils sont censés desservir. Avec un tel processus, c'est la grande entreprise qui assujettit le consommateur à ses besoins et exerce ainsi une forte influence sur les valeurs et les croyances de celui-ci.

Le principe qui veut que l'entreprise façonne les goûts et les besoins du consommateur est fondamental. La création de goûts précis, qui correspondent à des produits précis, détermine dans une large mesure les techniques à employer, les approvisionnements et les immobilisations nécessaires, les produits secondaires requis, les compétences professionnelles utilisées ainsi que les canaux d'acheminement de la production et des facteurs de production. Les besoins de la métropole se transmettent aux régions périphériques à mesure que les couches privilégiées de la population de ces régions accèdent à des revenus et à des aspirations comparables à ce que l'on trouve dans la métropole. C'est le phénomène qu'on appelle parfois la « coca-colonisation ».

Pour les pays de l'*hinterland*, le contrôle et le pouvoir exercés par les maisons-mères des entreprises multinationales se traduisent par une dépendance croissante à l'endroit des initiatives provenant des métropoles. C'est dans ces régions que se trouvent les filiales qui fournissent à la grande entreprise ses matières premières ainsi que les débouchés pour sa production et son capital. Les régions de l'*hinterland* peuvent être soit d'anciennes métropoles, comme les pays d'Europe occidentale, soit des zones économiques périphériques, où les filiales et les succursales de sociétés étrangères ont toujours été les principales institutions économiques. Le Canada se situe entre les deux. Tout le processus a pour effet de recréer dans les pays de l'*hinterland* certains schèmes de l'ancien mercantilisme, ainsi que de provoquer la fragmentation et la destruction des économies nationales et, en conséquence, des systèmes politiques nationaux dans des Etats comme le Canada et certains pays de l'Amérique latine. La conjoncture actuelle, d'ailleurs, est particulièrement défavorable à l'intégration nationale, sur les plans économique et politique, dans les nombreux Etats qui ont été créés depuis la dernière guerre mondiale. C'est pourquoi on assiste à la fois à un mouvement de décolonisation et à un autre de recolonisation.

Par souci de sécurité, la grande entreprise est amenée à minimiser l'incertitude en remplaçant les transactions sur les marchés par des décisions internes. Le marché cède de plus en plus la place à la planification effectuée par les entreprises. Le contrôle direct de l'extraction assure un approvisionnement régulier en matières premières à un coût prévisible, tandis que le contrôle de la mise en marché et de la distribution garantit l'écoulement de la production. Ainsi la planification des grandes entreprises réduit au minimum l'effet des marchés sur les facteurs stratégiques du coût de production.[3]

L'efficacité de la planification devient donc avant tout, pour les entreprises, une question de dimension. Il n'y a guère de limites à la taille des grandes entreprises. Contrairement à ce que croient la plupart des économistes, cette taille ne provient pas des exigences des économies fondées sur la production massive, pas plus qu'elle n'est attribuable à un désir d'exercer un monopole sur les marchés. L'entreprise typique est assez vaste pour entretenir une série d'unités de production de format optimum du point de vue technique, et elle s'engage dans la production d'un éventail de marchandises diversifiées. En ce qui a trait au monopole des marchés, le danger de concurrence lui impose des innovations continuelles, dans le but de capter les marchés par la création de désirs nouveaux et le lancement de produits inédits.[4]

La stratégie qui consiste à supprimer l'incertitude des marchés en supprimant tout simplement les marchés ne se limite pas aux approvisionnements et à l'écoulement de la production. Le marché des capitaux fait aussi l'objet de lourdes restrictions, car le contrôle de l'approvisionnement en épargnes a une importance stratégique dans la planification industrielle. De toutes les incertitudes des marchés, la plus grave est celle qui a trait aux conditions auxquelles le capital est disponible. Dans la mesure où la grande entreprise peut compter sur l'auto-financement, la détermination du volume de l'épargne et de l'investissement dépend largement de décisions internes.[5] De façon générale, la grande entreprise n'est plus à la merci des marchés de capitaux. Selon Galbraith, elle contrôle entièrement son taux de croissance, la nature de cette croissance, ainsi que les décisions

qui portent sur le choix des produits, des usines et des procédés de production. Aucune banque ne peut lui imposer
de conditions quant à l'utilisation des profits retenus.

Il est notoire que les épargnes personnelles ne constituent qu'une source financière de peu d'importance si on les
compare à celles des entreprises. Aux Etats-Unis, par exemple, l'épargne personnelle se chiffrait en 1965 à 25 milliards
de dollars, tandis que celle des entreprises atteignait 84
milliards. Les décisions qui fournissent à la collectivité la
majeure partie des épargnes ne sont donc pas prises par des
particuliers mais par la direction de quelques centaines de
sociétés. Ce sont ces mêmes administrateurs qui décident
aussi des investissements. Quand à la décision d'épargner,
ce n'est pas l'individu qui peut la prendre lorsqu'il touche
son revenu: la grande entreprise ne lui laisse pas de choix.

> « L'individu sert le système industriel, non pas
> en lui apportant ses épargnes et le capital qu'elles
> représentent, mais en consommant ses produits.
> Il n'y a pas d'autre domaine, religieux, politique
> ou moral, où on lui donne une éducation aussi
> élaborée, aussi adroite et aussi coûteuse. »[6]

L'entreprise souveraine et le consommateur captif

Pour la grande entreprise, le façonnement des goûts du
consommateur constitue un élément primordial de la stratégie de maximisation des profits. Dans cette optique, l'entreprise est souveraine et le consommateur est captif. L'épargne de l'entreprise provient de la vente de produits fabriqués
par des gens qui, comme consommateurs, ont été conditionnés à avoir besoin de *pacotille*. Galbraith rappelle que jadis
on considérait comme de précieux articles de commerce
les produits comme le tabac, l'aclool ou l'opium qui créent
une accoutumance progressive et physiologique. Aujour-
d'hui...

« ... dans tous les pays sous-développés, les efforts
qui proviennent de l'introduction sur les marchés
de produits de consommation modernes — cosmétiques, scooters, radios transistors, aliments
en boîtes, bicyclettes, disques, films, cigarettes
américaines — sont considérés comme de la plus
grande importance dans la stratégie du développement. »[7]

Il devient évident que cette « stratégie du développement économique» est en réalité la stratégie de la maximisation des profits à long terme des entreprises internationales.

Le succès de la grande entreprise se traduit par un fait
qui n'a guère attiré l'attention: elle ne perd pas d'argent.
En 1957 par exemple, année qui en était une de récession,
aucune des cent plus grandes entreprises américaines n'é-
choua à faire des profits et une seule des deux cents principales termina l'année avec un déficit.

Il découle de tous ces faits que l'on ne peut pas mesurer
le bien-être économique par la somme, en valeur marchande,
des biens et des services fournis ou utilisés. Il faut plutôt
voir dans le P.N.B. une projection sur les plans national et
international des besoins qu'impose à la grande entreprise
la croissance continuelle des marchés et des ventes.[8] Il est
désolant d'observer que les pays dominés par le capitalisme
de la grande entreprise ne sont d'ailleurs pas seuls à faire
de l'augmentation de la production de biens matériels et de
services leur premier objectif social.

Galbraith souligne justement qu'aucun critère de succès
social n'est accepté avec autant d'unanimité que l'augmentation annuelle du P.N.B. Et ceci est vrai pour tous les pays,
développés ou sous-développés, socialistes, communistes
ou capitalistes. Il est désormais convenu que les pays d'anciennes cultures, comme l'Inde, la Chine ou la Perse, doivent
mesurer leur progrès dans la voie de la civilisation d'après
le pourcentage de croissance de leur P.N.B. Leurs propres
spécialistes sont les premiers à insister sur ce point.[9]

Etant donné qu'en répartissant les coûts sur l'ensemble de la production on peut réaliser d'importantes économies dans les domaines de la recherche, de la conception des produits et de la technologie, le profit global de la grande entreprise se trouve renforcé par toutes les influences qui suppriment la résistance culturelle aux modes de consommation de la métropole. La grande entreprise a donc intérêt à éliminer les différences culturelles et à uniformiser le mode de vie à travers le monde entier.[10] Dans une étude approfondie de « l'internationalisme » de l'entreprise moderne, George Grant souligne que « le capitalisme de la grande entreprise et le libéralisme vont ensemble, par la nature des choses » et que « le libéralisme fournit l'instrument idéologique pour homogénéiser les diverses cultures. »[11] Il ajoute que « au cœur du libéralisme moderne se trouve le désir d'homogénéiser le monde. Les sciences naturelles et sociales actuelles sont consciemment conçues à cette fin. » Dans ce contexte, les économistes apparaissent comme les grands prêtres du capitalisme: ils ont fait du taux d'augmentation de la consommation des produits et de l'utilisation des services le critère ultime du bien-être social.

Pour la grande entreprise, il n'y a pas de pénurie de capital, mais seulement une pénurie de consommateurs homogénéisés. L'entreprise a institutionnalisé l'accumulation du capital dans le cadre de son organisation. Son processus est autonome et s'autofinance tant que l'on peut lancer de nouveaux produits et créer de nouveaux marchés. C'est ainsi que le président du conseil d'administration de *Procter and Gamble*, Neil McElroy, pouvait déclarer: « Notre problème n'est pas de trouver des capitaux, et je crois qu'il en est ainsi de la plupart des sociétés américaines. Notre problème, c'est de trouver des idées qui justifient l'investissement de capitaux. »[12]

Dans sa description du « nouvel Etat industriel », Galbraith s'inspire largement de l'expérience américaine et concentre son attention sur le rôle de l'entreprise américaine dans l'économie domestique. Mais son analyse est particulièrement utile pour comprendre le fonctionnement de la grande entreprise dans l'économie internationale. Elle met en lumière les processus qui ont créé « l'économie étrangère » des entreprises américaines, dont les ventes annuelles ont atteint 90 milliards de dollars en 1964, soit presque quatre fois la valeur globale des exportations américaines.

L'entrepreneur et le gestionnaire

La direction exécutive des filiales' est composée de gestionnaires et non pas d'entrepreneurs. Ceux-ci disposent des fonds, de l'équipement et du personnel dans les limites des moyens qui leur sont alloués. Ce ne sont pas eux qui élaborent les politiques de l'entreprise, mais ce sont eux qui les appliquent. Leurs décisions relèvent de la routine, en ce sens qu'elles sont restreintes aux allocations budgétaires établies par le siège social. Même si certaines d'entre elles sont plus importantes que d'autres, toutes les filiales sont inévitablement les instruments de la société-mère. Une économie dont l'industrie se compose de filiales manque nécessairement de l'esprit d'initiative qui caractérise tout bon entrepreneur. C'est pourquoi, dans la mesure où les hommes d'affaires canadiens ont accepté de renoncer à leur rôle d'entrepreneurs pour jouer celui de gestionnaires et de rentiers, le Canada est redevenu une riche région périphérique pourvue d'une élite commerciale aisée mais émasculée.

Dans une fascinante étude de la stratégie et des structures de l'entreprise industrielle, le professeur Alfred D. Chandler souligne que les décisions de l'entrepreneur sont celles qui ont trait à l'affectation des ressources pour l'ensemble de l'entreprise. Elles constituent le domaine de l'exécutif.[13] Par contre, les décisions qui portent sur le fonctionnement de l'entreprise relèvent des « *managers* », ou gestionnaires, dans le cadre des moyens qui leur sont accordés. L'exécutif dirige, à partir du siège social, soit plusieurs établissements soit un établissement qui fait affaires dans plusieurs régions géographiques. Son horizon commercial recouvre des économies nationales et internationale. C'est l'exécutif qui décide des principaux objectifs à long terme de l'entreprise. La décision de fonder des établissements dans des pays lointains, comme celle d'assumer de nouvelles fonctions (intégration verticale) ou de mettre au point de nouveaux produits (diversification) se situent parmi les décisions stratégiques, qui relèvent de l'entrepreneur.[14]

Les gestionnaires, par ailleurs, prennent les décisions qui ont trait aux prix des divers produits, à la conception et à la qualité des produits existants et à la mise au point de nouveaux produits, aux marchés immédiats et à la mise en marché, aux sources d'approvisionnement probables, aux améliorations techniques et à l'acheminement des produits du fournisseur au consommateur. Mais ces décisions s'inscrivent dans le cadre des politiques et des budgets par lesquels l'exécutif général détermine l'affectation immédiate et future des ressources de l'entreprise considérée globalement.[15]

Il découle de tout ce qui précède qu'en dépit de toutes les protestations contraires, le pouvoir exécutif, lorsqu'il s'agit des activités des sociétés américaines au Canada ou dans d'autres pays étrangers, est exercé par des gestionnaires et non par des entrepreneurs. Ces gestionnaires ne prennent pas les grandes décisions qui fixent les objectifs globaux de l'entreprise ou l'affectation de ses fonds : ils travaillent selon les lignes de conduite établies par la maison-mère. La meilleure description du rôle des gestionnaires dans une succursale est sans doute celle qu'a donnée le directeur et vice-président de la prestigieuse filiale canadienne d'une entreprise multinationale bien connue. « Il est bien clair, disait-il, que toute succursale est l'instrument de choix de la société-mère. Sa raison d'être est d'exercer les fonctions de la maison-mère dans la sphère d'activité qui lui a été désignée et dans tous ses actes elle doit tenir compte de cette relation....»[16]

L'exécutif général, tel que le décrit Chandler, correspond à l'entrepreneur de Schumpeter. Le rôle actif que Schumpeter attribue à son entrepreneur décrit de façon fort atténuée la façon dont le pouvoir de décision exercé par les entreprises affecte l'environnement économique et social dans les multiples pays où fonctionnent les grandes sociétés multinationales.

Pour réussir, la grande entreprise doit créer les marchés nécessaires pour ses produits, de même que les ressources financières qu'exige son expansion continuelle. Son activité est celle d'un entrepreneur, dont le but est de « trouver des idées qui justifient l'investissement de capitaux ». L'entreprise qui sait employer toujours efficacement ses ressources est assurée du succès. Parmi les ressources en question, le personnel qualifié ainsi que les compétences en matière de fabrication, de technique, de sciences et d'administration ont souvent plus d'importance que les entrepôts, les usines, les bureaux et autres biens matériels.

Etant donnée l'importance croissante du savoir technique, comparativement à « la quincaillerie », les avantages concurrentiels vont aux entreprises dont les ressources en personnel et en équipement sont transférables, en ce sens qu'elles peuvent servir à diverses fins technologiques plutôt qu'à la production exclusive de certains produits précis ou à l'exploitation de matières premières déterminées. C'est ainsi que, comme le souligne Chandler, dans les industries chimique, électrique, électronique et mécanique, le même personnel, utilisant dans une grande mesure les mêmes matières premières, a pu mettre au point des fibres synthétiques, de nouveaux films et de nouveaux plastiques, de nouveaux appareils électriques et électroniques, de nouvelles machines et de nouveaux appareils ménagers. Les entreprises ont investi dans la recherche et le développement une partie de plus en plus grande de leurs ressources totales et ces ressources ont été de moins en moins affectées à des produits spécifiques. La croissance et l'accumulation continuelles des ressources, par ailleurs, sont attribuables à de nouvelles séries de produits que les entreprises ont elles-mêmes mises au point. Il est à remarquer que ce phénomène confirme les conclusions des études sur les formes du commerce international à partir de l'hypothèse des « cycles des produits », études qui font ressortir l'avantage des entreprises américaines, par rapport à la concurrence, dans le domaine des ressources disponibles pour la recherche et le développement ainsi que pour la création de nouveaux produits.

Les décisions sur les investissements directs

Les efforts en vue d'appliquer l'analyse traditionnelle de l'équilibre à l'expansion interne du capital par le moyen des investissements directs s'effondrent lorsqu'on constate que les investissements directs ne sont pas particulièrement sensibles aux gains différentiels, pas plus qu'ils ne sont attirés par les secteurs ou les pays où, d'après les exposés des manuels d'économique, le capital est le plus rare et par conséquent le profit le plus élevé. En fait, la valeur de « prêt » des investissements directs n'a qu'une importance bien secondaire par rapport aux buts de l'entreprise.

Les études de la *National Conference Board*, dirigées par Polk, Meister et Veit, ont établi qu'un taux de profit différentiel incite rarement une société à établir des services de production à l'étranger. De plus, la disparition de ce taux différentiel ne risque guère d'amener une société à mettre fin aux investissements dont dépend sa situation par rapport au marché. D'après les mêmes études, l'affaiblissement continuel d'un marché peut même susciter plutôt qu'écarter de nouveaux investissements, selon l'opinion que se fait la société des mesures nécessaires pour protéger ses intérêts financiers à long terme.[17]

En conclusion, les investissements directs constituent, pour chaque entreprise, le moyen de satisfaire aux exigences de sa survie face à la concurrence, et la stratégie commerciale est sans aucun doute l'élément principal qui détermine les décisions relatives aux investissements. Tout immobilisme est un recul:

> « Normalement, les investissements, même lorsqu'ils ont l'air d'être nouveaux ou consacrés à l'expansion, sont nécessaires au maintien d'une position concurrentielle et ont pour but de renforcer la ca-

pacité de profit de l'ensemble de l'entreprise
et non pas de produire de simples bénéfices
additionnels... La croissance est un phénomène organique et non pas additif et elle ne peut
s'arrêter qu'aux dépens de la viabilité. »[18]

Etant donné que la succursale emprunteuse et la société
prêteuse font partie de la même entreprise, le « prêt » que
comporte l'investissement direct devrait être considéré
comme une simple formalité comptable. Il représente en
réalité un déplacement des ressources de la société, une
extension de son système de production et la création ou
le renforcement de liens organiques entre les structures
productives des deux pays en cause.[19]

Les exportations de la métropole et l'établissement
de services de production à l'étranger constituent des activités complémentaires plutôt que concurrentielles, les deux
étant des investissements de la même entreprise dans le
cadre de sa stratégie d'expansion des marchés :

« Du point de vue du producteur, la marche normale de la commercialisation, selon la règle courante qui consiste à produire au plus bas coût
possible à l'intention de la demande de tout marché
potentiel, comporte tout d'abord l'exportation sur
un marché donné, puis la production à l'étranger
selon la conjoncture locale (dont le coût n'est
qu'un élément parmi d'autres), puis l'augmentation des exportations à mesure que s'ouvrent les
possibilités du marché, puis l'augmentation de la
production... et ainsi de suite dans un ordre que
peuvent modifier des changements de la conjoncture mais qui reste toujours conforme au principe
selon lequel les possibilités du marché doivent
être exploitées de la façon la plus concurrentielle
possible. »[20]

Lorsqu'elle s'engage dans les investissements directs,
l'entreprise peut, grâce à l'expansion de ses marchés, main-

tenir et même augmenter son initiative technologique et commerciale dans les domaines de la recherche, de la conception des produits, de la promotion et de la création des goûts chez le consommateur. L'augmentation de ses ventes lui permet de répartir sur une plus vaste production les frais déjà engagés et de réaliser ainsi des profits plus élevés qui lui permettront de financer son expansion. Même si dans l'économie dominée par la grande entreprise, l'entrepreneur individuel a été remplacé par une bureaucratie anonyme, on reste plus que jamais plongé dans le monde décrit par Schumpeter: le succès est fonction de l'initiative et de l'innovation en matière de technologie et de gestion. Dans ce monde dynamique l'élément fixe, pour ce qui est du coût, ne réside pas dans les actifs matériels, comme les usines et leur équipement, qui ont traditionnellement préoccupé les économistes. Ceux-ci sont devenus dans une certaine mesure une variable parmi les divers coûts. L'élément le plus « fixe » se compose des capacités spécialisées de l'entreprise dans les domaines de la gestion, des finances, de l'organisation des marchés et de l'innovation.

Les motivations et les mécanismes des investissements directs américains à l'étranger sont en substance les mêmes qui ont guidé les milieux d'affaires aux Etats-Unis durant la période d'expansion antérieure sur le marché domestique. Les techniques concurrentielles mises au point dans le pays même ont été transférées sur la scène mondiale.[21] Les succursales et les filiales, les fusions et les acquisitions de sociétés sont de nouvelles techniques de concurrence. Il se peut que les obstacles posés à l'expansion des entreprises par les lois anti-monopoles et le caractère local et fragmentaire du système bancaire américain aient contribué à la formation d'un type d'entreprise particulièrement souple et autarcique. Quoi qu'il en soit, il ne fait pas de doute que l'unité d'intérêts et l'orientation unique des décisions que l'on trouve dans la grande entreprise américaine ont constitué une formule plus efficace que la formule européenne correspondante: l'entente commerciale ou le cartel.[22] En se fondant principalement, mais non pas exclusivement, sur un article du professeur Raymond F. Mikesell, on peut donner le résumé suivant des attitudes caractéristiques de la grande entreprise moderne :[23]

1. L'entreprise typique, contrôlée par les gestionnaires, est motivée principalement par le désir de croissance. Les considérations sur la conjoncture du marché, à court et à long termes, sont primordiales dans toutes les décisions stratégiques ainsi qu'en ce qui a trait à l'innovation, y compris l'innovation dans l'organisation interne. La croissance est une condition de survie pour l'entreprise comme entité collective.

2. Les gestionnaires considèrent les profits comme un moyen de croissance plutôt que comme une fin. Ces profits apportent des ressources qui seront utilisées selon des décisions internes et qui renforcent le crédit de l'entreprise sur le marché des capitaux. Les profits distribués permettent de tranquilliser les actionnaires et transforment ceux-ci, à toutes fins pratiques, en rentiers.

3. A cause des exigences de toute stratégie concurrentielle, les entreprises sont portées à calculer à long terme lorsqu'il s'agit des profits et le plus souvent elles sont prêtes à renoncer à de forts profits immédiats pour saisir l'occasion de pénétrer sur un marché dont le potentiel de croissance est élevé.

4. La croissance et les profits sont principalement assurés par les ressources internes de l'entreprise, notamment son expérience, sa compétence administrative et son sens de l'initiative, qui doivent lui trouver de nouveaux champs d'action profitables, ce qui en retour augmentera les ressources internes de l'entreprise, favorisant ainsi sa croissance.

5. La grande — et même la moyenne — entreprise ne limite pas son expansion à une série déterminée de produits ni à quelque marché régional ou national. La compétence administrative et l'expérience technique

peuvent être orientées vers de nouveaux produits et de nouveaux marchés.

6. L'expansion se fait par l'acquisition d'entreprises existantes plutôt que par la création de nouveaux établissements ou l'organisation d'un marché entièrement nouveau. De telles acquisitions apportent d'ailleurs à l'entreprise de nouvelles compétences administratives et techniques qui constituent son principal facteur de croissance.

7. Les entreprises-mères préfèrent détenir le contrôle absolu de leurs filiales. La concentration des titres de propriété dans les actions de la société-mère confère à l'administration un maximum de flexibilité dans l'utilisation des ressources globales de l'entreprise.

8. L'entreprise ayant une stratégie globale, les écarts entre le taux de profit aux Etats-Unis et à l'étranger ne suffit pas à expliquer les investissements directs à l'étranger, tout comme les différences entre les taux de profits ne fournissent pas d'explication satisfaisante des investissements dans les diverses industries aux Etats-Unis.

La relation entreprise-mère-filiale

Il est évident que l'apport de la filiale à la société-mère est évalué selon son impact sur le taux de profit de l'entreprise considérée comme une unité financière globale. La filiale est donc un instrument dont on doit se servir dans le contexte global des activités de l'entreprise. Du reste, si la filiale constituait une unité financière indépendante, les conflits d'intérêts seraient inévitables. Comme l'explique Frank S. Capon, directeur et vice-président de la *Dupont Company of Canada*:

> « ... il est souvent difficile de vendre les actions (de la filiale) à la société-mère à un prix qui se rapprocherait le moindrement de leur valeur à l'unité, soit à cause des pertes initiales, soit parce

que l'activité de la filiale produit plutôt des revenus supplémentaires pour l'entreprise-mère que des profits directs pour la filiale. »[24]

Ainsi s'explique la réticence générale des entreprises-mères à permettre la détention d'actions directes dans leurs filiales, ainsi que leurs nombreuses déclarations selon lesquelles les filiales fonctionnent souvent sans réaliser de profits.

L'attitude des entreprises multinationales relativement à l'émission d'actions minoritaires dans leurs filiales s'est trouvée illustrée par leur réaction négative à une campagne de trois ans par laquelle la Bourse de Montréal s'efforçait de convaincre les sociétés américaines de vendre une partie des actions de leurs filiales au public canadien. Au début des années 60, la Bourse de Montréal a fait des démarches en ce sens auprès de 94 des principales filiales dont toutes les actions étaient détenues par les maisons-mères. Des 64 qui répondirent, une seule annonça son intention d'émettre des actions minoritaires.

Voici trois des réponses reçues par le président de la Bourse de Montréal:[25]

« Nous sommes représentés au Canada depuis de nombreuses années par des filiales dont nous sommes seuls propriétaires. C'est d'ailleurs de cette façon que nous faisons affaires dans quelque vingt-deux pays à travers le monde. En vendant au public les actions de l'une ou l'autre de ces sociétés, nous nous écarterions de notre façon normale de procéder et pour le moment nous ne sommes pas prêts à effectuer un tel changement.

Toutes nos activités à l'extérieur des Etats-Unis sont confiées à des filiales dont nous sommes les seuls propriétaires. Notre société, au Canada, est une de _____ filiales étrangères qui nous appartiennent toutes. Jusqu'à présent, nous avons constaté que cette façon de procéder a été des plus bénéfiques pour nos clients et nos employés, tout comme pour nos actionnaires à travers le monde.

Pour le moment, nous ne prévoyons aucun financement extérieur, de sorte que nous n'envisageons pas de ventes d'actions. Les actions de _____ sont actuellement inscrite à la Bourse de New York et accessibles aux investisseurs. Ainsi chaque investisseur peut investir dans l'ensemble de toutes nos activités. *Nous estimons que cette formule est préférable du point de vue de l'investisseur étant donné que l'ampleur du champ d'investissement augmente la stabilité des investissements.* » (Nos italiques.)

Certaines des réponses étaient plus explicites sur les raisons pour lesquelles les entreprises-mères ne voulaient pas d'actionnaires dans leurs filiales. Dans les cas, par exemple, où les filiales s'occupaient de l'extraction de matières premières destinées à la société-mère, il était évident que des conflits d'intérêts risquaient de se présenter relativement au prix de vente et à la transformation des produits si la filiale n'était pas contrôlée par l'entreprise-mère.

C'est ainsi qu'une aciérie américaine exploitant des gisements de fer au Canada exposait sa position en ces termes :

« Comme vous le savez sans doute, la seule fonction de notre filiale au Canada est l'exploitation de mines de fer. *Nous ne considérons pas cette fonction comme indépendante mais plutôt comme une des fonctions essentielles de toute entreprise sidérurgique intégrée.* Nous n'avons jamais jugé que ce genre d'entreprise devait faire appel à la participation du public aux Etats-Unis et ce point de vue s'applique aussi au Canada. » (Nos italiques.)

Une autre société américaine, propriétaire de mines au Canada, a expliqué avec précision le conflit d'intérêts qui résulterait de l'émission d'actions minoritaires dans sa filiale :

« Dans notre cas, notre activité la plus importante au Canada, du point de vue financier, est l'industrie minière. Nos mines fournissent des matières premières aux usines américaines et canadiennes mais évidemment, étant donné la différence de population, les usines américaines absorbent, de beaucoup, la plus grande part de la production. Les mines constituent donc une partie intégrante de notre système de production. S'il y avait des actionnaires minoritaires dans notre société minière proprement dite, les actionnaires de la maison-mère n'étant alors propriétaires que d'une partie des mines, *il y aurait à l'intérieur de l'entreprise un conflit entre deux intérêts lorsqu'il s'agirait d'établir un processus unique et intégré. Pour cette raison, nous avons toujours refusé de vendre des actions minoritaires.* (Nos italiques.)

Il découle implicitement de ces déclarations que les matières premières fournies à la société-mère par sa filiale sont sous-évaluées comme exportations de l'*hinterland*. D'ailleurs il est dans l'intérêt d'une entreprise intégrée de sous-évaluer les matières, et ce pour diverses raisons. La première, c'est que l'entreprise peut ainsi acheter à un prix réduit la production de petits producteurs indépendants. D'autre part, la déclaration de profits trop élevés risque d'entraîner le retrait ou la diminution de concessions ou l'augmentation des impôts. Enfin, la sous-évaluation des exportations de matières premières réduit les risques encourus par les sociétés lorsque des gouvernements de l'*hinterland* qui sont aux prises avec des difficultés quant à leurs revenus ou leur balance commerciale pourraient envisager d'empêcher le rapatriement des profits. Diverses considérations qui ont trait à la sécurité des grandes entreprises commandent donc des politiques de prix qui assurent des produits à bon marché aux entreprises-mères.

Pour empêcher les producteurs nouveaux ou marginaux de vendre à leur gré leur production à des clients indépendants, les grandes entreprises doivent contrôler le secteur de la transformation. En s'opposant à l'émission d'actions minoritaires dans le secteur des matières premières, les entreprises se protègent contre les demandes d'établissement d'industries de transformation locales.

Il faut noter par ailleurs que les producteurs de matières premières ne peuvent plus se contenter du contrôle des fonderies et des raffineries. La tendance actuelle est à l'intégration verticale qui aboutit au contrôle de la fabrication. Cette formule sert à la fois à garantir la sécurité de l'entreprise et à lui assurer des profits qui résultent du progrès technologique dans le domaine de la fabrication. On peut trouver une bonne illustration de cette nouvelle tendance dans l'industrie de l'aluminium qui, durant les années cinquante, a eu à faire face à une capacité excessive de production de lingots.

> « Dans l'industrie de l'aluminium à travers le monde, on se bouscule pour adapter la capacité des fonderies à celle des usines de transformation et aux débouchés pour les tôles et les profilés. Les grands producteurs s'engagent de plus en plus dans l'intégration verticale et les produits de nature technique, parce que c'est ainsi qu'ils peuvent réaliser les meilleurs profits. De nos jours, un simple producteur de lingots ne peut plus survivre. Il se fait massacrer sur les marchés libres. »[26]

Quand les filiales sont dans le secteur de la fabrication ou de l'assemblage et constituent donc des débouchés, l'entreprise-mère tient aussi à contrôler entièrement leur activité. A ce sujet, M. Eric Kierans a formulé, lorsqu'il était ministre du Revenu du Québec, des commentaires intéressants :

> « Les investissements dans les filiales n'ont pas pour seul but de rapporter des profits. Dans le rapport entre la maison-mère et sa filiale, les transactions entre sociétés peuvent produire des profits d'un

côté ou de l'autre mais normalement c'est la maison-mère qui les absorbe. Ainsi une filiale pourrait perdre de l'argent et contribuer néanmoins aux revenus de la maison-mère à cause des profits sur l'achat des matières premières et des pièces fournies par la maison-mère, ainsi que des brevets, des *royalties* et des rénumérations versées pour des services administratifs, publicitaires et de recherche. En réalité, la principale raison des investissements dans les marchés étrangers est de rapporter des profits à l'entreprise-mère grâce au contrôle des marchés d'exportation pour les pièces et les concentrés de matières premières. Il n'est pas nécessaire que la filiale réalise des profits. »[27]

Là encore on a souvent invoqué la faible capacité de profit des filiales pour expliquer l'impossibilité, pour les entreprises multinationales, de vendre des actions minoritaires dans ces filiales. Dans la mesure où le coût de ces filiales comprend des frais d'administration ou le prix d'autres services du genre fournis par la maison-mère, en plus des dépenses pour l'achat des matières premières, il est difficile de savoir si les marges de profit des filiales canadiennes sont aussi faibles qu'on le dit. Ces filiales font partie d'un complexe de fabrication et de toute évidence il est difficile d'établir des taux de profit qui s'appliqueraient à leur cas.

Cependant les marges de profit des filiales ont leur importance lorsqu'on songe aux difficultés qu'éprouvent les sociétés indépendantes à rivaliser avec elles. Les autres entreprises, en effet, ne peuvent pas compenser leurs pertes par des profits réalisés par une maison-mère. L'entreprise-mère, elle, peut effacer ses pertes grâce aux profits que lui rapportent ses exportations aux filiales ainsi que les *royalties* et autres rémunérations qu'elle en reçoit. Ainsi le maintien d'une succursale se justifie même si la succursale ou la filiale en question ne réalise que de faibles profits ou même essuie des pertes. La société indépendante, par contre, ne peut survivre longtemps à des pertes ou à des profits insuffisants.

Dans ce contexte d'industrialisation réalisée par le système des filiales on observe une tendance marquée à l'augmentation excessive de la capacité de production. Le secteur manufacturier devient à la fois inefficace et fortement compétitif, en ce sens qu'il y a une surproduction d'articles concurrents mais peu différents. C'est ce qu'on a appelé le phénomène des « répliques miniatures ».[28] On en trouve un exemple frappant au Canada où seule la politique économique des fabricants internationaux peut expliquer la variété de produits fabriqués ou assemblés. A cause des marchés créés pour tous ces produits par le prolongement au Canada des goûts du consommateur américain, il est avantageux pour les entreprises multinationales de faire fabriquer une vaste gamme de produits par leurs filiales canadiennes. L'inefficacité que l'on met généralement sur le compte des tarifs douaniers protectionnistes a en réalité deux causes: les tarifs douaniers et la multiplication des filiales.

De 1950 à 1960 les investissements directs ont été très forts dans les filiales manufacturières au Canada. Le nombre d'entreprises manufacturières est passé de 10,000 à 17,000. La part de la production contrôlée par l'étranger est montée de 50 à 60 pour cent. La proportion d'entreprises déficitaires est passée de 26 à 31 pour cent. Enfin, le taux de profit après déduction des impôts est tombé de 9.5 à 4.0 pour cent.

Bien que les grandes entreprises invoquent la faible capacité de profit de leurs filiales pour justifier leur refus de vendre des actions dans ces sociétés, il est fort probable que leur puissance financière leur permet de prendre de l'expansion jusqu'à la marge de rendement et même au-delà de celle-ci. De plus, il y a lieu de rappeler que les profits déclarés dans les bilans des filiales doivent s'ajouter à l'apport fourni par celles-ci aux bénéfices des maisons-mères par l'achat d'articles et de services.

Entre autres conséquences importantes, la tendance des entreprises à octroyer les profits aux maisons-mères plutôt qu'aux filiales a celle d'augmenter de façon certaine et substantielle les revenus des entreprises-mères. Ainsi on peut offrir aux actionnaires des maisons-mères des revenus assurés et fort satisfaisants, en argent comptant, et les gestionnaires peuvent limiter les dividendes déclarés par l'entreprise-mère. Quant aux actionnaires, ils savent qu'ils peuvent réaliser des gains de capitaux en vendant leurs actions dont la valeur augmente dans la mesure où les investissements sont financés par l'épargne interne. La direction des entreprises souligne les avantages qu'il y a à acquérir des actions dans la maison-mère plutôt que dans les filiales. Dans la mesure où cette politique réussit, les gestionnaires n'ont alors affaire qu'à un seul groupe d'actionnaires qui sont eux aussi « dans le coup » en autant que l'entreprise ne s'adresse au public que pour un financement marginal.

Un certain nombre de pays ont adopté des lois qui forcent les grandes entreprises à solliciter la participation du public local. Les entreprises semblent se soumettre à de telles dispositions en considérant qu'il s'agit de leur part d'une concession acceptable dans des cas particuliers mais à laquelle elles s'opposent en règle générale.

« Nous avons défini notre société comme « une entreprise du monde libre » dont la base est aux Etats-Unis. Nous avons des usines dans 18 pays étrangers et nos produits sont en vente dans plus de 80 pays à travers le monde libre. Nous considérons chacune de nos succursales et de nos filiales comme une partie d'un ensemble unifié avec un haut degré d'interdépendance. Nous estimons que toute formule autre que la propriété totale crée généralement des problèmes et des complications qui ont tendance à limiter les activités de la succursale à un produit particulier ou à un groupe de produits. Cependant, dans certains cas, nous avons accepté des associés locaux.

Pour décider dès le début d'un changement dans nos structures organisationnelles, ou pour en envisager un par la suite, nous tenons particulièrement compte des facteurs suivants :

a) L'apport que peut fournir la participation locale, notamment en ce qui a trait aux compétences financière, commerciale et générale ainsi qu'aux relations avec le public, le gouvernement et le personnel;

b) l'attitude du gouvernement;

c) les risques de conflits avec les intérêts locaux relativement aux principes fondamentaux et aux règles de fonctionnement de la société, à la politique de recherche, à la promotion des produits et des familles de produits, aux politiques de gestion et de dividendes. »[29]

Ainsi, on trouve une participation locale lorsque les lois l'imposent, lorsque l'entreprise a acquis une filiale par l'achat d'une maison déjà établie, lorsque la population locale peut permettre l'accès à des connaissances techniques en commercialisation ou de façon générale, ou lorsque les relations avec le public incitent à vendre à des gens du pays des actions dans la filiale. Le besoin de fonds ne semble pas pousser les sociétés à émettre des actions dans leurs filiales étrangères. Lorsqu'il leur faut trouver des fonds au niveau local, elles les obtiennent généralement par des emprunts bancaires ou d'autres emprunts à long terme. D'après Safarian, si un grand nombre d'entreprises s'adressent à la société-mère plutôt qu'aux sources locales pour trouver des fonds, c'est probablement parce qu'elles peuvent se financer ainsi plus facilement et à meilleur marché, surtout lorsque la société-mère accumule des bénéfices ou a accès à des sources financières à bon compte dans des marchés financiers plus développés.[30] Si cette hypothèse offre une explication partielle, elle ne suffit cependant pas à faire comprendre pourquoi les filiales contractent des emprunts bancaires et émettent des obligations dans les pays de l'*hinterland*. La raison principale tient sans doute à la réticence des sociétés à diluer les rentes provenant de leurs monopoles en augmentant le nombre des actionnaires, surtout dans le cas des

filiales dont les intérêts pourraient entrer en conflit avec
ceux de l'entreprise globale.

NOTES

1. John Kenneth Galbraith: *The New Industrial State* (Boston: Houghton Mifflin Co. 1967), p. 9.

2. Ibid. pp. 23–24.

3. Ibid. pp. 27–28.

4. « L'ampleur de la *General Motors* ne sert pas à favoriser les monopoles ni l'économie réalisée sur la production à grande échelle, mais la planification. Et lorsqu'il s'agit de contrôler par la planification la production et la demande, d'obtenir des capitaux et de minimiser les risques, il n'y a pas de maximum précis à l'ampleur de l'entreprise. Il se peut fort bien que « la meilleure » soit « la plus grande ». La formule de la grande entreprise répond à ce besoin. Elle permet nettement aux sociétés de prendre de très vastes dimensions. » Ibid. p. 76.

5. Ibid. Chapitre 4.

6. Ibid. p. 38.

7. Ibid. p. 271.

8. « L'idée que l'augmentation de la production constitue un objectif social valable est pratiquement universelle ». « L'équation entre le progrès social et la hausse du niveau de vie se présente comme un article de foi... il est important pour la technostructure qu'une grande valeur soit accordée aux changements technologiques de tous genres. » Ibid. p. 164.

9. Ibid. p. 173.

10. Voir aussi les notes ci-dessous sur le « cycle des produits ».

11. George Grant: *Lament For A Nation* (Toronto: McClelland and Stewart, 1965).

12. Neil McElroy, à la Chambre des Représentants, Committee of Ways and Means, 87ème législature du Congrès, sessions sur les recommandations fiscales, pp. 2912–2938.

13. Alfred D. Chandler: *Strategy and Structure, Chapters in the History of the Industrial Enterprise* (M.I.T. Press, Cambridge, 1962). Je tiens à remercier ici le professeur Stephen Hymer d'avoir attiré mon attention sur cet ouvrage.

14. Cité par Chandler, ibid. pp. 310–311.

15. Ibid. p. 302.

16. Frank S. Capon, directeur et vice-président de Dupont Company of Canada, *Problems of Canadian Subsidiaries: Seminar on Canadian-American Relations*, Université de Windsor, novembre 1961, p. 108.

17. Judd Polk, Irene Meister et Lawrence Veit: *U. S. Production Abroad and the Balance of Payments, A Survey of Corporate Investment Experience* (N. Y., Industrial Conference Board, 1966), p. 61.

18. Ibid. p. 59.

19. A. E. Safarian: *Foreign Ownership of Canadian Industry* (McGraw-Hill Company of Canada Ltd. 1966) p. 188.

20. Polk et al, op., cit. p. 19.

21. Ibid. p. 55.

22. C. Kindleberger: « *The International Firm and the International Capital Market*», dans The Southern Economic Journal, octobre 1967, p. 228.

23. Raymond F. Mikesell: « *Decisive Factors in the Flow of American Direct Investment to Europe*», dans Economia Internazionale, août 1967, p. 447. Texte révisé d'une communication au « Colloque sur la politique industrielle de l'Europe intégrée et l'apport des capitaux extérieurs», organisé par les professeurs Maurice Bye et André Marchal, de l'Université de Paris, mai 1966.

24. Frank S. Capon, op. cit., p. 108.

25. Notes rédigées par Eric Kierans, ancien président de la Bourse de Montréal, comme « appendice B» à « *The Economic Effects of the Guidelines*», communication présentée à la Toronto Society of Financial Analysts, le premier février 1966. (Notes miméographiées). Toutes les citations subséquentes extraites des réponses à l'enquête de la Bourse de Montréal proviennent de la même source.

26. *Montreal Star*, 20 février 1968.

27. Eric Kierans: « *The Economic Effects of the Guidelines*». Cf. note 25.

28. H. Edward English: *Industrial Structure in Canada's International Competitive Position*, Canadian Trade Committee, Private Planning Association of Canada, juin 1964, p. 40. D'après English, les tarifs douaniers canadiens sont la principale cause du nombre excessif de produits fabriqués ou assemblés au Canada. Il ne fait aucun doute que ces tarifs ont incité les entreprises américaines à confier leur production à leurs succursales canadiennes, mais il n'y a aucune raison de croire que sans investissements étrangers dans le secteur manufacturier les tarifs auraient eu pour conséquence de créer les « répliques miniatures». De plus, même sans les tarifs douaniers un grand nombre de succursales auraient été établies au Canada. C'est la conjonction d'une politique de protection douanière et de forts investissements directs qui a causé la fabrication excessive de produits divers dans des quantités insuffisantes pour permettre des économies fondées sur la production à grande échelle.

29. Dans une autre réponse à l'enquête de la Bourse de Montréal, on trouve les commentaires suivants:

> « Pour passer du général au particulier, nous avons une politique très souple en ce qui a trait à l'émission d'actions sur les marchés locaux. Dans un pays d'Amérique latine où nous avons récemment demandé un permis pour..., nous avons décidé que la meilleure formule était de créer une société mixte avec une forte participation locale.
>
> Pour ce qui est du Canada, nous estimons que l'ampleur de la société et les fluctuations de son fonctionnement ne justifient pas de changement à la situation actuelle dans ce domaine.
>
> Un certain nombre de grandes sociétés américaines ont exprimé, depuis quelques années, l'opinion que la meilleure façon, à long terme, d'internationaliser le groupe des actionnaires et d'élargir les bases du système de l'entreprise privée *n'est pas tellement de vendre des actions sur les marchés locaux — avec tous les dangers de conflits d'intérêts qui en résultent —* mais plutôt de rendre plus facile et plus attirant pour l'investisseur local l'achat d'actions de la société-mère américaine et par consé-

quent sa participation aux profits de l'entreprise à travers le monde.» (Nos italiques.)

30. A. E. Safarian, op. cit., pp. 243–244.

6

Métropole et Hinterland

L'intrusion des grandes entreprises métropolitaines dans l'économie mondiale s'effectue avec une rapidité explosive. D'après les évaluations les plus récentes, la production de toutes les sociétés multinationales, à l'extérieur de leurs pays d'origine, dépassait, en 1968, 300 milliards de dollars, soit beaucoup plus que le volume de tout le commerce des pays non communistes. La production étrangère de ces entreprises constitue actuellement le troisième complexe économique au monde, après les économies intérieures des Etats-Unis et de l'URSS.[1]

A la Conférence de Couchiching de 1968, le professeur J. D. Behrman, ancien sous-secrétaire d'Etat américain au Commerce, estimait que la production de l'industrie américaine et de ses filiales à l'étranger représentait au milieu des années soixante environ 55 pour cent de toute la production des pays non communistes. Comme les sociétés multinationales ont un taux de croissance qui est à peu près le double de celui des autres entreprises américaines, on peut prévoir que la part de la production mondiale sous contrôle américain sera de 64 pour cent en 1980 et de 80 pour cent en 1990.[2] Dans des prévisions plus récentes, le professeur Behrman estimait que les entreprises multinationales, à elles seules, contrôleraient en 1987 le tiers de la production des pays non-communistes.[3] Une telle concentration du pouvoir économique privé est sans précédent, surtout si l'on songe que les entreprises multinationales sont en train d'acquérir un contrôle presque absolu des découvertes technologiques.

La situation favorisée des entreprises américaines dans le nouveau mercantilisme commercial et industriel est évidente: 200 des plus grandes entreprises multinationales du monde sont basées aux Etats-Unis, alors que seulement ving ou trente ont leur siège social dans d'autres pays.

Depuis la guerre civile, l'entreprise américaine s'est étendue dans les aires contiguës du Canada, du Mexique, des Antilles et de l'Amérique latine. L'appendice du présent ouvrage décrit l'évolution des investissements directs américains depuis le début du vingtième siècle. Dans les cinq prochains paragraphes nous résumerons certaines données statistiques contenues dans cet appendice.

Le taux d'expansion des entreprises américaines par l'investissement direct à l'étranger n'a atteint son degré actuel qu'après la Seconde Guerre Mondiale. En 1950, la valeur comptable des investissements américains directs à l'étranger n'était que de 11 milliards de dollars. En 1960, elle était montée à 32 milliards, et en 1966 elle atteignait 55 milliards. La valeur des actifs des entreprises manufacturières contrôlées par les Etats-Unis à l'étranger est passée de 3.8 milliards en 1950 à 22.1 milliards en 1966. Par ailleurs 35 pour cent des établissements manufacturiers américains à l'étranger et 31 pour cent des investissements directs américains se trouvent au Canada. La valeur comptable des filiales américaines au Canada est supérieure à celle de tous les investissements directs américains en Europe et à celle de tous les investissements américains en Amérique centrale et en Amérique du Sud.

On peut se faire une idée du taux d'expansion des entreprises multinationales américaines si l'on songe que malgré les restrictions et les crises de paiements extérieurs aux Etats-Unis, les nouvelles sorties de capitaux américains destinés aux investissements directs à l'étranger, pendant les huit années de 1960 à 1967 inclusivement, (ils ont atteint 19.4 milliards) ont été plus fortes que la somme de tous les investissements directs américains pendant les *soixante* années précédentes (soit 17.2 milliards).

Ces investissements sont si rentables que les revenus annuels sous forme de dividendes, *royalties*, licences de brevets, frais de location et honoraires de gestion, ont dépassé en valeur les nouvelles sorties de capitaux d'une année à l'autre depuis 1900, sauf de 1928 à 1931, pendant la dépression. Les entrées de profits et de droits de brevets aux Etats-Unis, de 1960 à 1967 inclusivement, ont atteint 33.3 milliards de dollars, soit un peu plus que tous les revenus américains tirés d'investissements directs à l'étranger durant les soixante ans qui ont précédé (31.7 milliards). A l'heure actuelle, les versements effectués à la métropole par les filiales américaines sont de l'ordre de 5.5 milliards de dollars par an, auxquels il faut ajouter 1.5 milliard de profits réinvestis sur place. L'apport net des investissements extérieurs directs aux paiements extérieurs des Etats-Unis, c'est-à-dire l'excédent des revenus perçus par la métropole par rapport aux nouvelles sorties de capitaux, a été de 13.8 milliards de dollars pour la période de 1960 à 1967 inclusivement, soit presqu'autant que les revenus de même nature pendant les soixante années précédentes (soit 14.5 milliards).

Mais ce rapport entre capital et revenu ne rend pas pleinement compte de l'apport des filiales étrangères à l'économie de la métropole. Aux profits et aux droits perçus il faut ajouter l'augmentation de la valeur comptable des actifs détenus à l'étranger, par suite du réinvestissement d'une partie des revenus dans les pays de l'*hinterland*, ainsi que la hausse des profits réalisés par l'industrie métropolitaine grâce à la création de nouveaux marchés pour ses exportations et à l'accessibilité de nouvelles matières premières à des conditions avantageuses.

Une ventilation régionale révèle que la "décennie de développement" des années soixante a été marquée par un important transfert de revenus depuis les régions les plus pauvres vers les plus riches, par l'intermédiaire des entreprises multinationales. De 1960 à 1967, les filiales américaines ont ainsi retiré 8.8 milliards de dollars en profits perçus de l'Amérique latine, alors qu'elles n'y ont investi que 1.7 milliard. Durant la même période, elles ont retiré 11.3 milliards de dollars de profits des pays d'Afrique, d'Asie, du Proche-Orient et de l'Extrême-Orient et n'y ont investi que 3.9 milliards. Les fonds ainsi soustraits aux régions pauvres du monde ont été transférés dans les marchés riches et dynamiques d'Europe, où les investissements directs américains, de 9.6 milliards, ont dépassé les profits perçus, de 7.3 milliards. Le Canada, qui s'en tirait avantageusement, pendant les années cinquante, en ce sens que les investissements directs américains dépassaient de 1.2 milliard les profits retirés par les entreprises américaines, a accusé une perte nette durant les années soixante. En effet de 1960 à 1967, les profits retirés par les filiales américaines (5.9 milliards) ont dépassé de 1.8 milliards les nouveaux apports de capitaux (4.1 milliards).

Le nouveau mercantilisme

Dans le nouveau système mercantiliste, les investissements directs stimulent et complètent les exportations de la métropole. En fait, dans la mesure où «les investissements internationaux sont devenus les principaux canaux des relations économiques internationales» et où «ce phénomène sans précédent se manifeste principalement par la grande entreprise internationale»,[4] la distinction entre le commerce international et les ventes «domestiques» des filiales étrangères a de moins en moins d'importance dans les calculs de l'entreprise multinationale.

La dynamique de la concurrence est en train de créer une nouvelle économie mondiale. Même en l'absence des entraves au commerce que sont les douanes et les restrictions monétaires, les grandes entreprises auraient quand même des usines à l'étranger dont l'activité serait complémentaire de celle des maisons-mères de la métropole.[5]

Les investissements directs sont à la fois un complément et un stimulant pour les exportations de la métropole. L'expansion des sociétés américaines a contribué à maintenir l'équilibre des paiements extérieurs des Etats-Unis ainsi qu'à assurer les profits et la croissance des entreprises qui effectuent des investissements directs. Il y a au moins sept façons dont les investissements directs à l'étranger stimulent les exportations américaines et contribuent à l'équilibre commercial des Etats-Unis:

1. Lorsque le coût élevé de la production intérieure, les douanes étrangères ou les frais de transport bloquent l'exportation à partir des Etats-Unis, les filiales étrangères produisent un afflux de dividendes et de profits vers la métropole. De plus, les revenus créés dans les pays de l'*hinterland* par les salaires, les impôts et les achats de ces filiales, augmentent la demande de produits importés, y compris ceux qui viennent des Etats-Unis.

2. Si les entreprises américaines n'investissaient pas dans les pays étrangers, les mêmes investissements seraient tôt ou tard effectués par des entreprises locales ou d'autres sociétés étrangères. Les investissements directs américains neutralisent donc une concurrence éventuelle de la part d'autres producteurs, assurant ainsi des profits ininterrompus.

3. A titre de « résidents » dans les pays étrangers, les filiales américaines sont bien placées pour promouvoir vigoureusement et vendre effectivement les produits fabriqués par leurs maisons-mères aux Etats-Unis, qui, autrement, ne pourraient pas être exportés.

4. Les investissements à l'étranger favorisent l'exportation de biens d'équipement et créent ainsi des marchés permanents pour les pièces de rechange fabriquées aux Etats-Unis.

5. Lorsque les produits finis ne peuvent être exportés des Etats-Unis, les filiales étrangères facilitent l'exportation de produits qui sont ensuite traités ou assemblés.

6. Les investissements directs dans l'extraction des matières premières assurent à l'industrie américaine des approvisionnements constants et à bon marché, ainsi que des entrées considérables de profits et de dividendes.

7. La présence à l'étranger de quelque quatre mille filiales et succursales américaines contribue à l'homogénéisation culturelle des pays où ces entreprises sont situées et augmente

ainsi les marchés des produits américains à un rythme plus rapide que celui de l'augmentation des revenus.

Les pays de l'*hinterland* qui font des emprunts sur le marché de capitaux américains, ainsi que les contribuables américains qui financent par leurs impôts les programmes d'aide aux pays étrangers et les multiples subventions accordées aux entreprises américaines, contribuent à la hausse des exportations américaines. La croissance du marché mondial est stimulée par les fonds mis à la disposition des autres pays par les prêts du gouvernement américain, les prêts privés sous la forme d'achats d'actions et les programmes d'aide aux organismes nationaux et internationaux.

A cet égard, l'économie mondiale d'aujourd'hui ressemble à l'ancienne, où les prêts à long terme et à taux d'intérêt fixes fournissaient les fonds nécessaires à l'achat des exportations des pays métropolitains. La différence tient à ce que la grande entreprise américaine, par ses investissements directs, approvisionne un marché mondial en expansion à partir à la fois de ses établissements à l'étranger et de ceux qui sont situés aux Etats-Unis. Ainsi elle se trouve avantagée par rapport aux entreprises des pays où elle décide de s'établir. Les revenus qu'elle crée favorisent la croissance des marchés où elle vend ses produits et lui rapportent les profits qui financent son expansion. La logique même de la concurrence pousse l'entreprise américaine à s'attribuer le monde entier comme domaine.

Il y a déjà longtemps que les sociétés américaines ont mis au point la technique de l'auto-financement. Quand elles décident de devenir « internationales », elles financent largement leur expansion par l'épargne intérieure des pays de l'*hinterland*. Les capitaux utilisés par les filiales étrangères, ainsi que les revenus qu'elles retiennent, sont à la fois l'épargne interne des sociétés et l'épargne nationale des pays où elles sont installées. Les ressources mobilisées par ces entreprises ne se limitent pas au capital financier, c'est-à-dire au contrôle du pouvoir d'achat : les entreprises internationales absorbent de plus en plus les ressources techniques et administratives des pays de l'*hinterland*. Elles le font principalement en acquérant des maisons existantes dans les divers pays. Les employés de ces masions deviennent alors en quelque sorte les citoyens des empires privés des grandes entreprises.

L'entreprise internationale et la souveraineté nationale

Il devient évident que les entreprises internationales trouveraient avantageux d'imposer au monde un « internationalisme » qui briserait toutes les barrières culturelles, institutionnelles et politiques susceptibles d'entraver leur expansion. Elles auraient manifestement intérêt, du point de vue financier, à noyer dans une mer de détersif toutes les formes de résistance à la « modernisation ». C'est à cette fin, d'ailleurs, que le secrétaire au Commerce du président Nixon a proclamé une nouvelle charte fondée sur quatre libertés économiques : la liberté de déplacement, la liberté de commerce, la liberté d'investissement et la liberté d'échanges technologiques. En contrepartie de ces « libertés » qui semblent plutôt anodines, on suggère l'adoption de « règles de bienséance » qui interdiraient « de la part des pays d'accueil, toute discrimination incompatible avec l'exercice raisonnable de la souveraineté. »

On a déjà dit que l'ancien colonialisme avait apporté la Bible et pris le sol en échange. Les colonisateurs avaient imposé le christianisme et s'étaient emparés des richesses des Indes, des Amériques et de l'Afrique. Le nouveau colonialisme se cache sous l'idéologie du matérialisme, du libéralisme et de l'antinationalisme. C'est par ces valeurs que les colonisateurs d'aujourd'hui cherchent à éteindre la résistance des collectivités nationales à des modes de consommations étrangers et à la présence d'un pouvoir étranger.

Les porte-parole du nouveau colonialisme proclament avec fierté que les grandes entreprises sont en fait des Etats politiques extrêmement puissants. Ce sont, disent-ils, « les colonisateurs du vingtième siècle et les premiers de ces colonisateurs seront les grandes sociétés américaines, à cause de leurs immenses richesses et de leur supériorité technologique. Leurs armées ne se composent pas de guerriers mais de techniciens et d'administrateurs munis de vastes capitaux et de connaissances approfondies en matière d'organisation. Leurs ambassades sont des usines et des bureaux de vente. Il ne leur manque guère qu'un drapeau. »[6]

Si l'Etat-nation constitue une entrave à l'efficacité productrice de biens matériels des entreprises internationales, alors, estiment ces libéraux, l'Etat-nation est rétrograde, réactionnaire et dépassé. Qu'un tel jugement corresponde étroitement avec le point de vue des grandes entreprises devrait donner à réfléchir aux libéraux. Rappelons ici une célèbre déclaration de l'ancien sous-secrétaire d'Etat américain au Commerce, M. George Ball :

> « L'entreprise multinationale est en avance sur les organismes politiques actuels que représentent les Etats-nations, et en conflit avec eux. Il est évident que les sociétés multinationales rencontrent des obstacles majeurs en Europe de l'Ouest, au Canada et dans une bonne partie des pays en voie de développement. »

Les libéraux américains éprouvent la plus grande indignation lorsqu'on conteste le principe selon lequel la consommation massive de produits de type américain améliore nécessairement la qualité de l'existence, de sorte qu'il faudrait supprimer toutes les barrières nationales ou culturelles qui réduisent l'efficacité dans la production de ces articles.

Mais comment les grandes entreprises capitalistes américaines peuvent-elles être sûres que les valeurs conformes à leurs intérêts s'imposeront à tout le monde « libre «? Poser la question, c'est y répondre : elles ne le peuvent pas. Pourtant, elles ont déployé en ce sens des efforts gigantesques et coûteux sur lesquels se fonde la collaboration entre la grande entreprise et le gouvernement américain.

La grande entreprise
et le gouvernement métropolitain

L'apport des sociétés internationales aux excédents du compte courant constitue une des bases de leur collaboration avec le gouvernement de la métropole dans le domaine des relations internationales. Une partie du surplus de devises étrangères provenant des activités des entreprises est mis à la disposition du gouvernement qui s'en sert à des fins économiques, politiques et militaires à l'étranger. On en trouve une explication succinte dans un livre publié par l'*International Economic Policy Association* sur la balance des paiements américaine. « Sans les revenus provenant des investissements directs américains à l'étranger, il est douteux que les Etats-Unis pourraient remplir leurs engagements militaires, politiques et économiques à travers le monde. »[7] En retour, la force militaire du gouvernement américain protège les investissements des citoyens de la métropole.

A cet égard aussi, le nouveau mercantilisme ressemble à l'ancien. Les économistes ont donné l'impression que les Etats européens des dix-septième et dix-huitième siècles s'efforçaient d'accumuler de l'or parce que leurs hommes d'Etat ne connaissaient pas assez les subtilités de l'économie politique pour comprendre la différence entre les vraies richesses et les coffres d'or. Mais n'est-il pas plus probable que ces gouvernements — et les entreprises commerciales qu'ils appuyaient et protégeaient — avaient besoin d'un mode de paiement universellement acceptable pour financer à la fois leurs dépenses internationales (navires, armées et approvisionnements à l'étranger) et leurs dépenses internes pour maintenir la loi et l'ordre?

Dans les débats portant sur certains objectifs communs du gouvernement américain et des entreprises multinationales, le gouvernement des Etats-Unis a assuré les entreprises qu'il était pleinement conscient de l'ampleur des investissements américains et de leur apport à l'augmentation des emplois, des revenus et des profits.

Parlant du rôle de plus en plus important que jouent « ces puissants moteurs du capitalisme éclairé» dans la croissance du commerce mondial, le secrétaire de la Trésorerie américaine, Henry Fowler, déclarait: « Pour notre pays, ils n'ont pas seulement une importance commerciale, mais ils jouent aussi un rôle important dans la politique étrangère des Etats-Unis, qui a été approuvée de façon générale par les pays atlantiques. »[8] L'homme politique américain expliquait ensuite pourquoi, dans leur propre intérêt, les grandes entreprises devaient aider le gouvernement américain à maintenir ses investissements militaires à l'étranger sans faire baisser ses réserves monétaires jusqu'à un niveau dangereux.

> « ... Nous devons bien comprendre que le gouvernement des Etats-Unis continuera de s'efforcer, comme il l'a toujours fait, d'augmenter le rôle des entreprises internationales comme moyen essentiel d'assurer un progrès économique sain et vigoureux dans le monde libre. »

M. Fowler précisait aussi que les entreprises américaines à l'étranger ne pouvaient pas fonctionner longtemps sans la présence politique américaine:

> « A vrai dire, s'il est extrêmement difficile de l'exprimer en chiffres, on ne saurait surestimer la mesure dans laquelle les efforts et les possibilités des entreprises américaines à l'étranger dépendent de la présence, de l'influence et du prestige des Etats-Unis à travers le monde. Il est impossible de surestimer à quel point les entreprises privées américaines à l'étranger bénéficient de nos engagements, tangibles ou intangibles, par lesquels nous apportons notre aide économique à ceux qui en ont besoin et nous défendons les frontières de la liberté... A vrai dire, si nous devions nous retirer de ces marchés et mettre fin à notre aide...
> *je ne me demande pas si l'entreprise privée américaine*

perdrait toutes ses possibilités, mais plutôt en combien de temps cela se produirait. » (Nos italiques.)

Puis l'homme d'Etat américain avertissait les entreprises que la marée montante du nationalisme, dans les pays avancés comme dans les pays en voie de développement, déclenchait chez les populations des attitudes qui risquaient de compromettre l'expansion de ces entreprises :

« Certains signes indiquent que dans nombre de pays développés les dirigeants politiques estiment avoir de moins en moins besoin de capitaux, de techniciens et d'administrateurs étrangers. Dans un certain nombre de pays moins développés, de nouveaux dirigeants politiques manifestent une préférence marquée pour les octrois entre gouvernements et les prêts accordés aux entreprises locales ou étatiques par opposition aux investissements directs étrangers. »

Tout en reconnaissant que les entreprises multinationales doivent se soumettre aux lois des pays où elles sont établies, M. Fowler ajoutait que le gouvernement américain pourrait venir en aide aux entreprises en exerçant des pressions sur les gouvernements en cause afin que ceux-ci « renoncent volontairement, dans leur politique nationale, à un nationalisme extrémiste, même dans les limites de leur souveraineté. »

Dans le même discours, le porte-parole du gouvernement américain indiquait clairement des domaines dans lesquels les pays étrangers pouvaient s'attendre à subir des pressions les invitant à « renoncer volontairement » à l'exercice de leur souveraineté nationale. Les pressions auraient pour but la création ou l'expansion des marchés régionaux. Ces marchés, précisait M. Fowler, « favorisent l'implantation de capitaux, d'entreprises et de techniciens venant de l'extérieur aussi bien que de l'intérieur ». A ce sujet, nous avons déjà évoqué les déclarations de M. George Ball selon lesquelles les intérêts des entreprises multinationales sont en conflit avec la souveraineté politique des Etats-nations.

M. Fowler avertit aussi les entreprises que tout échec des efforts déployés en vue d'affaiblir les entraves au commerce international mettrait durement en opposition les entreprises multinationales et des groupes d'intérêts nationaux ou régionaux portés à l'autonomie et à l'autarcie et s'écartant du courant de l'après-guerre vers une interdépendance de plus en plus marquée. » Ces remarques semblaient s'adresser non seulement aux pays dits « en voie de développement » mais tout autant, sinon plus, aux pays d'Europe occidentale et au Canada.

Des pressions seront exercées aussi sur les pays moins développés pour leur faire comprendre « par la parole et par les actes » que « tout milieu institutionnel qui accepte la confiscation par l'Etat ou la direction étatique d'entreprises concurrentielles comme principe général de la politique nationale » est incompatible avec les intérêts des sociétés multinationales. Quelques années auparavant, Dean Rusk avait déjà exposé, d'une façon moins détournée, les conséquences auxquelles s'exposeraient les pays bénéficiaires de l'aide américaine qui exerceraient leur souveraineté nationale de façon préjudiciable aux intérêts des entreprises multinationales. « Au sens strictement constitutionnel, disait-il, nous ne contestons pas le droit les Etats souverains de disposer des biens et des personnes sur leur territoire. Mais nous estimons, du point de vue politique, qu'il serait sage et prudent de leur part de créer des situations susceptibles d'attirer les investissements internationaux, les investissements privés. »[9]

Alors que les sorties de capitaux commerciaux des Etats-Unis produisent, après un certain temps, des entrées de dividendes, d'intérêts et d'autres revenus ainsi que des exportations de produits de consommation, les dépenses militaires du gouvernement américain à l'étranger ne sont pas compensées par des entrées de fonds. Et ces dépenses ne cessent d'augmenter. De 1946 à 1950, elles ont été en moyenne de 589 millions de dollars par an. De 1951 à 1955 elles atteignaient une moyenne annuelle de $2.3 milliards. Depuis 1956 elles sont de l'ordre de $3.1 milliards par an. Si l'on y ajoute l'effet net de l'aide à l'étranger sur la balance des paiements, le déficit atteint au moins 3.5 milliards de dollars par an.

L'entretien des « moteurs du capitalisme éclairé » coûte donc de plus en plus cher. La signification des divers programmes « directifs », c'est que les Américains devront contribuer de plus en plus largement au financement de l'empire. En exigeant des entreprises qu'elles restreignent les sorties directes de capitaux, le gouvernement américain leur demande de ralentir leur taux d'accumulation de capital et même de liquider des actifs. C'est pourquoi l'on a pu dire que les restrictions imposées par le gouvernement américain aux investissements à l'étranger « non seulement tueront la poule aux œufs d'or mais contribueront aussi à épuiser les provisions d'œufs d'or. »

Pour financer un empire de plus en plus coûteux, les Américains ont eu recours à leurs plus proches amis. Ainsi le Canada, qui plus que tout autre pays a contribué à l'expansion des entreprises américaines à l'étranger et dont la part du commerce des produits manufacturés a baissé durant les dix dernières années, a accepté de limiter ses réserves officielles de devises étrangères, en dépit des pressions inflationnistes qu'une telle mesure peut provoquer. Dépendant fortement de l'afflux continu de capitaux américains, le Canada est particulièrement vulnérable à tout renversement de la répartition géographique des investissements qui viserait à protéger le dollar américain et la balance des paiements des Etats-Unis.

L'économie de l'hinterland

Si, comme on l'a vu, il existe des correspondances étroites entre les objectifs du gouvernement américain et les visées économiques des entreprises multinationales, la situation est complètement différente dans les pays de l'*hinterland* ou les autres pays d'accueil où sont établies les sociétés multinationales. On a alors affaire à un système d'empires commerciaux dont la plupart ont leur centre aux Etats-Unis. Ces empires s'étendent sur les pays de l'*hinterland* par le réseau des filiales et des succursales. Lorsque celles-ci se trouvent dans des pays qui ne sont pas eux-mêmes dans une situation de métropole par rapport à d'autres, la dépendance technologique, financière et organisationnelle est extrême. Mais on trouve toute une gamme de situations intermédiaires où le même pays est à la fois une métropole pour certains et une région de l'*hinterland* pour d'autres. Tel est le cas du Canada. Ses ressources et ses industries manufacturières sont sous la coupe d'entreprises contrôlées par l'étranger. Par contre, ses institutions financières, qui ont toujours été puissantes et fortement concentrées, se sont implantées aux Antilles et dans divers autres pays, grâces à leurs filiales. Il en est de même pour les entreprises qui exploitent certaines richesses naturelles, comme l'aluminium.

On croit généralement que les investissements directs de la métropole sont bénéfiques pour le pays qui les reçoit parce qu'ils lui apportent des entrepreneurs en même temps que des capitaux. Ainsi, dit-on, ces investissements compensent la faiblesse des entrepreneurs locaux et font pénétrer dans l'économie de l'*hinterland* le savoir indispensable dans le domaine des techniques industrielles modernes. Avec le temps, conclut-on, la présence des entreprises modernes formera dans la population les administrateurs et les techniciens qui stimuleront l'initiative locale.

L'implantation des filiales, cependant, entraîne l'érosion de l'entreprise locale, à mesure que les maisons locales sont achetées par les grandes entreprises et que les entrepreneurs potentiels du pays deviennent les employés salariés des sociétés multinationales. Les entreprises qui restent sous contrôle local ont tendance à être marginales, en ce sens qu'elles sont de petites dimensions ou inefficaces, ou qu'elles appartiennent à des secteurs industriels qui ne se prêtent pas au type d'organisation des grandes sociétés. Les cas d'exception se trouvent généralement chez les entreprises publiques, ou les maisons qui bénéficient depuis longtemps d'une avance technologique sur les entreprises de la métropole.

L'entrepreneur qui fonctionne dans une économie où les filiales ont proliféré se heurte de plus en plus à un complexe organisationnel et institutionnel qui ne lui laisse d'autre choix que d'unir ses ressources à celles de l'entreprise internationale et de devenir ainsi un employé salarié, ou alors de se contenter d'une activité étroitement réduite.

Dans l'industrie des richesses minérales, les sociétés indépendantes se trouvent dans une situation où les grandes entreprises bien établies contrôlent les conditions de vente des matières premières. Pour les sociétés indépendantes, les marchés sont incertains et les prix trop bas pour couvrir les frais, de sorte que leurs possibilités d'emprunt sont limitées. Leurs activités ont donc tendance à s'exercer dans les domaines où les risques sont les plus grands: forage, prospection, exploration, exploitation de mines marginales, dans des conditions de marché anormales, et travaux à sous-contrat quand les grandes entreprises sont en position de force. Paradoxalement, leurs succès augmentent leurs risques. Au moment où une entreprise accède à un seuil au-delà duquel ses activités pourraient devenir vraiment rentables, elle s'aperçoit que les portes ne s'ouvriront que si elle accepte les conditions des entreprises déjà établies.

La nature même de l'industrie manufacturière rend son accès beaucoup plus facile, mais les entrepreneurs indépendants sont plus vulnérables aux pertes que les filiales étrangères. Ces dernières, en effet, peuvent faire absorber leurs pertes par leurs maisons-mères qui les compensent par les profits qu'elles tirent de leurs exportations à leurs succursales ainsi que par les *royalties* et autres rémunérations qu'elles touchent. L'existence des filiales se justifie donc quand celles-ci ne réalisent aucun profit ou même fonctionnent à perte. La situation des entreprises locales est encore plus désavantageuse dans les cas où les programmes d'incitation économique favorisent les maisons étrangères.

Fait à noter, il n'y a pas de rapport direct entre le degré de développement de l'entreprise et les niveaux élevés de revenus ou d'éducation. Au Canada, ainsi que dans certains pays de l'Amérique latine et des Antilles à l'heure actuelle, le revenu *per capita* est plus élevé qu'il ne l'était dans les pays métropolitains à l'époque où l'accumulation privée atteignait son sommet. Ces mêmes pays, par ailleurs, ont des revenus *per capita* bien plus élevés que le Japon, où l'entreprise privée comme l'entreprise publique est fortement développée.

On a parfois invoqué des facteurs religieux ou ethniques pour expliquer l'inertie de l'entreprise autochtone dans les pays où le système économique des filiales s'est implanté. L'exemple du Canada fait particulièrement ressortir le caractère superficiel de telles explications. Le déclin relatif de l'entreprise locale au Canada anglais, par rapport à la fin du dix-neuvième et au début du vingtième siècles, s'est produit durant une période où les revenus et le niveau d'éducation étaient à la hausse, et dans le cadre d'une culture et d'institutions « modernes ».

Parmi les rares économistes qui ont signalé que le système des filiales peut être tout aussi bien la cause que le résultat de l'absence d'entrepreneurs indigènes, il y a lieu de retenir le nom de Stephen Hymer. Bien qu'elles aient été formulées à l'intention du Canada, ses remarques ont une portée générale :

> « L'ampleur des investissements étrangers au Canada semble refléter une carence d'entrepreneurs au pays. Mais quelle est la cause et quel est l'effet ? On croit généralement que les investissements étrangers sont la conséquence de l'absence d'entreprises autochtones, mais ils ont peut-être contribué à cette pénurie.
>
> En poussant les choses à l'extrême, supposons que le Canada interdise complètement les investissements étrangers directs. Une telle mesure ralentirait certainement le progrès technologique et créerait un écart entre les techniques utilisées au Canada et les meilleures techniques utilisées

ailleurs. Qu'arriverait-il alors? Cet écart s'accentuerait avec le temps et les Canadiens seraient de plus en plus poussés à apprendre à le combler. Une telle situation ne stimulerait-elle pas la croissance des entreprises canadiennes? Après la période initiale d'apprentissage, les entrepreneurs canadiens ne seraient-ils pas capables de se tirer d'affaire tout seuls? La pénurie d'entrepreneurs canadiens disparaîtrait peut-être, avec le besoin des investissements étrangers. »[10]

Toute économie fondée sur le système des filiales, qui dépend des importations technologiques, aura toujours un retard technologique par rapport à la métropole. De plus, la dépendance crée une accoutumance et son processus est cumulatif. Les pays qui ont des entrepreneurs indigènes et dont les modes de consommation et de comportement sont différents de ceux de la métropole renoncent à des avantages potentiels dans le domaine de la production destinée aux marchés intérieurs et étrangers lorsqu'ils permettent l'implantation du système des filiales sans restrictions et à grande échelle.

Ces tendances s'affirment de plus en plus à mesure que l'innovation technologique et la création de produits nouveaux prennent une importance croissante dans la concurrence internationale. On a expliqué les formes du commerce des produits manufacturés par les avantages provenant du monopole provisoire qu'acquièrent les fabricants de certains pays, grâce à la mise au point de nouveaux produits ou à la différentiation entre les produits établis. Cette théorie de « l'écart technologique » rejoint le raisonnement que nous avons tenu dans le présent ouvrage, selon lequel les pays les plus avantagés sont ceux qui innovent plutôt que ceux qui se servent des innovations des autres en matière de technologie. Mais on a accordé moins d'attention à l'importance du maintien de modes de consommation particuliers et de caractéristiques culturelles comme moyens de favoriser l'innovation dans les divers pays. On note cependant que, d'après la documentation existante, les exportateurs de produits manufacturés ont tendance à chercher des marchés dans les pays où le niveau de revenu est comparable à celui qui existe chez eux. La résistance aux valeurs et aux modes de consommation importés de la métropole, ainsi que les obstacles posés à la mainmise des entreprises multinationales sur les ressources intellectuelles, scientifiques et administratives du pays, obligent tout pays à développer ses propres ressources.

Il est évident que les fabricants de produits mis au point en fonction de données climatiques, géographiques ou culturelles particulières, ou reposant sur des métiers traditionnels, bénéficient d'avantages comparables à ceux qui proviennent du "monopole provisoire" que confère la fabrication de produits nouveaux ou la différentiation entre produits établis. On en trouve d'excellents exemples dans la fabrication des avions légers utilisés dans le Grand Nord canadien, l'industrie québécoise des motoneiges, l'industrie des petites automobiles européennes, la verrerie tchécoslovaque, l'ébénisterie scandinave et les nombreuses industries italiennes dont la force tient à la valeur esthétique de leur production.

L'entreprise indigène peut « apprendre par l'expérience ». Il a déjà été établi que le dynamisme économique résultant de l'innovation technologique est particulièrement important pour les petits pays et qu'il est irréversible, en ce sens que les pays qui l'ont acquis ne le perdent pas. On en trouve les meilleures illustrations dans les pays qui sont relativement pauvres en ressources naturelles mais, sans doute par voie de conséquence, riches en capacité d'invention. Tel est le cas notamment du Japon, de la Suisse, d'Israël et de la Scandinavie. Le système des filiales empêche la mobilisation de l'économie par les entrepreneurs indigènes. Les investissements directs favorisent la croissance économique mais pas la mise en valeur des ressources :

« La principale faiblesse de l'investissement direct, comme facteur de développement économique, provient de son caractère global. En introduisant dans le pays des entreprises, des gestionnaires et des technologues, il risque d'empêcher l'apparition et la formation du personnel local qui assumerait ces fonctions essentielles. Dans la mesure où ceci se produit, l'investissement étranger n'aide pas le pays à s'acheminer vers un développement autonome... Les investissements directs augmentent les revenus et la production, multiplient l'embauche, créent des emplois à forte productivité, relèvent les revenus fiscaux et augmentent les recettes en devises étrangères (ou diminuent les exportations de devises). Le pays en tire des avantages, mais ces avantages ne proviennent pas de ses propres efforts ni de son initiative, et les facteurs de production ainsi créés n'appartiennent pas au pays et ne sont pas administrés par lui... Pour toutes ces raisons, l'investissement direct étranger peut jouer dans le développement d'un pays un rôle important mais non pas décisif. Ce dernier incombe aux entrepreneurs locaux. »[11]

La dépendance technologique des économies fondées sur le système des filiales se manifeste de la façon la plus évidente par l'absence relative chez elles d'installations de recherche. Toute l'activité, en matière de technologie et d'innovation, est concentrée dans les laboratoires, les ateliers et les centres scientifiques des pays métropolitains. La recherche effectuée dans les pays de l'*hinterland* sert le plus souvent à adapter aux particularités des pays concernés des produits mis au point dans la métropole.

Selon le professeur Chandler, les investissements d'un pays dans la recherche et le développement d'équipement et de compétences techniques pouvant servir à la mise au point d'une diversité de produits, permettent beaucoup mieux d'évaluer la puissance économique du pays que la production d'acier, de viande ou d'automobiles.[12] Le personnel spécialisé est attiré vers les centres scientifiques et industriels de la métropole par des salaires élevés et de meilleures conditions de travail, mais aussi parce que pour ces spécialistes les valeurs de la société métropolitaine sont devenues internationales. Par le phénomène du « *brain drain* » (la fuite des cerveaux), les spécialistes les plus compétents et les plus doués des pays à faible revenu vont gonfler les ressources technologiques des empires commerciaux internationaux.

On constate le même phénomène dans le domaine administratif, comme en témoigne notamment un document dans lequel la société *Procter and Gamble* expose les principes de sa politique :

> « Lorsqu'elle arrive dans un pays, la société *Procter and Gamble* doit apporter avec elle une équipe de hauts administrateurs compétents et déjà formés. Ces premiers cadres s'occupent de constituer une organisation en profondeur. Dès qu'ils le peuvent, ils forment des compétences locales. Du groupe d'Américains envoyés au Canada par *Procter and Gamble* en 1947, nous ne sommes plus que deux. Les autres sont allés à Genève, au Vénézuéla, à Cincinnati ou ailleurs. Ce qui est plus important, c'est que nous avons pris des greffes à l'organisation qu'ils ont construite. Aujourd'hui, le directeur général de *Procter and Gamble* en France est un Canadien. Notre directeur général au Maroc est un Canadien. Notre directeur général au Mexique est un Canadien, et celui qui dirige toutes nos affaires dans le Groupe des Sept, y compris l'Angleterre, est un Canadien. Ce qu'il faut noter, c'est que dans l'ensemble de notre organisation, leur nationalité ne les a ni favorisés ni défavorisés. »

Ainsi ces Canadiens sont devenus citoyens d'un empire commercial international. Leur compétence professionnelle et administrative est passée au service d'une entreprise internationale. Et pendant ce temps, on se plaint, au Canada, du manque d'administrateurs compétents.

Si l'activité des filiales engendre des épargnes considérables, ces épargnes sont peu accessibles à l'entreprise
autochtone. En effet la majeure partie de l'apport des filiales
au revenu national prend la forme de salaires et de revenus
touchés par l'Etat. La plus grande part des profits, et de
beaucoup, qu'il s'agisse de profits distribués ou non, se
transforme en revenus destinés aux actionnaires de la maison-
mère ou de la filiale et ne contribue pas directement au revenu
national. Ainsi, le système des filiales étouffe l'essor des
capitalistes locaux et empêche le développement d'un
marché local de capitaux. M. Kierans se plaignait que la
« libre entreprise » des sociétés internationales enrayait le
capitalisme dans les pays de l'*hinterland*:

> « Le système capitaliste a pour avantage de tirer des
> revenus de l'épargne et de l'investissement aussi
> bien que du travail. Refuser la participation locale,
> c'est limiter aux Etats-Unis les avantages du capita-
> lisme. Il nous faut des capitalistes dans toutes les
> parties du monde. »[13]

Les épargnes provenant des salaires, même lorsque
ceux-ci sont élevés, prennent la forme de cotisations aux
plans de pensions et aux assurances et passent par des intermédiaires qui ont tendance à les placer dans des investissements sans risques et dans les valeurs sûres des sociétés
internationales. Ce phénomène est contraire au mécanisme
classique selon lequel les revenus personnels élevés vont à
des propriétaires qui se situent des deux côtés dans le marché
des capitaux et qui peuvent faire l'équilibre entre les épargnes
et les occasions d'investissement.

Dans une économie dominée par les filiales, les profits
réinvestis par ces filiales constituent une part importante de
l'épargne intérieure privée. Mais ce n'est pas dans les pays
de l'*hinterland* que se prend la décision quant à l'affectation
de cette épargne de façon à augmenter les actifs des filiales.
En réalité, l'épargne intérieure des pays de l'*hinterland* est
partie intégrante de l'économie nationale de la métropole.

La hausse des investissements étrangers qui se produit dans l'*hinterland*, lorsque les filiales financent leur expansion à même les profits non-distribués, peut avoir de graves effets sur la balance courante des paiements si les sociétés décident de sortir des capitaux du pays. Ces transferts peuvent prendre la forme d'importants paiements de dividendes aux sociétés-mères, de remboursements d'emprunts aux maisons-mères, d'une interruption des réinvestissements ou même d'une liquidation des réserves des filiales. La distinction entre le versement de dividendes et le retrait de capitaux, ou entre la rétention de revenus et l'entrée de capitaux, n'a guère d'importance lorsqu'il s'agit des rapports entre les maisons-mères et leurs filiales étrangères. Une étude des politiques des filiales américaines en Europe signale que la décision de déclarer des dividendes, en ce qui concerne les filiales, dépend entièrement des sociétés-mères:

> « Le quartier général international se réserve le droit de prendre les décisions ultimes relativement à presque toutes les questions qui ont trait au calendrier et à l'ampleur des déplacements de fonds contrôlés par la société dans les divers pays. Pour décrire cette centralisation de l'autorité, on parle souvent du « point de vue unique et universel » du quartier général. On entend par là, semble-t-il, la possibilité pour la haute direction de connaître *tous* les choix qui s'offrent à la société internationale et de prendre les décisions qui servent le mieux les intérêts de l'ensemble de l'organisation. »[14]

Il est clair que les dividendes ne sont pas déterminés uniquement en fonction des profits passés et anticipés de la filiale, comme ce serait le cas s'il s'agissait d'une société nationale indépendante. Ils sont établis, nous dit-on, en fonction de *toutes* les options qui s'offrent à la maison-mère. Celle-ci peut juger bon d'augmenter les dividendes (comme le gouvernement américain l'a d'ailleurs demandé) même si les profits ne sont pas particulièrement élevés. De même, il peut être profitable pour la société-mère de financer son expansion en empruntant sur le marché interne du pays d'accueil, même si le pays en cause augmente le coût d'un tel emprunt en vue d'atténuer la tendance à l'inflation en diminuant la masse des investissements.

Les fonds circulent beaucoup plus librement à l'intérieur de l'entreprise multinationale qu'entre les divers secteurs de l'économie nationale des pays de l'*hinterland*. Le Canada en fournit une excellente illustration. L'état de sous-développement de son marché de capitaux n'est pas attribuable à de faibles revenus, ni à un taux trop bas de l'épargne personnelle, ni au « conservatisme » proverbial des investisseurs canadiens. Il résulte d'un passé colonial et de la proximité des Etats-Unis.[15]

On a souvent observé depuis quelques années que l'importance croissante des investissements directs américains et, en conséquence, les échanges financiers et commerciaux entre les entreprises américaines de la métropole et de l'étranger, ont transformé les relations économiques internationales :

> « La conception traditionnelle de la balance des paiements qui considère ces déplacements de fonds comme des échanges entre Américains et étrangers est de plus en plus inadéquate pour décrire les exportations et les importations de produits et de capitaux. Certains administrateurs, tout comme certains économistes, se demandent maintenant si la relation entre les exportations et les investissements étrangers n'échappe pas désormais à l'analyse traditionnelle de la balance des paiements et si une optique globale (et non pas nationale) n'est pas indispensable à la compréhension des échanges commerciaux entre les pays et même à celle de la balance des paiements nationaux. »[16]

Avec la pénétration de plus en plus marquée des empires commerciaux privés dans les économies nationales, peut-être faut-il en effet redéfinir les conventions sur lesquelles reposent les comptabilités nationales. Peut-être conviendrait-il de dresser les « balances de paiements » des grandes sociétés multinationales.[17]

Evidemment, les sociétés internationales ont déclaré une guerre idéologique au principe « vétuste » de l'Etat-nation. L'accusation formulée par George Grant, voulant que le matérialisme, le modernisme et l'internationalisme constituent le nouveau crédo libéral du capitalisme commercial, est fondée. Les conséquences sont faciles à tirer : l'Etat-nation, comme unité politique servant de fondement aux prises de décisions démocratiques, doit, au nom du « progrès », céder la place aux nouvelles mini-puissances mercantiles.

Bien qu'il y ait lieu de distinguer entre le nouveau mercantilisme des entreprises multinationales et l'ancien impérialisme territorial caractérisé par les annexions et les dominations politiques pratiquées par des administrations politiques coloniales ou semi-coloniales, la colonisation culturelle est une réalité incontestable et incontestée. L'organe de l'association des administrateurs français, *Patronat français*, s'est inquiété de voir l'économie américaine dominante marquer de ses caractéristiques la société industrielle à travers le monde. Ces caractéristiques comportent un système de valeurs, un mode de vie, une philosophie et des structures sociales. On admet de plus en plus, explique la revue, que la grande entreprise américaine a eu de profonds effets sociologiques sur les Etats-Unis. Ses effets sur une société étrangère, dont elle n'est pas issue, peuvent être encore plus grands et moins bien compris.[18]

Lorsqu'elles organisent leurs activités de façon à réduire ou à supprimer l'incertitude, les grandes entreprises, à vrai dire, n'éliminent pas tellement les risques mais les renvoient à tous ceux qui se trouvent à l'extérieur de leur système : les petits entrepreneurs, les travailleurs non syndiqués, les habitants de ghettos urbains et des régions rurales périclitantes, et toutes les populations des régions périphériques ou des pays de l'*hinterland*. Bien plus, à mesure que le réseau des grandes entreprises mobilise la technologie en fonction de ses besoins, il crée un risque nouveau et incalculable en bouleversant l'équilibre écologique de la planète. Les sujets d'inquiétude quant aux conséquences de l'aliénation de l'homme par rapport à son milieu naturel et humain vont de la pollution quotidienne et « normale » de l'air et de l'eau jusqu'aux possibilités destructrices des énormes réserves d'armes chimiques et biologiques meurtrières ; du taux « normal » de crimes violents, de suicides et de cas pathologiques jusqu'à l'absurdité du génocide organisé et la montée des conflits raciaux à travers le monde. Les « moteurs du capitalisme éclairé » risquent fort, si l'on n'arrive pas à les maîtriser, de polluer littéralement le monde avec les « retombées » d'un « progrès » technologique incontrôlé.

Le ministre de la Justice du Canada, M. John Turner, a exprimé le même genre d'inquiétudes, sans toutefois proposer de solutions :

> « Après l'Etat-nation, l'entreprise internationale est la plus puissante institution de notre époque. Elle a de vastes ressources à sa disposition. Elle franchit d'innombrables frontières. Elle oriente le destin de millions de personnes et elle véhicule une culture commune qu'on a appelée la « coca-colonisation ». Nous n'avons pas d'institutions internationales pour contrôler la puissance de l'entreprise multinationale. Ne voyons-nous pas déjà se dessiner un monde de géants économiques, se livrant une farouche concurrence, liés par quelque vague allégeance à quelque Etat-nation mais possédant en réalité les pouvoirs d'un gouvernement ? Les conséquences sont graves. Elle détermineront dans une large mesure le mode de vie et la qualité de la vie non seulement dans les pays occidentaux mais aussi en Asie, en Afrique et en Amérique latine. »[19]

Même les économistes commencent enfin à s'inquiéter, et c'est avec tristesse qu'il faut noter à ce sujet la timidité et l'attitude de colonisés des économistes canadiens : ceux qui s'inquiètent sont surtout des Américains et des Eurcpéens. Le Suédois Goran Ohlin, dans une conférence qu'il prononçait à Montréal en octobre 1968, faisait état de « la force et (de) la souplesse des entreprises multinationales lorsqu'il s'agit de contrecarrer les buts d'une politique nationale. »[20] Le professeur Charles Kindleberger réclamait des règlements internationaux : « les sociétés sont trop grandes et trop puissantes pour qu'on leur lâche la bride. »[21] Enfin, le professeur Rosenstein-Rodan conseillait récemment aux pays sous-développés d'indiquer les secteurs qu'ils considéraient les mieux indiqués, ou le contraire, pour les investissements directs étrangers, et de fermer complètement certains secteurs à l'investissement étranger pour des raisons politiques.[22]

L'idée d'ententes internationales en vue du contrôle des entreprises multinationales a déjà été lancée dans divers milieux.[23] Les difficultés éprouvées par le gouvernement américain lorsqu'il a voulu imposer des restrictions « volontaires » aux sociétés américaines pour protéger sa balance des paiements porte à croire que, comme le disait le professeur Mikesell, « une solution rationnelle établie par des ententes internationales ne trouvera guère un accueil bienveillant auprès des milieux d'affaires internationaux ni de la plupart des Etats souverains. »[24] En attendant on ne peut écarter le fait que c'est à chaque nation qu'incombe la responsabilité de défendre ses propres intérêts. Il n'y a pas de pays où cette nécessité soit plus impérieuse qu'au Canada.

NOTES

1. Abraham Rotstein: déclaration devant le Comité des Affaires extérieures et de la Défense nationale, Ottawa, le 20 janvier 1970.
2. Cf. aussi J. N. Behrman: *An Essay on Some Critical Aspects of the International Corporation*, Conseil Economique du Canada, étude spéciale (janvier 1970), p. 7.
3. *Interim Report on Competition Policy*, Conseil Economique du Canada (Ottawa, 1969), p. 180.
4. M. Neil McElroy, président du conseil de la *Procter and Gamble Corporation*.
5. « Les frontières politiques qui séparent les marchés... n'ont pas de portée économique inhérente pour les producteurs lorsqu'il s'agit de

répondre à la demande. L'expansion qui vise à desservir les marchés étrangers n'est pas fondamentalement différente de celle qui s'adresse à la demande domestique, régionale ou nationale, et elle peut se révéler indispensable pour permettre aux producteurs de faire face à la concurrence existante... S'il n'y avait pas d'obstacles à l'exportation, les exigences de la concurrence qui entraînent l'expansion des marchés finiraient par imposer une hausse de la production et par conséquent une augmentation des investissements à l'étranger.» Polk, Meister and Veit: *U. S. Production Abroad and the Balance of Payments*, p. 134.

6. Richard J. Barber: « *The Political Dimensions of Corporate Supernationalism*», dans Worldwide Projects and Installations Planning, septembre-octobre 1969, pp. 77–99.

7. Polk, Meister and Veit, op. cit. Cf. aussi Walter Salant: *The United States Balance of Payments in 1968* (The Brookings Institution, Washington, 1968), p. 22.

8. Déclaration de Henry H. Fowler, secrétaire de la Trésorerie, devant le conseil américain de la Chambre de Commerce Internationale, le 8 décembre 1965. U.S. Information Service, communiqué. La citation qui suit provient de la même source.

9. Déclaration de Dean Rusk devant un comité du Sénat américain en 1962. Cité par Melville Watkins dans le *Toronto Daily Star*, le 22 mars 1969.

10. Stephen Hymer: « *Direct Foreign Investment and the National Economic Interest*», p. 198, dans *Nationalism in Canada*, publié par la University League for Social Reform, éd. Peter Russell. Copyright McGraw-Hill Company of Canada Limited, 1966.

11. Felipe Pazos: « *Organization of American States*», dans J. H. Adler: *Capital Movements, Proceedings of a Conference held by the International Economic Association* (Macmillan, Toronto, 1967), pp. 196–197.

12. Chandler: *Strategy and Structure*, p. 395.

13. Eric Kierans: « *Economic Effects of the Guidelines*», op. cit.

14. David B. Zenoff: « *Remittance Policies of the U.S. Subsidiaries in Europe*», dans *The Banker*, mai 1967.

15. G. R. Conway: *The Supply of, and the Demand for, Canadian Equities*, résumé d'une étude faite par la Faculté des Etudes administratives de l'Université York pour le compte du *Toronto Stock Exchange* (Toronto septembre 1968), mimeo.

16. Polk, Meister and Veit, op. cit. p. 127.

17. M. Rolfe déclarait récemment: « le système de la comptabilité nationale est en train de devenir anachronique.» *Globe and Mail*, 13 mai 1969.

18. « *U.S. Investment in France: The Case of the Hesitant Host*», dans Conference Board Record, janvier 1967.

19. *Toronto Daily Star*, 3 octobre 1968.

20. *Toronto Daily Star*, 17 semptembre 1968.

21. C. Kindleberger: *American Business Abroad, Selective or Direct Investment* (McGill University Press, 1969).

22. P. N. Rosenstein-Rodan: « *Philosophy of International Investment in the Second Half of the Twentieth Century*», dans J. H. Adler (éd.): *Capital Movements*, pp. 179–180.

23. Cf. notamment Raymond Vernon: « *Multinational Enterprise and National Sovereignty* », dans Harvard Business Revue, mars-avril 1967, pp. 156–172.

24. R. Mikesell, op. cit., p. 452.

7

La moisson
d'une dépendance prolongée

Après vingt-cinq ans d'investissements américains directs et massifs, le Canada a vu sa liberté d'action s'amenuiser au point où l'on est en droit de se demander s'il lui sera jamais possible de la reprendre. C'est au chapitre de « l'extraterritorialité » que l'érosion de sa souveraineté est la plus évidente. Il y a en effet conflit manifeste de compétence lorsque le gouvernement de la métropole insiste pour que les filiales américaines sises dans les pays de l'*hinterland* soient soumises à ses lois[1] avant toutes autres.

Quelles lois les filiales doivent-elles alors suivre, celles du pays où se trouve l'entreprise ou celles du pays où résident les propriétaires? A cette question le Rapport Watkins répond en ces termes: « Placés entre deux Pinacles de souveraineté, l'entreprise a tendance à se placer sous la coupe du plus élevé, l'Etat ou résident ses propriétaires étrangers. » Au Canada, le problème de l'extra-territorialité s'est posé dans trois sphères où il y a conflit de droit: la politique d'exportation, la législation anti-monopoles et les mesures prises par le gouvernement américain pour préserver la balance de ses paiements extérieurs. Dans chaque cas les filiales canadiennes de sociétés américaines ont été obligées, par la loi américaine ou par des pressions venant de l'administration de ce pays, d'agir à l'encontre de la politique déclarée du Canada et parfois même des lois canadiennes.

Même s'il est fort possible que l'extension à leurs filiales canadiennes des lois américaines contre les monopoles soit peut-être l'aspect le plus grave du problème de l'extra-territorialité, c'est la politique d'exportation des filiales qui a accaparé surtout l'attention du public.[2] La loi américaine relative aux échanges avec les pays ennemis interdit aux filiales et aux succursales dont la moitié des actions appartiennent à des Américains de commercer avec la Chine communiste, la Corée du Nord et le Viet-Nam-Nord. Toute infraction peut attirer des sanctions aux Américains qui sont actionnaires ou membres du conseil d'administration de la société-mère. La loi s'applique même aux filiales qui n'utilisent ni matériel, ni pièces, ni techniques américains. Même si les lois américaines sont un peu moins restrictives dans le cas de Cuba, le gouvernement des Etats-Unis a convié les sociétés au « volontarisme »; de sorte que, dans les faits, le département du Trésor exerce sur leurs filiales des pressions pour les empêcher de commercer avec Cuba. Ces pratiques sont en contradiction flagrante avec la politique canadienne, qui est sensiblement plus libérale. Quant à la Chine, elle constitue pour le Canada un client de plus en plus important. Bien qu'on ne puisse établir le volume des pertes encourues, il est évident que le Canada perd à la fois de l'argent et sa compétence étatique sur le vaste secteur de son économie contrôlée par les Américains, en acceptant que les lois américaines régissent la politique d'exportation d'une grande partie de l'industrie canadienne.

Dans tous ces cas, il y a les inévitables exemptions et les ententes spéciales. Le gouvernement américain, après étude de chaque cas, fait des concessions lorsqu'Ottawa peut établir qu'une commande particulière est importante pour l'économie canadienne ou ne peut pas être exécutée par une entreprise canadienne. Une fois de plus, on voit le gouvernement canadien mendier des faveurs à la puissance métropolitaine, afin que celle-ci lève des restrictions qui, au départ, portent atteinte à la souveraineté du Canada.

De son examen de l'appareil juridique et administratif que le gouvernement américain a établi pour faire appliquer ses lois au Canada, le Rapport Watkins tire la conclusion suivante:

« Un problème politique fondamental se pose donc au Canada, en ce sens que, pour une période de temps dont on ne peut prévoir la durée, la marge de manœuvre, ou le pouvoir de décision, du gouvernement canadien se trouvent réduits en ce qui a trait aux relations économiques qui impliquent des filiales américaines. Le problème de l'extraterritorialité ne réside pas essentiellement dans les pertes économiques qu'elle entraîne... mais plutôt dans la perte éventuelle du contrôle sur une partie importante de la vie économique canadienne. »[3]

Les importations de capitaux, de techniques, de compétences et de possibilités d'accès aux marchés provenant des Etats-Unis, qui ont atteint un niveau sans précédent durant les vingt dernières années, ont sans doute eu pour effet d'augmenter les revenus et l'embauche au Canada. Mais les investissements directs américains n'ont pas pour autant créé les conditions d'une croissance soutenue. Bien au contraire, la situation économique du Canada a régressé en regard de celle d'autres pays de même niveau d'industrialisation. C'est ainsi que l'auteur d'une récente étude sur les tendances du commerce canadien a pu en venir à la conclusion que « la situation du Canada ressemble plus à celle des pays sous-développés qu'à celle des autres pays développés. »[4]

L'âge d'or où les exportations rapportaient des profits faciles est depuis longtemps dépassé. Le *boom* de l'exploitation des ressources naturelles, qui a alimenté le processus de croissance des revenus pendant les années cinquante et attiré des investissements considérables dans le secteur manufacturier, est presque terminé. Depuis le début des années soixante, le reflux de capitaux américains sert plutôt à financer l'expansion du secteur manufacturier dans les marchés riches et dynamiques de l'Europe. La lune de miel est terminée et on commence à comprendre que les grands investissements directs et la perte de contrôle économique qui en a résulté ont restreint la liberté d'action du Canada dans une économie mondiale fortement concurrentielle.

Dans les secteurs clefs de l'économie canadienne, lorsqu'il s'agit de décider des produits à fabriquer, des endroits où ils seront vendus, des sources d'approvisionnement, des fonds qui seront transférés sous forme d'intérêts, de dividendes, de prêts, d'achats d'actions, de bilans à court terme, de frais d'administration, de recherche ou de publicité, etc., les décisions sont prises à l'extérieur du pays, en fonction de la stratégie planétaire d'entreprises étrangères. Et la dépendance ne se limite pas aux décisions qui sont ainsi transmises par les maisons-mères à leurs filiales. La liberté d'action du Canada a été amoindrie progressivement par la prolifération des engagements, tant officieux qu'officiels, qui résultent d'ententes bilatérales avec le gouvernement américain. Ainsi, le marché libre a été remplacé par les transactions internes des entreprises multinationales. En conséquence, les relations entre les gouvernements rappellent de plus en plus celles des anciens systèmes mercantiles. Si le pays s'est enrichi, l'économie canadienne a perdu de la flexibilité qu'elle avait autrefois. Les instruments de la politique gouvernementale se trouvent diminués du fait des innombrables engagements que le Canada a pris en échange de « faveurs particulières. »

Dans le secteur privé, l'initiative et le dynamisme technologique sont faibles. La proportion de produits semi-finis dans les exportations n'a pas diminué de façon notable. Les importations de produits manufacturés, par rapport à la production nationale, ont augmenté. La dépendance technologique du pays est plus prononcée que jamais et elle est plus forte que pour tout autre pays industrialisé. Dans un monde où la concurrence confère un rôle primordial à l'innovation et à l'initiative, toute technologie imitative a pour conséquences une hausse des coûts et un affaiblissement de la productivité. Le marché des capitaux en est affecté, en ce sens que l'épargne canadienne ne trouve plus de possibilités d'investissement intéressantes au pays, alors qu'une grande partie des épargnes engendrées au Canada ne sont pas disponibles pour certains secteurs de l'économie parce qu'elles prennent la forme de profits retenus et de frais d'amortissement d'entreprises sous contrôle étranger. Les structures de la propriété et du contrôle des entreprises empêchent l'épargne canadienne de servir au financement de nouvelles entreprises canadiennes. Les industries les plus avancées du point de vue technologique sont aux mains de sociétés étrangères. Comme le fait observer le rapport Watkins, « le pouvoir appartient aux pays qui sont en tête sur le plan technologique et les changements techniques sont un facteur important de la croissance économique. »[5]

Les données relatives au contrôle exercé par l'étranger sur l'industrie canadienne sont bien connues. En 1963, les entreprises étrangères contrôlaient, au Canada, 60 pour cent de l'industrie manufacturière, 75 pour cent du pétrole et du gaz naturel et 59 pour cent des mines et fonderies. Cette mainmise étrangère s'est fortement accentuée depuis 1939: les chiffres étaient alors de 38 pour cent dans le cas de l'industrie manufacturière et de 42 pour cent dans celui des mines. Même en 1954, le contrôle étranger dans les secteurs manufacturier et minier ne dépassait pas 51 pour cent.

Les chemins de fer, par contre, ont toujours été (et demeurent) sous contrôle canadien. Dans leur cas, le capital-actions étranger est tombé de 57 pour cent en 1939 à 22 pour cent en 1963. En fait, le secteur des services publics est le seul où l'on peut relever une diminution marquée du contrôle étranger, soit de 26 pour cent en 1926 à 4 pour cent à l'heure actuelle. En 1964, des 34.3 milliards d'actifs sous contrôle canadien dans toutes les entreprises non financières, plus du tiers, soit 12.2 milliards, émergeait du secteur public, presque exclusivement des chemins de fer et autres services publics (voir le tableau 5).

Les investissements publics dans le secteur des services représentent plus du double des actifs des chemins de fer et

Tableau 5 : Le contrôle de l'industrie canadienne – 1963

	Lieu de contrôle (milliards de dollars)					Lieu de contrôle (pourcentages)				
	Total	Canada Secteur public	Canada Secteur privé	Etats-Unis	Autres pays	Total	Canada Secteur public	Canada Secteur privé	Etats-Unis	Autres pays
Industrie manufacturière	13.7	0.1	5.3	6.3	1.9	100	1	39	46	14
Pétrole et gaz naturel	7.3	–	1.9	4.6	0.8	100	–	26	62	12
Mines et fonderies	3.8	0.1	1.5	2.0	0.3	100	–	40	52	7
Chemins de fer	5.3	3.7	1.5	0.1	–	100	69	29	2	–
Autres services publics	12.2	8.3	3.4	0.4	0.1	100	68	28	4	–
Construction et commercialisation	9.8	0.1	8.6	0.7	0.5	100	1	87	7	5
TOTAL	52.1	12.2	22.2	14.0	3.6	100	24	42	27	7

Canadian Balance of International Payments, 1963, 1964 and 1965 — août 1967, p. 80.

équivalent à tous les actifs canadiens dans l'industrie manufacturière, le pétrole, les mines et les fonderies. Ils équivalent aussi aux actifs de toutes les filiales étrangères du secteur manufacturier. On peut en conclure que, pour ce qui est des entreprises publiques, les sociétés canadiennes ont réussi à mobiliser de vastes capitaux. Il y a lieu, d'ailleurs, de noter qu'une part importante de ces investissements sont de caractère provincial plutôt que fédéral.

Pour les raisons déjà exposées, dans le secteur manufacturier les entreprises étrangères préfèrent le contrôle à la simple participation au capital-actions. Il n'y a pas d'investissements-portefeuille étrangers de quelque importance dans l'industrie manufacturière canadienne. Tel n'est pas le cas pour l'industrie minière. Aussi, dans le secteur manufacturier, 54 pour cent des actifs appartiennent à des étrangers alors que 60 pour cent sont sous contrôle étranger. Dans les mines et les fonderies, au contraire, les actifs appartenant à des étrangers (62 pour cent) dépassent les actifs sous contrôle étranger (59 pour cent).

Le contrôle étranger en général, et celui des Américains en particulier, atteint son maximum dans les industries où la formation des préférences du consommateur et l'innovation technologique sont les plus avancées dans la métropole: industrie de l'automobile (97 pour cent), produits du caoutchouc (97 pour cent), produits chimiques (78 pour cent), appareils électriques (77 pour cent) et aéronautique (78 pour cent). Toutes ces industries desservent avant tout le marché interne du Canada. Les industries qui demeurent sous contrôle canadien sont, dans l'ensemble, celles où les unités de production sont de dimensions restreintes, comme dans le cas des scieries, de la construction et de certains produits alimentaires, ou celles dont l'avenir est plutôt sombre, comme dans le cas des textiles.

Parmi les industries qui restent sous contrôle canadien dans une mesure appréciable et dans lesquelles la technologie ne joue pas un rôle important, on trouve les pâtes et papiers (contrôle étranger à 40 pour cent), les instruments aratoires (50 pour cent), ainsi que le fer et l'acier (20 pour cent).

Tableau 6: La concentration des investissements directs étrangers dans les secteurs industriels – 1963

INDUSTRIES	Pourcentage du capital sous contrôle étranger 1954	1963	Total du capital des entreprises contrôlé dans les divers pays (en millions de dollars) — Canada Etats-Unis	Autres pays	Pourcentage du capital contrôlé dans les divers pays — Canada Etats-Unis	Autres pays
Secteur manufacturier						
Automobiles et pièces	95	97	15	558	—	3	97	—
Caoutchouc	93	97	6	195	15	3	90	7
Produits chimiques	75	78	295	727	319	22	54	24
Appareils électriques	77	77	161	458	68	23	66	11
Aéronautique	36	78	55	85	113	22	33	45
Instruments aratoires	35	50	104	103	—	50	50	—
Pâtes et papiers	56	47	1,217	817	279	53	35	12
Textiles	18	20	568	96	49	80	13	7
Boissons	20	17	488	101	—	83	17	—
Fer et acier	6	14	752	14	108	86	2	12
Autres	—	70	1,790	3,154	944	30	54	16
Total secteur manufacturier	*51*	*60*	*5,451*	*6,308*	*1,895*	*40*	*46*	*14*
Pétrole et gaz naturel	*69*	*74*	*1,841*	*4,609*	*845*	*26*	*62*	*12*
Secteur minier						
Fonte et raffinerie des métaux non-ferreux	—	51	521	545	—	49	51	—
Autres minerais	—	62	1,038	1,435	270	38	52	10
Total secteur minier	*51*	*59*	*1,559*	*1,980*	*270*	*41*	*52*	*7*
TOTAL SECTEURS INDUSTRIELS	—	60	8,851	12,897	3,010	36	52	12

Canadian Balance International Payments, 1963, 1964 & 1965 — août 1967, p. 128.

Dans ces trois secteurs, le Canada a acquis une avance technologique. La production des instruments aratoires ainsi que du fer et de l'acier date de la période de l'économie du blé et de la construction des chemins de fer. L'industrie des pâtes et papiers, même dans le cas des entreprises sous contrôle étranger, se distingue par une autonomie décision-nelle plus prononcée que dans toute autre industrie contrôlée par l'étranger. D'après les recherches effectuées par le pro-fesseur Safarian dans 288 filiales canadiennes, on peut attribuer cette situation au fait que les entreprises canadiennes de ce secteur se caractérisent généralement par leur ampleur, par rapport aux sociétés-mères.[6] On trouve d'ailleurs la même autonomie chez certaines entreprises minières, surtout dans le cas de sociétés sous contrôle étranger qui ne relèvent d'aucune entreprise-mère, comme l'*Aluminum Company of Canada* ou l'*International Nickel Company* (voir le tableau 6).

Les filiales étrangères au Canada

Les filiales étrangères sont solidement implantées dans l'exploitation des richesses naturelles et dans l'industrie manufacturière. Sur un total de 17.6 milliards de dollars investis dans les entreprises sous contrôle étranger en 1963, 2.3 milliards étaient placés dans les mines et les fonderies, 5.4 milliards dans le pétrole et le gaz naturel, et 8.2 milliards dans le secteur manufacturier. Du fait que les investissements étrangers dans l'exploitation des richesses naturelles sont importants et concentrés dans de vastes entreprises, on conclut généralement que les investissements directs au Canada sont surtout orientés vers l'exportation. En réalité, les ventes des filiales étrangères sont fortement concentrées sur le marché interne. Une étude des filiales étrangères au Canada publiée par le ministère de l'Industrie et du Commer-ce en 1967 indique que 82 pour cent de la production des sociétés sous contrôle étranger sur lesquelles portait l'enquête était vendue dans le pays même. Des 15.1 milliards de ventes effectuées par les succursales et les filiales canadiennes d'entreprises étrangères en 1965, 12.7 milliards représentaient des ventes sur le marché interne, et seulement 2.7 milliards des exportations. Ces dernières, d'ailleurs, constituaient plus du tiers des exportations canadiennes de 1965, et elles relevaient presque exclusivement du domaine des richesses naturelles. Les exportations de produits manufacturés provenant des filiales étrangères ne se chiffraient qu'à 900 millions de dollars, et elles résultaient dans une large mesure d'ententes bilatérales.[7]

On peut juger de la mesure où les transferts entre filiales et sociétés-mères ont remplacé les transactions sur le marché si l'on songe que la moitié des ventes d'exportation des filiales ont été conclues avec leurs maisons-mères et que 70 pour cent de leurs achats à l'étranger provenaient de celles-ci. Le pourcentage des exportations effectuées par voie de transferts est très variable: 68 pour cent dans le cas des minerais et des métaux primaires, 59 pour cent pour le gaz et le pétrole, 40 pour cent pour les pâtes et papiers. Pour ce qui est des exportations de produits finis, la première place revient nettement au matériel de transport: 68 pour cent des exportations ont été faites par voie de transferts. Dans les autres secteurs de l'industrie manufacturière, les exportations, d'ailleurs réduites, ont aussi pris le plus souvent la forme de transferts. Dans le secteur des machines-outils et des produits métalliques, par exemple, 91 pour cent des exportations étaient des transferts.

On retrouve le même genre de liens du côté des importations. Les importations globales des sociétés étudiées représentent plus du tiers de toutes les importations canadiennes de 1966 et 75 pour cent de ces importations proviennent des entreprises-mères. Dans le secteur des mines et des pétroles, par exemple, les filiales se sont adressées à leurs sociétés-mères pour plus de 80 pour cent de leurs importations. Il en est de même pour ce qui est des machines-outils et des produits métalliques.

L'évaluation des produits et des articles transférés à la société-mère a évidemment des effets sur le partage des profits entre étrangers et résidents du pays. Or, les transactions internes des entreprises autorisent des évaluations fort arbitraires. Dans les secteurs où les salaires sont faibles par rapport aux capitaux investis, comme dans la plupart des industries d'exploitation des richesses naturelles, le pays d'accueil tire surtout profit de l'impôt qui frappe les bénéfices des filiales.[8] Aussi le rapport Watkins recommande-t-il aux autorités fiscales canadiennes de faire preuve de prudence lorsqu'il s'agit d'accorder des subventions ou des avantages fiscaux à des entreprises sous contrôle étranger, surtout dans le cas des industries qui ne rapportent pas de revenus susstantiels aux facteurs de production canadiens.[9] Si l'on peut préconiser des concessions qui permettraient d'attirer des capitaux dans les industries génératrices d'emplois, de nouveaux transferts aux provinces de compétences fiscales sur les profits des sociétés risqueraient de déclencher une série de concessions fiscales concurrentielles dont le capital serait seul à bénéficier.

Le fait que 70 pour cent des importations des filiales viennent des sociétés-mères et des entreprises affiliées confirme le principe déjà énoncé selon lequel l'établissement de filiales industrielles dans l'*hinterland* résulte de nouvelles formes de concurrence commerciale, qui transplantent dans l'*hinterland* des techniques, des procédés d'assemblage et des préférences en matière de consommation. On crée ainsi une demande pour des matériaux, des pièces, des biens d'équipement et des produits finis pour fins de revente. On peut, dans une certaine mesure, considérer les importations des filiales comme des ventes captives. Le système mercantiliste n'entraîne pas, en général, une surévaluation des importations (bien que la chose puisse arriver) mais plutôt la création de liens de dépendance par suite de la différenciation des produits. Pour des raisons d'ordre technologique, les filiales ont besoin de certains produits spécifiques que seule la société-mère peut leur fournir.

Une étude faite en 1963 par le ministère du Commerce des Etats-Unis indique que les filiales américaines au Canada importent beaucoup plus de leurs matériaux que ne le font les filiales correspondantes dans toute autre région importante du monde. Les importations des filiales américaines au Canada équivalaient, d'après l'étude en question, à 15.5

pour cent des ventes brutes de ces filiales, alors que la proportion n'était que de 8.8 pour cent en Amérique latine et de 4.8 pour cent en Europe. Un des facteurs d'explication de ce phénomène, c'est apparemment le fort volume des achats de produits finis destinés à la revente.

Les liens établis par le système mercantiliste sont apparus au grand jour durant l'année qui a suivi la dévaluation du dollar canadien (1962). Alors que la valeur totale des importations au Canada n'avait augmenté que de 6 pour cent, celle des importations achetées par les filiales de sociétés américaines aux entreprises-mères accusait une hausse de 15 pour cent. Si l'on tient compte de l'importance de ces dernières (elle constituent environ le tiers de toutes les importations au Canada), on constate facilement que la politique d'achat des filiales a empêché le remplacement des produits importés par des produits fabriqués au pays, malgré que la dévaluation eut augmenté le prix des importations.

Le professeur Safarian conclut de son étude que dans la mesure où elle fabrique des produits identiques ou relativement semblables à ceux de la maison-mère, la filiale est poussée à s'approvisionner auprès de celle-ci. Il ajoute que plus la filiale est petite par rapport à la société-mère et plus elle a tendance à se confiner à l'assemblage, plus elle achète proportionnellement de produits importés.[10] L'économie canadienne, dominée par les filiales, se caractérise par un nombre excessif d'entreprises dont chacune fabrique une trop grande variété de produits, caractère que reflète l'importance de leurs importations relativement à l'ensemble de leurs achats. Comme l'explique Safarian: « la seule différence systématique (entre les entreprises du pays et celles de l'étranger), pour ce qui est de leur activité économique... a trait aux importations. Les entreprises appartenant à des étrangers font relativement plus d'achats à l'extérieur du pays. »[11] Le rapport Watkins avait aussi souligné que les sociétés étrangères semblaient plus portées à l'importation que les sociétés canadiennes.[12] Enfin, les travaux de Wilkinson signalent que « les importations de produits secondaires sont une fonction croissante du degré de participation étrangère à la propriété des entreprises industrielles. » [13] Wilkinson fournit d'ailleurs une explication qui recoupe la nôtre. Les filiales industrielles, selon lui, achètent des produits à leurs maisons-mères à des prix qui ne couvrent pas nécessairement les frais fixes à court terme. Ce « court terme » par ailleurs, se trouve prolongé par « la mise au point continuelle de produits et de procédés de fabrication nouveaux ». En conséquence, toujours d'après Wilkinson, les entreprises sous contrôle étranger ont toujours tendance à acheter proportionnellement plus de produits importés que les sociétés sous contrôle canadien. [14]

Le résultat le plus grave de cette forte propension à importer, qui provient de l'implantation généralisée des filiales au Canada, c'est qu'elle a un effet néfaste sur l'initiative des entrepreneurs du pays, ainsi qu'on l'a déjà signalé. Plus la demande apparaissant sur les marchés se trouve façonnée par les entreprises de la métropole, plus l'aire d'opération et d'expansion pour l'initiative et l'innovation venant d'entreprises canadiennes indépendantes se trouve réduite. Les courants actuels du commerce extérieur du Canada reflètent clairement cette situation.

Esquisse d'une économie riche, industrialisée et sous-développée

Malgré son niveau de revenu élevé et son haut degré d'industrialisation, le Canada se trouve en dehors du courant mondial actuel dans lequel l'activité commerciale augmente en importance par rapport à la production intérieure. Exprimé en pourcentage du total des pays industriels, le commerce canadien est tombé de 9.6 pour cent en 1953 à 7.2 pour cent en 1965, et le commerce canadien de produits de consommation a fléchi de 101 en 1954 à 97 en 1965. Pendant la même période, le commerce de l'ensemble des pays sous-développés accusait une baisse de 109 à 97. Par ailleurs, dans les pays industriellement avancés, le commerce passait de 96 à 104. [15] Ces données s'expliquent par la forte proportion de matériaux bruts ou semi-finis dans les exportations canadiennes et l'importance des produits finis dans les importations du pays. Les exportations se limitent à quelques types de produits. Il s'agit soit de matériaux ou de produits à l'état brut, comme le blé, le fer et d'autres métaux, le pétrole et le gaz naturel; soit de produits semi-finis comme les pâtes de bois, le papier-journal, le bois de construction, la farine, l'aluminium, le cuivre et les alliages métalliques ainsi que les produits primaires du fer et de l'acier.

Une étude portant sur treize pays occidentaux industrialisés signale que les produits finis constituent 60 pour cent des exportations de ces pays. Dans le cas du Canada, la proportion n'est que de 19 pour cent. Si l'on observe une augmentation de 12 pour cent des produits manufacturés par rapport à l'ensemble des exportations canadiennes depuis une dizaine d'années, les autres pays industrialisés de rang secondaire[16] ont connu pendant la même période une hausse de 37 pour cent.[17] Pour ce qui est du volume du commerce *per capita*, le Canada ne le cédait en 1954 qu'à la Nouvelle-Zélande. En 1964, il venait en huitième place, après la Belgique, le Luxembourg, la Hollande, la Suisse, le Danemark, la Norvège et Trinidad-Tobago, dans l'ordre. Dans aucun de ces pays, à l'exception du dernier, les matériaux semi-finis ne représentent dans l'ensemble des exportations une proportion aussi importante qu'au Canada.

La tendance qui se manifeste depuis quelques années au chapitre des importations traduit le même sous-développement structurel. La part des produits de consommation dans les importations canadiennes est passée de 29 pour cent, au milieu des années cinquante, à 34 pour cent, au milieu des années soixante, par suite principalement de l'augmentation des importations dans l'industrie de l'automobile et dans les secteurs technologiques de pointe. Durant la même décennie, les importations de produits finis sont passées de 50 pour cent à 54 pour cent. La composition des importations canadiennes semble s'expliquer dans une large mesure par l'avance technologique des autres pays, qui leur permet la fabrication de produits nouveaux non fabriqués au Canada ainsi que par une demande imitative de la part des consommateurs et des producteurs. Il y a lieu de noter que l'afflux massif d'investissements directs au Canada, dans le secteur manufacturier, a coïncidé avec une augmentation des importations de produits manufacturés par rapport à la production intérieure. Cette proportion est passée de 18 pour cent en 1954 à 21 pour cent en 1965, contrairement à la tendance qui se manifestait depuis le milieu des années vingt.[18] On sait par ailleurs que le commerce international augmente plus rapidement dans le domaine des produits finis que dans celui des matières ou des produits primaires. Le Canada ne semble pas être en mesure de profiter des avantages que cette tendance procure aux autres pays industrialisés.[19]

S'il y a eu augmentation des exportations de produits manufacturés canadiens durant les récentes années, elle provient dans une large mesure des accords de 1959 sur la production de défense et de l'entente de 1963 sur les automobiles. La proportion des exportations de produits finis ou semi-finis, qui fluctuait entre 11 et 14 pour cent durant les années 50, est montée à 19 pour cent en 1965. Quant aux produits finis non comestibles, qui représentaient moins de 8 pour cent des exportations canadiennes en 1959–1960, ils sont passés à 15 pour cent en 1965. Ces augmentations se sont surtout produites sur le marché américain.

La dévaluation du dollar canadien en 1962 a sans aucun doute contribué à la hausse des exportations; mais l'augmentation résulte surtout des ententes bilatérales entre le Canada et les Etats-Unis. Ces accords spéciaux illustrent l'intégration croissante des deux pays, au niveau des gouvernements comme à celui des économies. Les industries directement impliqués sont celles de l'automobile, de l'aéronautique, de l'équipement électrique, des produits chimiques et des machines-outils, qui toutes sont largement contrôlées par le capital américain. L'augmentation des exportations vers les Etats-Unis s'est faite au prix d'une accentuation de la vulnérabilité économique et politique du pays.

Les accords sur le partage de la production de défense, selon lesquels les entreprises canadiennes peuvent présenter aux mêmes conditions que les sociétés américaines leurs soumissions en vue de contrats militaires avec le gouvernement américain, ont engendré 260 millions de dollars d'exportations canadiennes en 1965, soit 30 pour cent de toutes les exportations canadiennes de produits finis non comestibles aux Etats-Unis. En 1966, les contrats militaires américains placés au Canada ont atteint 317 millions de dollars. Même si le volume de ces ventes reste faible par rapport à l'ensemble de la production canadienne, la concentration des emplois expose le Canada à un grave danger de chômage dans le cas où ces ententes seraient abrogées. Comme l'expliquait le ministre des Affaires extérieures du Canada: « Pensez à la position impossible dans laquelle nous nous trouverions si les ententes sur le partage de la production de défense étaient annulées... en nous en retirant nous mettrions en danger notre économie et notre sécurité. » Fait à noter, les gains en devises étrangères provenant des exportations militaires ont pour contrepartie l'engagement pris par le gouvernement canadien d'acheter du matériel de guerre américain. C'est ainsi qu'en 1966 le Canada a acheté pour 332.6 millions de dollars de matériel militaire aux Etats-Unis.

Mais les ententes sur le partage de la production de défense ont eu moins d'importance que les accords sur l'industrie de l'automobile, qui ont fait passer les exportations canadiennes de voitures et de pièces aux Etats-Unis de 36 millions en 1963 à 231 millions en 1965 et 2,428 millions en 1968. En contrepartie, cependant, les importations effectuées par les entreprises intéressées ont augmenté aussi, de sorte que le bilan des échanges commerciaux, dans le domaine de l'automobile, entre le Canada et les Etats-Unis est demeuré déficitaire pour le Canada. De 551 millions de dollars en 1963, ce déficit est passé à 714 millions en 1965, pour retomber à 343 millions en 1968.

La croissance des exportations normales de produits finis ou semi-finis reste donc fort limitée, en dépit des efforts déployés pour favoriser l'exportation, notamment par les crédits à l'exportation, le travail de l'*Export Finance Corporation*, celui du ministère de l'Industrie et du Commerce et les conditions posées à l'aide aux pays étrangers qui prévoient un taux d'approvisionnement au Canada allant jusqu'à 80 ou 90 pour cent.

La recherche et le développement

Les difficultés qu'éprouve le Canada à accroître ses exportations de produits manufacturés se trouvent aggravées par la faiblesse de ses investissements dans la recherche et le développement industriels, ainsi que par la concentration de ses immobilisations dans les industries qui répondent aux besoins particuliers du ministère de la Défense des Etats-Unis. Par rapport au produit national brut, les investissements canadiens dans la recherche et le développement (soit 1.1 pour cent) sont inférieurs à ceux des pays industriels de l'Europe de l'Ouest: 1.3 pour cent en Allemagne de l'Ouest, 1.5 pour cent en France, 2.2 pour cent en Angleterre, et bien inférieurs à ceux des Etats-Unis (3.1 pour cent).

De plus, 79 pour cent de ces travaux de recherches sont effectués au Canada par l'Etat et seulement 12 pour cent par des entreprises commerciales, alors qu'aux Etats-Unis 71 pour cent des travaux relèvent de l'industrie même si celle-ci bénéficie en bonne partie de contrats du gouvernement. Les chiffres correspondants pour l'Allemagne de l'Ouest, la France et le Royaume-Uni sont 61 pour cent, 48 pour cent et 71 pour cent.[20] Il faut noter cependant que la plus grande partie des recherches industrielles aux Etats-Unis bénéficient de subventions publiques. Selon le président du Conseil Fédéral des Recherches, M. Steacie, la situation au Canada peut se résumer dans les termes suivants: « A cause des liens financiers entre les entreprises canadiennes et américaines, la plupart des maisons canadiennes ne sont que des succursales et normalement la recherche relève de l'entreprise-mère située à l'extérieur du pays. En conséquence l'industrie canadienne a été largement tributaire de la recherche effectuée aux Etats-Unis et en Grande-Bretagne. »[21]

D'après la plus récente enquête du Bureau Fédéral de la Statistique, la recherche et le développement industriel absorbent en tout 264 millions de dollars. La moitié de ces dépenses proviennent de treize entreprises fortement concentrées dans l'aéronautique, l'industrie chimique et celle du matériel électrique. Les industries de l'aéronautique et de l'équipement électrique absorbent 47 pour cent de toutes les dépenses affectées à la recherche et au développement et elles reçoivent 83 pour cent des fonds fédéraux accordés à l'industrie pour fins de recherche. A elles seules, quatre sociétés touchent 55 pour cent de toute l'aide fédérale. On a déjà noté que les subventions accordées à l'industrie par le gouvernement canadien s'adressent surtout aux secteurs industriels où les entreprises étrangères sont prédominantes et qui sont fortement engagés dans la production d'armements. Par contre le vaste secteur des services publics, d'après le rapport du Bureau de la Statistique, s'auto-finance entièrement pour ce qui est de la recherche.

La recherche industrielle au Canada est fortement orientée vers les techniques d'application plutôt que vers les travaux fondamentaux. Selon le Bureau Fédéral de la Statistique, sur 6,367 ingénieurs et scientifiques qui se consacraient à la recherche et au développement dans l'industrie canadienne en 1965, seulement 356 faisaient des recherches de base.[22] Les données recueillies par le professeur Wilkinson indiquent que dans presque toutes les industries, les dépenses affectées à la recherche et au développement sont plus faibles au Canada qu'aux Etats-Unis.

La comparaison est intéressante, car tout indique qu'il existe une forte corrélation entre, d'une part, les investissements en recherche et développement et d'autre part, les exportations de produits manufacturés. Se fondant sur l'hypothèse formulée par le professeur Vernon dans son article sur « les investissements et le commerce internationaux et le cycle des produits »,[23] Gruber, Mehta et Vernon démontrent, avec d'impressionnantes statistiques, que la force des Etats-Unis dans l'exportation de produits manufacturés ne provient pas d'une abondance de capitaux mais bien plutôt de la capacité de mettre au point de nouveaux produits et de réduire les coûts de production. L'initiative dans la recherche et le développement place donc le⁻ pays aptes à l'innovation dans une situation oligopolistique par rapport aux marchés étrangers. On trouvera dans le tableau 8 le résumé des travaux en question.

Des dix-neuf entreprises sur lesquelles portait l'étude, les cinq principales, du point de vue de la recherche, absorbaient 89 pour cent de toutes les dépenses de recherches et de développement, défrayaient 78 pour cent de toutes les dépenses financées par les entreprises dans le même domaine, et employaient 85 pour cent des ingénieurs et scientifiques industriels. Bien que leurs ventes n'aient représenté que 29 pour cent du total pour les dix-neuf sociétés, elles effectuaient 72 pour cent des exportations. L'enquête infirme une théorie fort répandue selon laquelle les industries les plus avancées technologiquement avaient le plus haut degré d'intensité en capital, de sorte que dans ces industries les pays où le capital est bon marché, comparativement à la main d'œuvre, bénéficieraient d'un « avantage comparatif». En conséquence, bien entendu, conclut-on de cette théorie, les pays où le capital est relativement rare ne devraient pas chercher à développer ce genre d'industries.

L'étude de Gruber, Mehat et Vernon établit aussi que les frais de main d'œuvre constituent un plus fort pourcentage de la valeur ajoutée dans le cas des cinq industries où la recherche est la plus intensive (soit 24.7 pour cent) que dans celui des quatorze autres (17.2 pour cent). En corollaire, l'importance du capital dans l'évaluation des frais de dépréciation, en pourcentage de la valeur ajoutée, est plus faible dans les cinq industries à plus forte intensité en « R & D » (4.3 pour cent) que dans les quatorze autres (5.3 pour cent). Toujours en pourcentage de la valeur ajoutée, les actifs fixes nets sont aussi plus faibles dans les cinq industries (31 pour cent) que dans les autres (41 pour cent). Pour compléter, les auteurs de l'étude notent que:

Tableau 7 : Dépenses affectées à la recherche et au développement, en pourcentages des ventes de l'industrie manufacturière, au Canada et aux Etats-Unis

Industrie	Recherche et développement en pourcentage des ventes Canada, 1963 Dépenses internes et externes [a]	Etats-Unis, 1962
Aéronautique	10.09	27.2
Produits pharmaceutiques	3.92	4.4
Equipment scientifique et professionnel	3.19	7.1
Matériel électrique	2.58	7.3
Autres produits chimiques	1.53	3.8
Produits du pétrole et du charbon	1.17	0.9
Machinerie	1.04	3.2
Pâtes et papiers	0.72	0.1
Métaux primaires (non ferreux)	0.86	0.8
Caoutchouc	1.50	1.4 [b]
Métaux primaires (ferreux)	0.33	0.5
Produits minéraux non métalliques	0.35	1.1
Textiles	0.26	0.2
Produits métalliques	0.22	0.8
Autres produits manufacturés	0.11 [c]	0.4 [d]
Boissons et aliments	0.10	0.2 [e]
Autre matériel de transport	0.06	2.8
Mobilier et équipement ménager	0.05	0.1
Bois	0.02	0.1
Moyennes pour l'ensemble du secteur manufacturier	*0.7*	*2.0*

a - Les dépenses internes sont celles qui sont effectuées à l'intérieur de l'entreprise.
Les dépenses externes sont des dépenses affectées à la recherche et au développement et effectuées à l'extérieur des entreprises en cause, le plus souvent à l'étranger.
b - Y compris les plastiques.
c - Y compris le tabac, le cuir, les tricots et vêtements, et divers autres produits manufacturés.
d - Même industries que « c », plus l'imprimerie et l'édition.
e - Aliments seulement.

SOURCES — Canada : Bureau Fédéral de la Statistique, *Daily Bulletin Supplement* — 3: « *Industrial Research and Development Expenditures in Canada, 1965* », 12 avril 1967, tableau 2; et *Manufacturing Industries of Canada, Section A, 1963*. Etats-Unis : Gruber, Mehta et Vernon, « *The Rand D Factor in International Trade and International Investment of United States Industries* », *Journal of Political Economy*, février 1967, p. 23, tableau 1. Tiré de Wilkinson, *op. cit.* p. 122.

« Les entreprises industrielles dont les exportations comportent dans une large mesure des produits dont la vente et l'entretien ont des implications scientifiques et techniques ont fortement tendance à investir dans des filiales manufacturières sur les marchés qu'elles desservent. Dans ces industries à caractère « oligopolistique », les entreprises considèrent généralement les investissements à l'étranger comme d'importantes mesures visant à empêcher leurs rivales de les devancer sur les marchés ; elles ont donc tendance à se croire obligées de réagir aux investissements des autres par leurs propres investissements. »

Bien qu'elle soit fondée sur des produits dérivés et des imitations, l'industrie canadienne présente cependant des cas d'exception remarquables. Il s'agit alors de secteurs où, par leur effort de recherche et de développement, les entreprises canadiennes ont conquis des marchés d'exportation. La liste en est d'autant mieux connue qu'elle est pitoyablement courte. Elle se compose des travaux canadiens dans l'énergie nucléaire et les systèmes de télécommunications, de la mise au point de l'avion ADAC adapté aux champs d'atterrissage en brousse pour les mines et l'exploration et produit par la société De Havilland, des appareils de pilotage aérien perfectionnés par la *Canadian Marconi* et la *Computing Devices of Canada*, des motoneiges de Bombardier et des produits nouveaux de la *Polymer Crown Corporation*. Enfin, la sidérurgie canadienne, et tout particulièrement la société Stelco, comme nous l'avons déjà souligné, ont réussi à conserver leur réputation mondiale dans le domaine de l'innovation. Aussi courte qu'elle soit, cette liste suffit à démentir les allégations de nombre de spécialistes qui soutiennent que le Canada manque des compétences techniques nécessaires pour mettre au point ses propres produits.

La situation de pays de l'*hinterland* technologique dans laquelle se trouve le Canada a pour conséquence tragique la frustration qu'éprouvent ses savants, dont un bon nombre

Tableau 8 : Rapports entre la recherche et les exportations dans 19 industries manufacturières américaines

	RECHERCHE		EXPORTATIONS	
	Dépenses totales en recherche et développement, en pourcentage des ventes	Scientifiques et techniciens affectés à la recherche et au développement en pourcentage du personnel complet	Exportations en pourcentage des ventes	Excédent des exportations sur les importations en pourcentage des ventes
Matériel de transport	10.0	3.4	5.5	4.1
Machines électriques	7.3	3.6	4.1	2.9
Instruments	7.1	3.4	6.7	3.2
Produits chimiques	3.9	4.1	6.2	4.5
Machinerie (non électrique)	3.2	1.4	13.3	11.4
Les cinq industries (ci-haut) les plus fortes dans la recherche	6.3	3.2	7.2	5.2
Quatorze autres industries américaines	0.5	0.4	1.8	−1.1

SOURCE : Gruber, Mehta et Vernon, *op. cit.*

déménagent tôt ou tard aux Etats-Unis, en quête de travaux plus stimulants. Comme l'expliquait un scientifique canadien :

> « On sait très bien que de nombreux savants canadiens établis aux Etats-Unis retourneraient volontiers dans le pays de leur enfance s'ils y trouvaient les mêmes possibilités. Mais c'est là qu'est le problème : ces possibilités n'existent pas au Canada, ce qui s'explique en partie par l'écart de population entre les deux pays et en partie aussi par le rôle de satellite que joue le Canada dans le domaine économique... Non seulement le Canada n'offre pas les mêmes possibilités, mais l'organisation des sciences au Canada... et notre attitude dans ce domaine, sont dans une large mesure déterminées aux Etats-Unis... On peut fort bien tirer des leçons de la façon de faire américaine, mais l'intégration complète aux méthodes américaines empêche la formation d'un style et d'une attitude envers la science qui seraient particuliers au Canada, surtout en ce qui a trait aux valeurs culturelles de la société. »[24]

On peut aussi juger de l'ampleur de la dépendance technologique de l'industrie canadienne par la nationalité des solliciteurs de brevets. On constate ainsi que 95 pour cent des brevets octroyés au Canada de 1957 à 1961 l'ont été à des solliciteurs étrangers, dont 65 à 70 pour cent étaient Américains. C'est peut-être là la plus éloquente illustration de cette dépendance technologique. La proportion des étrangers solliciteurs de brevets est considérablement plus élevée au Canada que dans tout autre pays techniquement avancé, comme en témoignent les statistiques relatives aux pays industrialisés : 80 pour cent en Belgique, 70 pour cent dans les pays scandinaves, 59 pour cent en France, 47 pour cent au Royaume-Uni et 32 pour cent en Allemagne de l'Ouest.[25]

Le phénomène de la *"réplique miniature"*

Les effets du système des filiales sur la structure de l'industrie canadienne sont devenus évidents: un trop grand nombre d'entreprises produisent une trop grand nombre de produits à un coût unitaire trop élevé. L'implantation de filiales dans un marché protégé par les douanes et dans lequel les goûts du consommateur ressemblent à ceux de la métropole produit ce que H. E. English appelle le phénomène de la « réplique en miniature ».[26] A cause de la contamination par la publicité et par les autres activités commerciales qui ont trait à la différentiation et à la promotion des produits, il devient profitable pour les entreprises étrangères d'assembler ou de vendre une vaste gamme de leurs produits dans l'*hinterland*. Dans bien des cas l'entreprise internationale ne bénéficie pas tellement d'une supériorité technique que des avantages que lui confère le fait que les consommateurs connaissent d'avance la marque de commerce et le nom de ses produits. Comme le fait observer Safarian: « La grande majorité des sociétés ne représentent, par leurs dimensions, qu'une faible fraction des entreprises-mères et pourtant elles fabriquent une gamme presque complète de produits semblables à ceux des maisons-mères, ou légèrement modifiés. Il n'est pas étonnant que dans la plupart des cas leur coût de production unitaire soit plus élevé que celui de l'entreprise-mère pour les principaux produits. »[27] Le meilleur exemple en est sans doute celui des réfrigérateurs. On estime que deux usines pourraient satisfaire efficacement la demande canadienne de 400,000 appareils par an. En fait, il y a neuf fabricants, dont sept sont des filiales d'entreprises américaines. En 1966, celles-ci absorbaient de 80 à 85 pour cent de la production totale de réfrigérateurs, comparativement à 71 pour cent en 1960. Le nombre de ces filiales canadiennes est presque le double de celui des fabricants qui desservent le marché américain, beaucoup plus vaste. Toutes sont de dimensions inférieures à l'optimum.[28]

Il n'est pas vrai que le marché interne canadien soit trop restreint pour entretenir une industrie manufacturière diversifiée. Il serait plus juste de dire que la conjonction de la protection douanière et du système des filiales est à l'origine des inefficacités de production et d'un nombre excessif de produits semblables. L'industrie manufacturière qui dessert le marché interne, qu'elle soit sous contrôle autochtone ou étranger, tend à être inefficace. Dans sa première étude comme dans les enquêtes qu'il a faites plus récemment au sein de l'équipe Watkins, Safarian a constaté qu'il n'y avait pas de lien entre la nationalité des propriétaires et le rendement des entreprises. Les filiales sous contrôle étranger ne sont ni plus ni moins efficaces que les entreprises autochtones. Les données recueillies indiquent que la clé de l'efficacité, dans l'industrie canadienne, se trouve dans la rationalisation, la spécialisation et l'innovation. Une politique économique conçue en conséquence devrait prévoir une diminution des tarifs douaniers, une rationalisation planifiée de certains secteurs de l'industrie manufacturière comportant, entre autres mesures, la mainmise sur les filiales superflues, et une forte augmentation des dépenses de recherche et de développement dans les industries à caractère fortement technologique qui desservent les marchés commerciaux. Elle exigerait avant tout que les Canadiens se libèrent de leur mentalité d'administrateurs de filiales qui engendre une complaisance doublée d'incompétence et la résignation à une dépendance permanente par rapport aux initiatives extérieures.

L'épargne canadienne et la croissance des filiales américaines

On croit souvent que le Canada a besoin d'investissements étrangers parce qu'il a « soif de capital » et que l'épargne intérieure ne peut pas suffire à financer son expansion économique. Bien qu'il puisse être avantageux d'emprunter du capital-portefeuille, ce qui n'implique pas de transfert du contrôle des entreprises, rien ne prouve que les investissements directs étrangers constituent le seul moyen de mobiliser des épargnes suffisantes. On ne peut pas non plus soutenir que les investissements directs sont nécessaires pour exploiter les possibilités du marchés.

En fait, les entrées de fonds destinés aux investissements directs ne représentent qu'une faible fraction de l'épargne nationale brute du Canada. En 1965 par exemple, année où les investissements directs étrangers furent relativement considérables, les entrées de fonds nouveaux dans les filiales canadiennes s'établirent à 500 millions, soit moins de 5 pour cent de l'épargne intérieure canadienne, qui dépassa 10 milliards de dollars cette année-là. A vrai dire, ces nouveaux fonds ne représentent qu'une source de financement mineure pour la croissance des filiales, qui se financent principalement par les profits réinvestis, les allocations de dépréciation et d'amortissement et les emprunts auprès d'institutions financières canadiennes.

De 1957 à 1965, l'épargne intérieure canadienne a fourni 85 pour cent des fonds qui ont servi à l'expansion des entreprises industrielles sous contrôle américain. Plus précisément, les filiales de sociétés américaines au Canada ont obtenu 73 pour cent de leurs fonds par les profits retenus et les réserves d'amortissement; 12 pour cent sont provenus d'autres sources canadiennes et seulement 15 pour cent des Etats-Unis. Si l'industrie minière a reçu, au cours de cette période, 19 pour cent de ses fonds des Etats-Unis, et l'industrie pétrolière 22 pour cent, les filiales du secteur manufacturier, par ailleurs, n'ont reçu que 9 pour cent de fonds américains.[29] En 1964, par exemple, sur un total de 2,557 millions investis par les filiales américaines au Canada, 1,244 millions vinrent des profits retenus, 764 millions des allocations d'amortissement, 423 millions d'emprunts au Canada et dans des tiers pays, et seulement 126 millions des Etats-Unis. Des fonds recueillis au Canada, seulement 71 millions provenaient d'émissions d'actions. D'après les estimations du Bureau Fédéral de la Statistique, de 1946 à 1964 (soit une période de dix-neuf ans) l'accumulation des profits non distribués a ajouté 5.2 milliards de dollars (soit 40 pour cent) à l'augmentation de la dette externe du Canada. Plus de la moitié de ces réinvestissements sont allés aux filiales du secteur manufacturier. [30]

On peut estimer que l'épargne interne brute des entreprises sous contrôle étranger représente environ 15 pour cent de l'épargne domestique totale annuelle au Canada. La proportion des profits réinvestis est beaucoup plus forte dans le secteur des filiales que dans le reste de l'économie canadienne. Ainsi, environ le tiers de tous les profits retenus, au Canada, appartiennent à des entreprises sous contrôle étranger. Ces épargnes internes sont réservées au réinvestissement dans les entreprises qui les ont produites. Dans les cas où elles ne veulent pas réinvestir les profits dans leurs filiales, les entreprises-mères peuvent sortir les fonds du pays, et de fait elles le font. Qu'ils soient réinvestis ou exportés, ces fonds ne peuvent pas servir à financer la croissance des autres secteurs de l'économie du pays.

Les relevés du Ministère du Commerce signalent le même type de financement. En 1965, les filiales des entreprises étrangères ont eu à leur disposition 1.8 milliard de dollars à des fins d'investissement. De ce montant, 1.2 milliard provenait des filiales elles-mêmes, par les revenus retenus et les réserves d'amortissement. Les 658 autres millions provenaient de sources extérieures aux filiales: 274 millions en emprunts auprès des entreprises-mères, 113 millions en actions détenues par les maisons-mères, 254 millions en emprunts bancaires et en emprunts à long terme, et seulement 37 millions en actions détenues par des actionnaires indépendants. [31]

L'insuffisance des ressources financières est attribuable, au moins partiellement, au système des filiales. Contrairement à ce que l'on croit généralement, l'épargne canadienne n'est pas faible et les investisseurs canadiens ne répugnent pas à prendre des risques. Bien que le revenu moyen y soit inférieur, le taux d'épargne personnelle, au Canada, est substantiellement supérieur à celui des Etats-Unis. En 1967 les Canadiens ont épargné environ 9 pour cent de leur revenu, après déductions fiscales, à comparer à 7 pour cent aux Etats-

Unis. Bien plus, le Canadien moyen est plus enclin que l'Américain à placer ses épargnes dans des actions. C'est pourquoi le revenu provenant des intérêts, proportionnellement au revenu total tiré des investissements, est plus élevé au Canada qu'aux Etats-Unis, bien que les taux d'intérêt soient plus forts aux Etats-Unis.[32] Il semble donc que ce n'est pas la demande qui manque, au Canada, pour les placements en actions, mais bien plutôt les occasions de placement.

Pour toutes ces raisons, les institutions financières canadiennes, depuis quelques années, ont fortement augmenté leur actif en actions étrangères. En 1960, les principales institutions financières canadiennes ne détenaient pas plus que 10 pour cent de leurs valeurs en actions étrangères. En 1966, la proportion était montée à 24 pour cent. C'est dans le secteur des fonds mutuels que la tendance a été le plus prononcée. En 1962, la part d'actions dans des entreprises étrangères y était de 17 pour cent. En 1966 elle était de 35 pour cent, et en 1967 elle atteignait 53 pour cent. La majeure partie des actions de sociétés étrangères détenues par les principales maisons financières canadiennes proviennent d'entreprises industrielles dont les actions ne sont pas en vente sur le marché canadien. Plus de 40 pour cent de ces fonds sont investis dans le matériel de bureau et les lignes aériennes, et environ 35 pour cent dans l'équipement électrique et électronique, les produits médicaux et les cosmétiques, l'automobile, les industries spaciales, le matériel photographique et les produits du caoutchouc. L'étude de l'Université York souligne que « à défaut d'émissions d'actions canadiennes suffisantes, il est possible que la moitié des actions détenues par ces institutions soient des actions d'entreprises étrangères, cette proportion étant déjà dépassée dans le cas des fonds mutuels. »

Même si la tendance au financement interne, ainsi qu'au recours au crédit bancaire et au marché des obligations crée une carence générale d'actions, la proportion de valeurs cotées en bourse mais « immobilisées » est plus forte au Canada (30 pour cent) qu'aux Etats-Unis (10 pour cent). On estime que la demande de nouvelles actions au Canada est presque le double de ce qu'offrent les nouvelles émissions canadiennes. La faiblesse de cette offre vient de ce qu'un grand nombre d'entreprises canadiennes sont des sociétés privées et que même lorsqu'il s'agit d'entreprises publiques une forte partie des actions canadiennes inscrites en bourse (40 pour cent) sont détenues par des étrangers sous forme d'investissements directs.

Ce ne sont donc ni les épargnes ni les occasions de profit qui manquent à l'économie canadienne. Le Canada offre l'exemple typique d'un pays à la fois riche et sous-développé, où le marché des capitaux est trop restreint pour canaliser l'épargne locale vers des investissements locaux. Une bonne part des échanges de valeurs canadiennes s'effectue sur les bourses américaines et d'importants blocs d'actions canadiennes servent à constituer des investissements qui garantissent à leurs détenteurs le contrôle des entreprises. Alors que, de 1962 à 1967, quinze bourses américaines augmentaient de 171 pour cent leur volume d'échange de valeurs, durant la même période la hausse n'était que de 38 pour cent sur les six bourses canadiennes. La comparaison entre les types de valeurs industrielles inscrites à la Bourse de Toronto et à celle de New-York illustre bien la différence entre une économie métropolitaine et celle d'un pays de l'*hinterland*: 25 pour cent des valeurs de la Bourse de Toronto sont des actions minières alors qu'on en trouve 3 pour cent à la Bourse de New-York; par contre les actions dans les industries chimique, électrique, électronique et automobile sont rares à la Bourse de Toronto.

Se fondant sur l'hypothèse que les institutions financières canadiennes pourront être amenées à investir la moitié de leurs avoirs dans des valeurs étrangères, l'étude de l'Université York prévoit que vers 1970 celles-ci détiendront quelque 5 milliards de dollars de valeurs étrangères. Ainsi les Américains ne font pas qu'acheter l'industrie canadienne avec l'épargne des Canadiens: ils ont aussi mobilisé l'épargne canadienne pour financer la croissance des entreprises multinationales dont la base est aux Etats-Unis. Comme l'explique le professeur Conway:

« Les importantes sorties de capitaux canadiens, provenant de particuliers et de maisons financières, ainsi que le volume substantiel d'actions canadiennes détenues par des étrangers à titre d'investissements directs, posent certains problèmes: si le capital canadien doit aller à l'étranger pour trouver des canaux d'investissements satisfaisants et qu'en même temps le capital étranger, sous la forme d'investissements directs, crée précisément de tels canaux à partir d'entreprises rentables au Canada, sans doute conviendrait-il que les milieux financiers fassent un effort plus prononcé pour créer un climat qui pousserait les financiers et les entrepreneurs canadiens à créer au pays plus de canaux d'investissements susceptibles d'attirer le capital national. »[33]

De toute évidence, les obstacles à l'expansion des entreprises canadiennes ne tiennent pas à un insuffisance de l'épargne, mais plutôt à la structure des marchés de produits et de capitaux qui placent les entreprises indépendantes dans une situation défavorable par rapport aux succursales. Il arrive souvent que des débouchés soient fermés aux sociétés indépendantes à cause du contrôle rigoureux que les grandes entreprises exercent sur les marchés.[34] De plus, les marchés des capitaux favorisent de façon décisive les filiales étrangères qui veulent obtenir des fonds. Bien qu'elle utilise généralement du capital interne, la grande entreprise peut aussi financer son expansion par des transferts de fonds entre la maison-mère et les filiales, sous la forme de prêts ou d'achats d'actions. A cet égard, la petite succursale se trouve fortement avantagée par rapport à la petite entreprise indépendante.

La Commission royale d'enquête sur le système bancaire et financier soulignait, en 1964, que les petites entreprises canadiennes indépendantes semblaient avoir toujours plus de difficulté à obtenir des capitaux à long terme que les filiales de grandes entreprises canadiennes ou américaines. Il est intéressant de noter que plus du tiers des entreprises canadiennes ayant un actif de moins d'un million de dollars et qui répondirent au questionnaire de la commission, déclarèrent que leurs sources de capitaux à long terme étaient insuffisantes. Dans le cas des entreprises étrangères de la même catégorie, la proportion était d'une sur vingt-neuf. [35]

D'après les auteurs du rapport Watkins, la seule façon de canaliser vers l'industrie canadienne l'épargne canadienne à la recherche de placements serait d'adopter des mesures incitatives qui amèneraient toutes les grandes entreprises privées au Canada à mettre des actions en vente. Or, un grand nombre de ces entreprises sont des filiales qui appartiennent entièrement à des sociétés étrangères, comme *British Petroleum, General Motors, General Foods, I.B.M.* ou *Canadian International Paper* parmi bien d'autres. On peut se demander combien de ces entreprises réagiraient favorablement, étant donné que, comme l'admettent les auteurs du rapport eux-mêmes, « les engagements de certaines entreprises envers leurs filiales sont trop forts pour que les mesures incitatives possibles puissent les ébranler. » [36] On peut estimer qu'une participation minoritaire à 25 pour cent des actions dans toutes les entreprises ayant un actif de 25 millions de dollars ou plus représenterait un total qui se situerait entre 3.5 et 4.5 milliards. Même si une partie du capital ainsi recueilli était transférée à l'étranger, on assisterait quand même à une augmentation de la participation minoritaire canadienne et à une diminution de la fuite à long terme des dividendes vers l'étranger.

Indépendamment du fait que les filiales américaines ne se sont guère montrées enthousiastes à l'idée de vendre une partie de leurs actions au public canadien, il est de toute évidence nécessaire de développer de nouvelles entreprises sous contrôle canadien. C'est à cette fin que le rapport Watkins recommandait la création de la *Compagnie de Développement du Canada* déjà préconisée par Walter Gordon il y a des années. Il s'agirait d'un vaste *holding* quasi-public qui exercerait à la fois des fonctions d'entrepreneur et de gestionnaire. La société pourrait participer à des consortiums, et même les organiser, tant dans le pays qu'à l'étranger, afin de permettre la réalisation, sous contrôle canadien, de projets trop vastes pour une seule entreprise. Sans doute faudrait-il accorder une importance particulière aux entreprises mixtes, à la location de droits et de brevets étrangers à l'occasion, et à diverses ententes dans lesquelles le contrôle resterait canadien.

On peut songer facilement à d'autres instruments d'une telle politique, y compris ceux que propose le rapport Watkins. La véritable question qui se pose est celle de savoir si les Canadiens ont la volonté de reprendre la maîtrise de leur économie. Ce n'est guère là une question à laquelle les économistes peuvent répondre; ce qui ne les dispense pas cependant de la responsabilité de la poser.

La désintégration politique

Les fruits les plus amers de cette dépendance croissante de l'étranger restent peut-être encore à venir, sous forme d'une balkanisation politique du Canada et de l'absorption progressive du pays par le système impérial américain. Le destin ultime d'une économie fondée sur le système des succursales est la fusion des systèmes de valeurs et la vidange des élites commerciales et technocratiques, ce qui amènera finalement le Canada anglais à se demander s'il est prêt à mettre le prix qu'il faut pour garder son indépendance.

L'élite dirigeante qui a fondé le Dominion du Canada il y a une centaine d'années était formée de nationalistes; mais ils n'ont jamais eu à payer le prix de leur nationalisme. Au temps de la « Politique Nationale » de Macdonald, il n'y avait aucun conflit entre les intérêts financiers des classes dominantes et leur nationalisme. Dans la conjoncture de l'époque, celles-ci pouvaient détenir à la fois la richesse et le pouvoir. Le pouvoir s'exerçait dans un cadre politique qui accordait au gouvernement central de vastes pouvoirs de contrôle sur la population. En constraste avec l'univers anarchique de la « frontière ouverte » qui caractérisait la démocratie américaine, la société canadienne était ordonnée, stable, conservatrice et autoritaire, fondée sur des institutions britanniques transplantées soigneusement en Amérique. La constitution du Canada fut dûment adoptée par le Parlement britannique, sur l'initiative d'un groupe de politiciens coloniaux, qu'on appelle avec vénération « les Pères de la Confédération », qui pouvaient se permettre de se passer d'un concensus populaire que d'ailleurs ils n'auraient jamais obtenu. Les arrangements conclus alors étaient parfaitement compatibles avec les intérêts de l'élite bureaucratique et cléricale du Canada français. Il n'y avait entre ces divers groupes aucun grave conflit d'intérêts ni d'opinions. L'élite canadienne-anglaise se définissait par son rejet de la démocratie américaine. L'élite canadienne-française contrôlait, en fait, une collectivité nationale que la Révolution française n'avait pas atteinte. Dès la Confédération, en 1867, le Canada était un pays conservateur.

Accroché à un axe commercial et financier est-ouest, le Canada réussit à résister aux pressions annexionnistes américaines grâce à la force de la livre sterling et au pouvoir impérial britannique. Pendant des dizaines d'années, les hommes politiques canadiens perfectionnèrent leurs techniques de compromis et de survivance. Sur le plan externe, ils manœuvraient entre les métropoles britannique et américaine. Sur le plan interne, la puissance de l'Eglise catholique et l'isolement du Canada français par rapport aux influences du modernisme garantissaient la survie nationale des Canadiens français. L'élite canadienne-française s'intégrait aux structures politiques de l'élite canadienne-anglaise qui contrôlait l'économie. Il se forma alors un sentiment d'identité collective canadienne qui correspondait au caractère conservateur du pays en formation. Le patriotisme canadien-anglais, face aux Etats-Unis, se définissait par la loyauté à la monarchie britannique.

Avec le temps, la Grande-Bretagne a cessé de jouer un rôle important dans la politique canadienne. Les problèmes d'aujourd'hui sont plus difficiles à régler que ceux de 1867, et les structures qui convenaient il y a un siècle sont manifestement périmées de nos jours. L'élite canadienne-anglaise n'est plus sûre de savoir où elle va. Les compromis et les accommodements constituent des techniques politiques utiles pour un pays de petite ou de moyenne dimension qui sait ce qu'il veut et qui peut ainsi naviguer dans les courants contraires créés par les grandes puissances; mais lorsqu'ils deviennent les principes d'action d'une collectivité qui ne sait pas ce qu'elle veut, alors qu'il existe un fort courant dans une seule direction, ces compromis et ces accommodements ne peuvent aboutir qu'à la dérive et, éventuellement, à la désintégration. Les résultats du gouvernement Pearson en témoignent.

La crise qui met en cause l'existence même du Canada, comme pays, se manifeste par trois affrontements distincts, mais reliés entre eux: le Canada contre les Etats-Unis, Ottawa contre les provinces, et le Canada anglais contre le Canada français. Nous examinerons l'impact des nouveaux liens mercantilistes avec l'empire américain sur chacun de ces conflits, ainsi que les conséquences de ces rapports en ce qui a trait aux chances de survie du Canada.

Ceux qui détiennent la puissance économique n'ont plus intérêt à être nationalistes. Comme le disait George Grant: « La plupart d'entre eux ont fait plus d'argent en agissant comme représentants du capitalisme américain et en fondant des succursales. . Après tout, le capitalisme est un mode de vie qui se fonde sur le principe que l'activité la plus importante consiste à réaliser des profits. Cette activité a entraîné les riches dans la voie du continentalisme. »[37] A l'époque de la « Politique Nationale », les hommes d'affaires canadiens pouvaient détenir à la fois la richesse et le pouvoir. La première était toujours la plus importante: le pouvoir n'était qu'un moyen d'accéder à la richesse. Si maintenant il est plus facile d'acquérir la richesse sans le pouvoir, personne ne verse de larmes. Comme disait E. P. Taylor: « Le nationalisme canadien? Quelle idée démodée! »

Si les facteurs économiques agissent rapidement sur l'orientation de la classe commerciale, l'érosion du système de valeurs façonné durant la période de formation du Canada s'effectue beaucoup plus lentement. Bien qu'elles soient minées par une industrie-succursale, des syndicats-succursales, une culture-succursale et des universités-succursales, les valeurs traditionelles de la société canadienne continuent d'exister. Le respect de « la loi et l'ordre », le souci des droits civiques, l'aversion pour le règne de la populace (*mob rule*) et le gangstérisme, et le respect traditionnel pour Ottawa, considéré comme gouvernement national, continuent de marquer profondément le Canada anglais. Ce sont là les éléments du patriotisme canadien-anglais, cela même qui distingue le Canada anglais des Etats-Unis. Ce système de valeurs est aussi réel que le système des succursales. Il nourrit le nationalisme canadien-anglais et chaque geste des Américains qui porte atteinte à ces valeurs ne fait que les renforcer.

Mais ces valeurs ont été créées par la vieille élite canadienne, celle qui a façonné le pays, et la classe commerçante actuelle ne peut pas donner de forme concrète au nationalisme canadien parce qu'elle a été absorbée par l'empire des grandes entreprises. Elle a rejeté Diefenbaker parce qu'il était nationaliste. Elle a rejeté Walter Gordon pour la même raison. Grant a souligné que ce qui permet au gouvernement américain de contrôler le Canada, ce n'est pas tellement les pressions directes qu'il peut exercer mais plutôt le fait que les classes dominantes, au Canada, s'identifient au continentalisme.[38]

La présence de la grande entreprise américaine a eu des effets très nets sur les relations entre le gouvernement central et les gouvernements des provinces. L'axe transcontinental, qui avait servi à intégrer le pays sous un Etat central fort et actif, s'est dans une large mesure désintégré. La nouvelle orientation nord-sud du commerce et des investissements, fondée sur la mise en valeur des richesses naturelles et le système des succursales, n'exige pas de gouvernement central fort. On laisse au gouvernement central l'administration de la vieille infrastructure des communications, ainsi que des institutions commerciales héritées de l'époque antérieure. Les nouveaux investissements publics, par contre, sont typiquement régionaux: installations hydroélectriques, routes, écoles, hôpitaux, etc. Le système de redistribution fiscale est contraire aux intérêts économiques des provinces les plus riches. Quant à la fonction de l'Etat fédéral qui consiste à assurer la défense du pays, elle n'est pas assez importante pour compenser le transfert d'un grand nombre d'autres fonctions à l'échelon régional. De plus, une partie considérable des ouvrages militaires dépend du gouvernement américain et son effet sur l'emploi et les revenus est surtout régional.

La fragmentation politique du pays selon les régions sert les intérêts des grandes entreprises internationales. Tandis que les mandarins d'Ottawa cherchaient les moyens d'émasculer la Compagnie de Développement du Canada, les provinces se voyaient forcées de créer leurs propres organismes de développement. Les récents efforts en vue d'établir au niveau fédéral des programmes de développement régional ont produit des structures bureaucratiques dont la sophistication dépasse de beaucoup celle des politiques qu'Ottawa a annoncées jusqu'à présent.

Faute d'initiatives fédérales efficaces pour permettre la mobilisation des ressources du pays et leur utilisation en vue de supprimer les disparités régionales, les provinces renforceront encore la tendance continentaliste en rivalisant entre elles pour obtenir des investissements étrangers. Elles se sont déjà opposées à la rationalisation des structures fiscales proposée par la commission Carter et le Livre Blanc du gouvernement sur la réforme fiscale. Elles ont, par leurs pressions, amené le gouvernement fédéral à mendier l'exemption de la taxe américaine d'égalisation des taux d'intérêt. On peut s'attendre à ce qu'elles s'opposent à toutes les mesures qui viseraient à contrôler les conditions d'entrée du capital étranger au Canada. En l'absence d'un véritable *leadership* de la part d'Ottawa, elles renforcent le continentalisme de la grande entreprise en démembrant la structure fédérale du Canada.

Par ailleurs, les rapports entre le Canada anglais et le Québec ont un caractère bien particulier. Le Québec est à la fois une province au sein de la Confédération et la *patrie* de la nation canadienne-française. Les exigences de la province de Québec, dans le sens d'une plus grande autonomie, doivent donc être vues sous deux aspects. D'une part elles rejoignent les revendications de toutes les grandes provinces, qui veulent augmenter leurs pouvoirs, et d'autre part elles représentent historiquement la forme politique par laquelle le Canada français exprime sa volonté d'auto-détermination.

Il est évident que, pour le Canada français, l'égalité nationale implique un droit de regard sur les décisions économiques. C'est pourquoi il réclame une plus grande part des revenus publics ainsi qu'une participation à l'établissement des politiques douanière et monétaire et à celle de l'immigration. Pour le Canada français, le gouvernement du Québec doit absolument élargir ses pouvoirs en matière économique, du fait que le secteur public provincial est le seul instrument efficace qui puisse permettre aux Canadiens français d'avoir une influence sur des décisions qui affectent leur vie collective. Alors que l'élite canadienne-anglaise abandonne rapidement le contrôle de son économie aux sociétés américaines, l'élite canadienne-française désire de façon pressante accéder au pouvoir économique privé. Cet accès est étroitement limité à l'heure actuelle, comme l'a souligné, avec une abondante documentation, John Porter dans son livre « *La mosaïque verticale* ». Or, l'égalité nationale exige que les décisions économiques qui touchent le Québec soient prises par des Canadiens français et non pas par des entreprises canadiennes-anglaises ou américaines. Cette condition est essentielle à la survie d'une collectivité de langue française sur le continent nord-américain.

Pour le Canada français, la modernisation a été synonyme, non seulement de l'interruption et de la destruction des coutumes établies, mais aussi de l'intégration au système industriel et de l'humiliation nouvelle d'être quotidiennement soumis aux ordres dictés par les anglophones. Cette réalité est tout aussi vraie pour le mineur, l'ouvrier d'usine et le vendeur de magasin que pour la classe moyenne et les professions libérales. Si, grâce à leur niveau d'éducation, les membres de ces dernières catégories bénéficient de l'avantage de pouvoir « fonctionner » dans la langue de ceux qui détiennent le pouvoir économique, leur humiliation n'en est que plus profonde. C'est précisément à cause de leur instruction et de leurs horizons plus vastes qu'ils peuvent exprimer les frustrations de la collectivité canadienne-française. L'îlot des anglophones privilégiés, qui va de l'Université McGill et de Westmount jusqu'aux limites des quartiers occidentaux de Montréal, et qui contrôle dans une large mesure la vie commerciale et industrielle de la province francophone, ranime constamment ces frustrations. C'est là une expérience que les Canadiens anglais ignorent. De même que l'ignorent les immigrants qui ont choisi de quitter leur terre natale pour s'établir en Amérique du Nord. C'est pourquoi les « groupes ethniques » s'assimilent à la collectivité canadienne-anglaise, dont ils deviennent partie intégrante.

La domination linguistique explique aussi pourquoi, dans leur ressentiment, les Canadiens français ne font pas de distinction entre les Canadiens anglais et les Américains. Il est intéressant de constater que les sondages d'opinion publique indiquent de façon constante que la domination américaine provoque moins d'inquiétude au Québec que dans tout le reste du Canada. Un homme politique comme René Lévesque lui-même ne semble pas craindre les conséquences d'une « libération » du Québec, par rapport à la domination de l'élite financière canadienne-anglaise, qui se ferait avec l'appui d'un capital américain encore plus puissant. D'ailleurs, pour l'ouvrier canadien-français de La Tuque quelle différence y a-t-il entre recevoir des ordres en anglais d'un contremaître à l'emploi d'une société canadienne comme l'*Alcan* ou d'une société américaine comme la Gulf Oil ?

La classe moyenne canadienne-française se compose de gens de professions libérales qui travaillent à leur propre compte, de petits commerçants, d'industriels et de technocrates qui font partie de la bureaucratie. Il n'y a pas de groupes d'entrepreneurs privés canadiens-français qui puissent contester réellement la puissance des sociétés anglophones. La logique du nationalisme conduit donc à l'entreprise d'Etat. Tel fut d'ailleurs le principe d'action des éléments les plus radicaux du gouvernement Lesage durant ce qu'on a appelé « la Révolution tranquille ». Cette politique a été illustrée de façon symbolique par la création de l'Hydro-Québec, considérée comme une première étape de l'expansion du secteur public dans le domaine de l'exploitation des richesses naturelles de la province.

Dans une telle confrontation avec la grande entreprise, le Canada français bénéficie d'un avantage par rapport au Canada anglais du fait qu'il a un projet national mieux défini et une plus grande confiance d'atteindre son but. Ce but, c'est d'édifier en Amérique du Nord une société francophone moderne dans laquelle la population puisse atteindre à la fois la prospérité et la dignité. Si cet objectif peut se réaliser par l'union avec le Canada anglais, tant mieux! Si le Canada anglais rend la chose impossible, tout porte à croire que le Québec finira par faire sécession. Si, pour obtenir la maîtrise des conditions de leur vie quotidienne, les Canadiens français doivent accepter certains sacrifices économiques, une minorité croissante semble prête à le faire. Le nationalisme et le séparatisme ont trouvé des échos au Québec parce que la population y est québécoise comme aucun habitant de l'Ontario n'est ontarien.

Ceux qui voient dans le séparatisme québécois le principal danger pour la survie du Canada feraient bien de se demander pourquoi les Canadiens français devraient rester dans la Confédération, alors que la majorité canadienne-anglaise dominante semble accorder si peu d'importance à l'indépendance du Canada. Que leur offre-t-on? De s'acheminer main dans la main, dans le bilinguisme et le biculturalisme, vers un statut de satellite de l'empire américain? Comment s'étonner alors que certains Québécois estiment que la séparation offre de meilleures chances de survivance culturelle en Amérique du Nord? En mettant les choses au pire, le Québec aurait alors son propre *Roi nègre* qui administrerait les marches françaises de l'Empire, tandis que les bureaucrates d'Ottawa gouverneraient les marches anglaises.

La tendance « continentaliste » est foncièrement néfaste à l'unité canadienne du fait qu'elle ne considère pas le maintien d'une collectivité nationale comme une fin en soi. Elle brade un système de valeurs par lequel, en fin de compte, une nation se définit. Derrière tous les calculs sur les « profits et pertes » résultant d'une présence américaine permanente dans l'économie canadienne, il y a une étiquette implicite qui indique le prix des valeurs et des croyances nationales. Les sociétés américaines qui cherchent à contrôler les marchés qu'elles disent desservir homogénisent la culture du pays. Le continentalisme propage au Canada la philosophie américaine du « *melting pot* ». Même s'ils passaient de l'état de pieuses déclarations à celui de réalités, le bilinguisme et le bicultalisme ne suffiraient pas à arrêter ce processus de séduction. En absorbant les entreprises-succursales et la culture-succursale qui les accompagne, les valeurs nationales de l'*hinterland* se modèlent sur celles de la métropole. Une fois le processus achevé, il ne reste, comme l'a dit Gad Horowitz, aucune raison de reprendre le contrôle.

Et le processus est fort avancé. Ce qui est en cause actuellement, c'est la volonté du Canada anglais de survivre comme collectivité nationale distincte sur le continent nord-américain. Si cette volonté est en voie de s'estomper, si le Canada anglais est en train de succomber à une sorte d'instinct suicidaire collectif face aux Etats-Unis, pourquoi les Québécois, et en particulier les jeunes qui sortent des écoles et des universités, voudraient-ils demeurer les associés de deuxième classe d'une si triste entreprise?

Déjà en 1960, avant que les conséquences de la succursalisation du Canada soient aussi évidentes qu'elles le sont aujourd'hui, le professeur Aitken résumait la situation en ces termes:

> « Personne ne doute que les investissements américains ont accéléré le rythme de l'essor économique du Canada;... mais ils semblent aussi risquer de faire du Canada un arrière-pays pour l'industrie américaine... Pour chaque bond en avant, le Canada voit se rétrécir en retour sa liberté d'action, son autonomie et sa capacité de décider de son proper destin. »[39]

Le centre de décisions s'est déplacé du Canada, où par le passé il était fortement sujet aux directives du gouvernement fédéral, aux salles de conseil des sociétés américaines géantes qui fonctionnent à l'échelle mondiale et dont chacune organise son propre avenir sous la protection du gouvernement de la métropole. Un nombre croissant de Canadiens anglais (et parmi eux, sans aucun doute, la majorité des économistes officiels) ne se préoccupent guère de savoir qui dresse les plans, du moment que les revenus continuent d'augmenter. Un jeune économiste canadien-anglais dénonçait récemment, en le qualifiant de « pernicieux », le raisonnement voulant que le contrôle exercé par les grandes entreprises américaines restreigne la liberté de décision du Canada. Faisant le parallèle avec l'âne de Buridan qui mourut de faim et de soif parce qu'il était incapable de choisir entre une botte de foin et un seau d'eau, il expliquait : « Bien sûr, il a réussi à garder sa liberté de choix, mais à quel prix ! » La sauvegarde de la liberté, nous dit-on, n'est qu'un moyen et il ne faut pas en faire une fin. Mais même les économistes ne peuvent évaluer un moyen, de sorte qu'on nous demande de mettre le prix qu'il faut pour obtenir quelque chose dont il est impossible de déterminer la valeur ! Peu d'entre nous sont prêts à payer un prix infini pour quoi que ce soit... et surtout pour une aussi piètre contrefaçon d'un objectif national.

La liberté n'ayant pas de prix, elle n'a pas de valeur. Etrange conclusion, même pour un économiste ! La logique qui en découle est, bien sûr, inattaquable. Le thème de « maîtres chez nous », que ce soit en français ou en anglais, n'est qu'une ânerie : ce n'est pas « une fin ». En être rationnel, le Canadien ne lèvera pas la tête au dessus de son auge assez longtemps pour explorer des champs inconnus à la recherche de quelque chose de meilleur. Il mangera ce qu'il y a dans son plat, assuré de sa part de pitance américaine, même si sa ration est un peu plus petite que les autres.

L'attitude des technocrates québécois présente un contraste frappant. Confiants dans leur aptitude à organiser leur propre destin, les Canadiens français affirment leur

détermination de prendre contrôle de leur économie, et
même leur droit de faire leurs propres erreurs. Comme l'explique un des plus éminents économistes du Québec:

> « Les Canadiens français du Québec ont découvert
> qu'ils pouvaient se fixer des objectifs concrets et les
> réaliser en tout ou en partie, ou même échouer
> comme tout autre peuple... Quand une société
> cherche pendant aussi longtemps le moyen de se
> réaliser et le trouve finalement au-dedans d'elle,
> il m'apparaît bien peu probable qu'on puisse la
> détourner de son but. »[40]

La culture protestante du Canada anglais rejette l'idée
qu'une nation, comme une famille, soit plus qu'une somme
d'individus et constitue une collectivité façonnée par des
expériences historiques et culturelles communes. Plus particulièrement, le Canada anglais ne semble pas comprendre
que les expériences vécues par les Canadiens français et les
Canadiens anglais ont laissé des marques très différentes
sur la conscience des deux collectivités nationales. Au lieu
d'éprouver un sentiment de confiance en soi et en son destin
collectif, le Canada anglais a maintes fois réagi avec colère
au fait que les Canadiens français ne veulent pas de l'égalité
telle que la définit l'élite canadienne-anglaise dominante.
Les tentatives visant à neutraliser les efforts des Canadiens-
français qui voulaient s'affirmer, par l'établissement d'un
fonctionnariat fédéral bilingue et par la création d'écoles
françaises au Canada anglais, n'ont eu que peu d'effet sur
le Québec alors qu'elles ont suscité de fortes dissensions
dans certains milieux du Canada anglais. En refusant de
reconnaître le Canada français comme nation et en insistant
sur le principe d'une confédération composée de dix provinces, Ottawa a provoqué la balkanisation du pays, les pressions
exercées par le Québec étant utilisées comme levier pour
renforcer les revendications fiscales de toutes les provinces
au détriment du gouvernement central. Comme le disait
René Lévesque, le nationalisme canadien-anglais ne doit
pas consister simplement à « s'accrocher au Québec ».

Sinon, « vous aurez tous des autos et des cigarettes à meilleur marché, et la citoyenneté américaine, avec l'étiolement d'une économie qui progressait (même si elle était faite de succursales) et de sa société gestionnaire, et le service militaire, et les Viet-Nams actuel et futurs, et une place dans l'agonie terrifiante que la société américaine s'inflige à elle-même. »[41]

Par son refus de reconnaître explicitement les aspirations nationales du Québec, la collectivité anglophone dominante accélère la fragmentation du pays et son absorption progressive par l'empire américain. Dans ces circonstances il devient de plus en plus difficile de rapatrier les centres de décision et de mettre en œuvre la « nouvelle politique nationale » proposée notamment par le professeur Watkins.

Le refus obstiné d'Ottawa de donner suite aux revendications du Québec relativement à l'égalité entre les deux nations dans le cadre d'une association canadienne pousse les forces nationalistes de la province française à établir des rapports indépendants, comme pays de l'*hinterland*, avec les Etats-Unis, conformément à la théorie exposée par un économiste proche de René Lévesque et du Parti Québécois qui disait : « nous n'avons pas d'autre choix que de négocier nous-mêmes avec le capital américain ». Comme l'expliquait Peter Regenstreif en janvier 1969, le Québec s'offre aux Américains qui l'achètent, considérant cette province comme un bon placement par rapport aux régions du monde qui sont en proie à de véritables troubles. C'est ainsi que l'économie québécoise s'américanise plus que jamais.[42]

On peut s'interroger sur l'opportunité de troquer la domination exercée par *Saint-James Street* contre celle de *Wall Street* et des grandes sociétés américaines. Ce qu'il y a de tragique, c'est que ce dilemme provient de ce qu'Ottawa n'a pas su satisfaire aux exigences fiscales particulières du Québec dans le cadre d'une politique nationale qui aurait visé à rendre tous les Canadiens « maîtres chez eux ». L'arrivée de Trudeau promettait de redonner au gouvernement fédéral le prestige et le pouvoir qu'il avait perdus comme jamais auparavant avec Diefenbaker et Pearson. Mais malgré tout le talent dont le nouveau premier ministre a pu faire preuve pour redonner de la vitalité à l'Etat fédéral, la soumission à Washington se poursuit. Toutes les proclamations sur le bilinguisme et le biculturalisme, ainsi que la politique de durcissement à l'égard des provinces, n'ont pas arrêté l'érosion de la souveraineté et de l'unité du Canada.

L'ambivalence de l'attitude du Canada anglais devant le fait de la collectivité nationale met en relief ses difficultés de communication avec le Québec. Malheureusement, cette même ambivalence rend le Canada anglais particulièrement vulnérable aux forces de désintégration du continentalisme. Si l'objectif national n'est que la somme des objectifs individuels, et si ces derniers se résument à vouloir plus d'argent, plus de loisirs et plus de biens de consommation, pourquoi alors s'inquiéter si le Canada perd son indépendance? Et pourtant le Canada anglais est profondément inquiet.

La question des « investissements étrangers », dans la politique canadienne, restera insoluble tant que le Canada anglais n'aura pas redéfini ses objectifs comme collectivité. Comme le demandait Horowitz : « Contrôler notre économie? Pourquoi?» En fin de compte, la réponse appartient aux individus. Habitant au sein du nouveau système mercantiliste des grandes sociétés, les Canadiens auront à décider s'ils veulent vivre dans une collectivité humaine qu'ils puissent orienter et diriger. En ce qui concerne le Canada français, il semble bien que cette collectivité soit le Québec. Leur désir de maîtriser leur environnement leur fait exiger le pouvoir politique et économique.

Il se peut que, dans le cas du Canada anglais l'intégration culturelle au continent nord-américain ait atteint un point tel que le Canada n'ait plus de sens comme collectivité nationale. Il se peut aussi que la réaction actuelle des nouvelles générations contre la domination des chantres de l'efficacité dans la grande entreprise, le gouvernement et où que ce soit, ranime le nationalisme « de conservation » qui s'inspire du désir de maîtriser et de façonner les conditions de vie de la collectivité. En tout état de cause, seule la création d'un nouveau système de valeurs au Canada anglais peut assurer la survie du Canada comme pays.

NOTES

1. Pour citer le rapport Watkins: « L'intrusion des lois étrangères a un effet direct d'érosion sur la souveraineté du pays d'accueil du fait que la capacité juridique de ce dernier de prendre des décisions se trouve contestée ou suspendue. Dans la mesure où les succursales deviennent les instruments de la politique de la métropole plutôt que de la politique du pays d'accueil, la capacité de celui-ci de mettre en œuvre ses décisions est réduite.» *Foreign Ownership and the Structure of Canadian Industry*, p. 311.

2. Pour une étude globale de la loi américaine sur le commerce avec l'ennemi et de ses effets sur les succursales américaines au Canada, voir J. I. W. Corcoran: « *The Trading with the Enemy Act and the Canadian Controlled Corporation*», McGill Law Journal, vol. 14, pp. 174–208.

3. *Foreign Ownership*, p. 339.

4. B. W. Wilkinson: *Canada's International Trade: An Analysis of Recent Trends and Patterns*. Canadian Trade Committee, 1968, p. 17.

5. *Foreign Ownership*, p. 35.

6. A. E. Safarian: *Foreign Ownership of Canadian Industry* (Toronto: McGraw Hill Company, 1966).

7. *Foreign-Owned Subsidiaries in Canada* — Rapport sur les activités et le financement des succursales étrangères au Canada, d'après les renseignements fournis par les principales succursales. Publié sous l'égide de Robert H. Winters, ministre du Commerce, Ottawa, juin 1967, pp. 7–15.

8. « Prenons le cas d'une société étrangère qui s'établit au Canada pour exploiter une nouvelle ressource. Supposons que la technique de production exige l'utilisation intensive de machines, qui sont importées, et n'emploie qu'une faible main-d'œuvre, et enfin que la production est exportée, à des prix partiellement déterminés par la société en question. De telles suppositions correspondent souvent, bien que pas toujours, à la réalité. Dans la mesure où l'entreprise emploie peu de main d'œuvre locale et où la production va à l'étranger, les profits iront surout aux consommateurs étrangers et aux facteurs de production étrangers, et les profits qui resteront au Canada seront largement composés des impôts frappant les étrangers. Dans la mesure où la société étrangère est en mesure de fixer le prix d'exportation, tout au moins aux fins de l'impôt, les profits canadiens dépendront aussi des mesures prises par les autorités fiscales canadiennes pour empêcher l'entreprise de maintenir, pour quelque raison que ce soit, ses prix à un bas niveau, ce qui lui permettrait de transférer ses profits et ses impôts à l'extérieur du pays.» *Foreign Ownership*, pp. 72–73.

9. Ibid, p. 86.

10. Safarian, op. cit. chapitre 5.

11. Ibid, p. 304.

12. *Foreign Ownership*, p. 205.

13. Wilkinson, op. cit. p. 150.

14. « Cette explication a d'autant plus de poids que l'innovation dans les produits et les procédés de production prend de l'importance.» Ibid. p. 129.

15. Fonds Monétaire International: Statistiques financières internationales, supplément aux numéros de 1966 et 1967. Aussi Nations Unies: Annuaire de statistiques commerciales internationales.

16. Les pays en question sont l'Autriche, la Belgique, le Luxembourg, le Danemark, les Pays-Bas, la Norvège et la Suède.

17. M. G. Clark: *Canada and World Trade*, Conseil Economique du Canada, Ottawa, 1964.

18. Wilkinson, op. cit., chapitre 3.

19. Si le commerce extérieur du Canada suit cette tendance (comme il le semble bien), le total des importations, fortement concentrées sur les produits finis ou traités, augmentera plus rapidement que le total des exportations, qui se composent largement de produits bruts ou semi-traités. Ibid. p. 44.

20. Cf. Gruber, Mehta et Vernon, op. cit., p. 26.

21. E. W. R. Steacie, président du Conseil fédéral de la Recherche. Déclaration à la Commission royale d'enquête sur les perspectives économiques du Canada, cité par Safarian, op. cit., p. 171.

22. Bureau Fédéral de la Statistique: *Industrial Research and Development Expenditure in Canada*, décembre 1967, pp. 15–16 et 38–40.

23. Raymond Vernon, op. cit.

24. L. E. H. Trainor: « *Americanization of Canada — A Scientist's Viewpoint*» (Notes miméographiées).

25. C. Freeman and A. Young: *The Research and Development Efforts in Western Europe, North America and The Soviet Union* (Paris, O.C.D.E. 1965). Pour les commentaires de Watkins, voir *Foreign Ownership*, p. 97.

26. H. E. English: « *Industrial Structure in Canada's International Competitive Position*», The Canadian Trade Committee, Montréal, juin 1964.

27. Safarian, op. cit. p. 305.

29. *Origine des fonds des investissements direcis américains dans les industries manufacturière, minière et pétrolière au Canada.*

	pourcentage							moyenne
	1957	1958	1959	1960	1961	1962	1963	1964	1957–1964
Fonds provenant des E.–U.	26	25	20	21	13	10	8	5	15
Profits réinvestis	35	32	39	45	41	43	45	49	42
Amortissement	26	30	30	35	34	32	33	30	31
Fonds provenant du Canada	13	14	11	–1	12	15	14	17	12

SOURCE: *U.S. Survey of Current Business*, numéros divers.

30. Bureau Fédéral de la Statistique: *The Canadian Balance of International Payments: A Compendium of Statistics from 1946 to 1965.*

31. *Foreign-Owned Subsidiaries in Canada*, op. cit., section 3.

32. G. R. Conway: « *The Supply of, and Demand for, Canadian Equities*», op. cit.

33. Ibid. p. 44.

34. « Dans les industries du secteur primaire, le facteur décisif, relativement à la mise en exploitation des ressources, a souvent été la garantie d'un marché à long terme chez la maison-mère pour au moins une partie de la production de la succursale, bien plus que le capital et les moyens techniques disponibles.» *Foreign Ownership*, p. 76.

35. Rapport de la Commission royale d'enquête sur la banque et la finance, Ottawa, 1964, pp. 87–88.

36. *Foreign Ownership*, pp. 291 et 412.

37. George Grant: *Lament for a Nation*, p. 47.

38. Ibid. p. 41.

39. Hugh G. J. Aitken: *American Capital and Canadian Resources*, pp. 112–113 et 114.

40. Jacques Parizeau, cité par René Lévesque dans *Option Québec*, pp. 109, 111.

41. Ibid., Lévesque.

42. Peter Regenstreif, *Montreal Star*, 18 janvier 1969.

Appendice

Le nouveau mercantilisme des investissements directs américains

La valeur comptable des investissements directs américains à l'étranger est passée d'à peine 600 millions de dollars au début du siècle à 54.6 milliards en 1966. Plus de la moitié de cet actif a été acquis depuis le milieu des années 1950. Si les sorties de capitaux américains ont pris, dans une grande mesure, la forme d'investissements directs, c'est à cause des circonstances dans lesquelles s'est faite l'industrialisation des Etats-Unis.

L'accession de la France, de l'Allemagne et de la Russie à la domination industrielle, à la fin du dix-neuvième siècle et au début du vingtième, s'est réalisée sur un continent entièrement peuplé. Un grand nombre d'entreprises industrielles se faisaient alors concurrence sur un continent divisé entre de nombreux Etats-nations de diverses dimensions, dont chacun possédait ses propres institutions. La prédominance de l'Angleterre se manifestait par un système monétaire et financier mondial dans le cadre duquel les activités des intermédiaires financiers des divers pays se trouvaient coordonnées par Londres. Grâce à l'étalon-or international, toutes les monnaies pouvaient être converties à des taux de change fixes et les prêts internationaux à grande échelle, sous la forme d'obligations à intérêts fixes, pouvaient financer la croissance du pouvoir d'achat universel et les exportations des produits des métropoles, avec des risques minimaux pour le prêteur et des frais minimaux pour l'emprunteur.

Malgré les nouveaux marchés créés par le partage des colonies africaines, les conditions de concurrence entre les puissances européennes rivales imposèrent finalement des ententes en vue du partage des marchés et des matières premières par la création de trusts et de cartels internationaux. Dans la mesure où ces ententes représentaient en fait des coalitions entre des groupes commerciaux appartenant à des pays rivaux, on peut dire qu'elles étaient internationales, en ce sens que le contrôle n'appartenait en exclusivité à aucun groupe d'intérêts d'une métropole donnée.

Durant une première période, les Etats-Unis empruntèrent à l'étranger sous la forme d'investissements-portefeuille à long terme, surtout pour développer leur infrastructure. A cette époque, il n'y avait guère chez eux de marché des capitaux. Avant la Première Guerre Mondiale, les Etats-Unis exportaient donc directement des capitaux en même temps qu'ils empruntaient à grande échelle du capital-portefeuille. Cette pratique est absolument contraire au modèle colonial typique qui allie simultanément les entrées (par emprunts) de capitaux d'investissements directs et les sorties (par prêts) de fonds par les intermédiaires financiers, ainsi que la constitution de vastes réserves de devises étrangères. Le Canada et l'Australie se situent à mi-chemin, empruntant à la fois et sur une grande échelle des capitaux liquides et des capitaux d'investissements directs.

Les premières formes des investissements américains

Au tournant du siècle, les investissements directs américains à l'étranger se concentraient largement sur le Nouveau Monde. Sur les 365 millions de dollars d'investissements à l'étranger en 1897, 25 pour cent allaient au Canada, 32 pour cent au Mexique, 8 pour cent à Cuba et aux autres îles des Antilles, et 9 pour cent aux autres pays d'Amérique latine. Le reste était presque entièrement investi en Europe (voir tableau 1).

Dès 1924 la situation avait changé. La Première Guerre Mondiale avait affaibli de façon décisive l'Angleterre et sa livre sterling. Les Etats-Unis avaient cessé d'être un pays emprunteur et ils détenaient désormais une quantité considérable de placements-portefeuille à l'étranger. Les investissements directs, cependant, dépassaient les nouveaux actifs en investissements-portefeuille et leur répartition géographique restait sensiblement la même: 72 pour cent dans le Nouveau Monde, dont 20 pour cent au Canada, 14 pour cent au Mexique, 18 pour cent à Cuba et dans les autres îles des Antilles et 20 pour cent dans le reste de l'Amérique latine.

L'effondrement de l'économie mondiale durant les années 30 ainsi que les réactions de défense qui prirent la forme de tarifs douaniers, de prohibitions, d'accords préférentiels, de contrôles du change et d'autres limites aux échanges de marchandises et de capitaux, amenèrent les grandes entreprises à mettre au point de nouvelles stratégies pour exploiter l'expansion des marchés. Par les investissements directs, les entreprises industrielles pouvaient surmonter les barrières douanières et conserver ou même augmenter leurs revenus. Elles pouvaient obtenir des matières premières avec un minimum de risques et profiter de la baisse des prix pour acheter les entreprises en faillite. Elles pouvaient ensuite prélever les profits de leurs nouvelles succursales sous la forme de matières premières à prix réduit. Cette pratique était particulièrement indiquée dans le cas de l'Amérique latine où la convertibilité des monnaies avait été dans une large mesure supprimée tandis que les douanes augmentaient.

Malgré la diminution du commerce international et la chute universelle des prix, les investissements directs américains ont augmenté durant la période de dépression. La valeur comptable de ces actifs est passée de 5.4 milliards de dollars en 1924 à 7.4 milliards en 1935. Les investissements, à 69 pour cent, restaient concentrés dans le Nouveau Monde. Au Canada comme en Amérique latine la majeure partie allait aux secteurs des resources naturelles et des transports. Au Canada, cependant, l'industrie manufacturière absorbait déjà 40 pour cent des investissements directs américains. Il s'agissait là en partie d'une simple extension nordique du marché américain qu'il était désormais plus facile de desservir avec des succursales locales, à cause des douanes et des frais de transport. De plus, il y avait un effort pour établir un accès au marché du Commonwealth britannique, clôturé par les ententes d'Ottawa de 1932.

Si au départ les investissements directs dans le secteur manufacturier ont pu répondre au besoin normal d'expansion du marché américain vers les régions avoisinantes, et permettre aussi de surmonter les douanes et les autres barrières commerciales établies dans les années 1930, l'efficacité des investissements directs au service d'une stratégie commerciale aggressive est devenue de plus en plus évidente après la Seconde Guerre Mondiale, lorsque la reconstruction de l'Europe a donné naissance à un marché nouveau et d'une croissance rapide.

La grande montée des investissements directs américains dans le secteur manufacturier a commencé à la fin des années 1950. De 27 milliards de dollars en 1958, la valeur des investissements directs américains à l'étranger est passée à 55 milliards en 1966. Les sorties annuelles de capitaux d'investissement direct sont passées de 0.6 milliard en 1950 à 3.6 milliards en 1965–1966. En 1966, les actifs des sociétés américaines à l'étranger atteignaient 54.6 milliards, soit 22.1 milliards dans le secteur manufacturier, 16.2 milliards dans les pétroles, et 4.1 milliards dans les mines et les fonderies. En 1929, moins de 40 pour cent des investissements directs américains étaient placés dans le secteur manufacturier et les pétroles. En 1950, avant la vague des investissements en Europe, la part de l'industrie manufacturière et des pétroles était montée à 61 pour cent. En 1966, ces deux secteurs absorbaient 70 pour cent de tous les investissements

Tableau 1 : Répartition géographique des investissements directs américains – 1897–1966

Valeur comptable en millions de dollars américains

	1897	1914	1924	1935	1958	1964	1966
Europe	131.0	573.3	921.3	1,369.6	4,382	12,100	16,200
Dépendances européennes	—	—	—	*	1,038	*	*
Canada	159.7	618.4	1,080.5	1,692.4	8,929	13,800	16,840
Mexique	200.2	587.1	735.4	651.7 }	8,730	8,900	9,854
Amérique latine	59.1	413.7	1,090.6	1,878.2		1,400	
Cuba et Antilles	49.0	281.3	993.2	731.3 }	3,996	} 8,100	11,668
Autres pays	35.5	179.5	567.7	896.0			
TOTAL	634.5	2,652.3	5,388.7	7,219.2	27,075	44,300	54,562

* Renseignements non-disponibles.

Pourcentages

	1897	1914	1924	1935	1958	1964	1966
Europe	20.6	21.7	17.4	19.0	16.2	27.0	29.6
Dépendances européennes	—	—	—	—	3.8	*	*
Canada	25.3	23.4	20.0	23.5	32.0	31.0	31.0
Mexique	31.5	22.2	13.7	9.0	32.2	20.0	18.1
Amérique latine	9.3	15.7	20.2	26.0			
Cuba et Antilles	7.7	10.6	18.4	10.1			
Autres pays	5.6	6.4	10.3	11.4	14.8	22.0	21.3
TOTAL	100.0	100.0	100.0	100.0	100.0	100.0	100.0

SOURCE: *American Capital and Canadian Resources* — de 1897 à 1958. De 1964 à 1966: *U.S. Survey of Current Business*, Septembre 1967.

* Renseignements non-disponibles.

Tableau 2 : Répartition des investissements directs américains selon les secteurs

(en milliards de dollars U.S.)

	1929	1946	1950	1957	1960	1964	1966
Industrie manufacturière	1.8	2.4	3.8	8.0	11.2	16.9	22.1
Pétroles	1.1	1.4	3.4	9.0	10.9	14.4	16.2
Mines et fonderies	1.2	0.8	1.1	2.4	3.0	3.6	4.1
Services publics	1.6	1.3	1.4	2.1	2.5	2.0	2.3
Autres industries et commerce	1.8	1.3	2.1	3.7	5.2	7.5	9.8
TOTAL	7.5	7.2	11.8	25.2	32.8	44.3	54.6

SOURCE: *U.S. Survey of Current Business.*

Tableau 3 : Sorties annuelles nettes de capitaux américains pour investissements directs

(en millions de dollars U.S. — années sélectionnées)

Année	Tous les pays	Canada	Europe	Cuba et Amérique latine	Autres régions	% pour l'Europe
1950	621	287	117	40	177	19
1954	667	408	45	70	144	7
1957	2,442	678	287	1,164	313	12
1960	1,674	451	962	149	112	57
1961	1,599	302	724	219	354	45
1962	1,654	314	868	29	443	52
1963	1,976	365	924	235	452	47
1964	2,435	253	1,388	266	528	57
1965	3,418	913	1,479	271	756	43
1966	3,623	1,135	1,809	307	372	10
1967	3,020	392	1,442	217	969	48

SOURCE: *U.S. Survey of Current Business.*

directs américains à l'étranger. La part de l'industrie minière et des services publics a décliné parallèlement, passant de 37 pour cent en 1929 à 21 pour cent en 1950 et 12 pour cent en 1966 (voir tableau 2).

En 1958, 70 pour cent des investissements directs américains à l'étranger étaient encore au Canada et en Amérique latine. La part de l'Europe était plus faible que jamais : seulement 16 pour cent. Ce n'est qu'après la formation du Marché Commun et l'établissement de la libre conversion des devises européennes que les investissements directs américains se sont réorientés fortement vers l'Europe. Les entreprises industrielles sous contrôle américain, en Europe, sont passées rapidement de 4.3 milliards en 1958 à 16.2 milliards en 1966, tandis que la part de l'Europe dans le total des investissements direct américains à l'étranger est passée de 16 pour cent à la fin des années 1950 à 30 pour cent en 1966. Ces données font comprendre l'inquiétude récente des Européens qui redoutent la colonisation de l'Europe par la grande entreprise américaine. Cette réorientation des capitaux vers les riches marchés de l'Europe reflète une tendance continue des investissements directs à se diriger vers le secteur manufacturier.

Tableau 4 : Sorties annuelles de capitaux américains pour investissements directs au Canada, en pourcentage des investissements directs américains à l'étranger − 1950-1967

Année	Pourcentage	Année	Pourcentage
1950	46%	1959	30%
1951	46%	1960	27%
1952	51%	1961	19%
1953	55%	1962	19%
1954	61%	1963	18%
1955	43%	1964	10%
1956	31%	1965	27%
1957	28%	1966	31%
1958	36%	1967	13%

SOURCE : *U.S. Survey of Current Business.*

De 1960 à 1967 inclusivement, presque la moitié des sorties annuelles de capitaux américains destinés à des investissements directs ont été placeés en Europe. En 1960 et en 1964, ils ont atteint un sommet de 57 pour cent. Durant toutes les années 60, la part de l'Europe dans ces nouvelles sorties de capitaux n'est jamais tombée plus bas que 43 pour cent (voir tableau 3).

On relève par ailleurs une diminution relative de la part accordée au Canada. Durant la Guerre de Corée et les années où les Américains craignaient de manquer de matières premières d'importance stratégique, le Canada absorbait environ la moitié de toutes les sorties annuelles de capitaux d'investissement américains. Depuis le milieu des années 50, la part du Canada a diminué continuellement. En 1954, le Canada a bénéficié de 61 pour cent (un record) des sorties des nouveaux capitaux américains destinés à l'investissement direct. En 1964, elle était tombée à 10 pour cent, pour remonter cependant à 27 pour cent en 1965 et à 31 pour cent en 1966 (voir tableau 4).

Malgré les fluctuations des investissements directs américains, l'économie canadienne demeure, et de beaucoup, la plus dominée par le système des succursales à travers le monde entier. En 1966, le Canada absorbait, avec une population de seulement 20 millions, 31 pour cent des actifs des succursales américaines à l'étranger, soit 47 pour cent des investissements dans les mines et les fonderies, 35 pour cent dans le secteur manufacturier et 22 pour cent dans l'industrie pétrolière (voir tableau 5).

Les transferts d'intérêts et de dividendes aux Etats-Unis par les filiales opérantes au Canada

On peut noter avec intérêt que les activités des sociétés américaines à l'étranger rapportent de tels profits que leurs remises annuelles de dividendes, *royalties*, droits de brevets, frais de location et d'administration dépassent substantiellement les sorties annuelles de capitaux américains. Il en a

Tableau 5 : *Valeur des investissements directs américains à l'étranger en 1966*

(en millions de dollars U.S.)

	Tous les pays	Canada	Pourcentage du Canada par rapport au total
Mines et fonderies	4,135	1,942	47
Pétrole	16,264	3,606	22
Secteur manufacturier	22,050	7,674	35
Services publics Commerce Autres	12,113	3,618	30
	54,562	16,840	31

SOURCE: *U.S. Survey of Current Business.*

toujours été ainsi depuis 1900, à la seule exception des années de dépression 1928 à 1931 durant lesquelles les sociétés américaines ont mobilisé leurs vastes ressources financières pour acheter les entreprises tombées en faillite à l'étranger. Les fortes augmentations des sorties annuelles de nouveaux capitaux durant les années 60 s'accompagnèrent de hausses substantielles de revenus. En même temps, les profits retenus ou réinvestis des succursales augmentaient de façon marquée.

En 1967, par exemple, les succursales ont envoyé aux Etats-Unis 4,518 millions de dollars de profits et intérêts et 1,140 millions de *royalties* et droits divers, tandis qu'elles réinvestissaient à l'étranger 1,578 millions de profits retenus. Cette même année, les sorties de nouveaux capitaux ont été de 3,020 millions, ce qui donne un excédent de 2,638 millions des revenus sur les capitaux.

On peut juger de la rapidité de l'augmentation des investissements directs américains depuis la fin de la dernière guerre si l'on songe que pendant les *huit* années 1960–1967 les versements de profits, d'intérêts et de *royalties* ont atteint 33,283 millions de dollars, à comparer à 23,982 millions durant les quinze années de 1945 à 1959. La contribution nette des investissements directs à l'étranger à la balance des paiements des Etats-Unis, sous la forme de revenus perçus, a été de 13,882 millions de 1960 à 1967 inclusivement, à comparer à 10,363 millions de 1945 à 1959. Cette augmentation substantielle s'est produite en dépit de la hausse des sorties de capitaux durant les dernières années et d'une baisse dans le rapport entre les revenus perçus et les sorties de capitaux. Durant les années 1960–1967, les sorties de capitaux d'investissements directs (19,400 millions) ont dépassé la somme de tous les investissements directs à l'étranger pour les soixante années précédentes (17,163 millions), et durant les années 60 l'apport des revenus perçus à la balance des paiements des Etats-Unis (13,883 millions) a été presque égal à celui des soixante années antérieures (14,510 millions). (Voir tableau 6). Si l'on examine la ventilation du compte « capitaux et revenus » selon les régions et les secteurs industriels (voir tableau 7), on constate que pour le secteur manufacturier les revenus ont dépassé les apports de capitaux dans toutes les régions de 1950 à 1964.

Le Canada a contribué presque les deux tiers (soit 1,832 millions de dollars) de la balance favorable des Etats-Unis dans ce domaine. Il faut noter que les vastes sorties de dividendes et autres revenus provenant des succursales canadiennes du secteur manufacturier se sont faites en dépit de taux de profit relativement faibles alors que le taux de retenue des profits était élevé. Ce phénomène s'explique du fait que nombre de ces succursales existaient depuis longtemps et que le réinvestissement continuel des profits avait augmenté leur actif. On remarquera cependant avec intérêt que même dans l'Europe de l'Ouest, où les nouveaux placements de capitaux dans le secteur manufacturier ont augmenté rapidement durant les années 60, les profits tirés des investissements antérieurs ont dépassé ces nouveaux apports de capitaux. Tant au Canada que dans l'Europe de l'Ouest, ce sont uniquement les forts investissements dans l'extraction et le raffinage du pétrole qui ont diminué la balance favorable des Etats-Unis.

Le rapport entre les nouvelles entrées de capitaux et les profits tirés des investissements dans le pétrole en Amérique latine et au Moyen-Orient offre un contraste frappant. L'excédent des revenus touchés par rapport aux nouveaux investissements dans l'extraction du pétrole, dans ces régions sous-développées, atteint 12,619 millions de dollars, ce qui représente 77 pour cent de la balance favorable des Etats-Unis. L'établissement de services de vente en gros et de distribution à l'étranger a aussi fourni d'importants apports au compte « capital-revenus » des Etats-Unis, surtout en Amérique latine, en Afrique et en Asie. Après une période de gestation, on peut aussi s'attendre à ce que les récents investissements massifs des Américains en Europe de l'Ouest apportent de substantiels profits aux Etats-Unis. Il ne faut pas oublier, d'ailleurs, que la contribution des investissements à l'étranger dans les secteurs de l'industrie et du commerce ne se limite pas aux profits, aux intérêts et aux *royalties* versés.

Les investissements en question stimulent les exportations américaines de produits de consommation et contribuent ainsi aux profits de l'entreprise américaine de même qu'à l'équilibre commercial des Etats-Unis. Le rôle tout particulier des investissements directs dans les secteurs de l'industrie et du commerce à l'étranger se reflète dans les taux supérieurs de retenue des profits chez les succursales de ces secteurs par comparaison à celles des secteurs des mines et du pétrole.

La redistribution des capitaux des régions pauvres vers les régions riches dans le nouveau système mercantile

Les années 60 ont été marquées par une importante réorientation des investissements directs tant en ce qui a trait à leur emplacement géographique qu'à leurs secteurs industriels. Ainsi les capitaux exportés en Europe ont été plus de cinq fois plus forts dans les années 60 que durant les années 50. De 1960 à 1967, 49 pour cent des nouvelles sorties de capitaux se sont orientées vers l'Europe de l'Ouest, à

Tableau 6: Sorties de capitaux, revenus perçus et balance nette des investissements directs américains à l'étranger – 1900-1967

(en millions de dollars U.S.)

Période	Sorties nettes de capitaux pour investissements directs (à l'exclusion des profits retenus par les succursales)	Dividences et intérêts perçus	Royalties et autres redevances	Contribution nette à la balance des paiements des Etats-Unis
1900-1929 (30 ans)	-3,109	+4,798	—	+1,689
1930-1939 (10 ans)	-435	+2,893	—	+2,458
1945-1959 (15 ans)	-13,619	+22,113	+1,869	+10,363
1900-1959 (sauf 1940-1944)	-17,163	+29,804	+1,869	+14,510
1960-1967 (8 ans)	-19,400	+27,496	+5,787	+13,883
TOTAL	-36,563	+57,300	+7,656	+28,393

SOURCES: Ministère du Commerce des Etats-Unis: *Balance of Payments Statistical Supplement*, 1963, et *Survey of Current Business*.

Tableau 7 : *Sorties de capitaux et entrées de revenus selon les secteurs industriels et géographiques – 1950–1964*

(en millions de dollars U.S.)

	Europe de l'Ouest	Canada	Amérique	Autres pays	Total
PETROLE					
Sorties de capitaux américains	-2,474	-2,401	-1,272	-1,818	-7,965
Revenus perçus aux Etats-Unis	+971	+595	+5,951	+9,758	+17,275
Solde	-1,503	-1,806	+4,679	+7,940	+9,310
INDUSTRIE MANUFACTURIERE					
Sorties de capitaux américains	-2,945	-1,429	-1,114	-616	-6,104
Revenus perçus aux Etats-Unis	+3,687	+3,261	+1,227	+1,119	+9,294
SOLDE	+742	+1,832	+113	+503	+3,190
COMMERCE					
Sorties de capitaux américains	-1,093	-972	-631	-356	-3,052
Revenus perçus aux Etats-Unis	+1,413	+1,385	+2,220	+1,001	+6,019
SOLDE	+320	+413	+1,589	+645	+2,967
MINES ET FONDERIES					
Sorties de capitaux américains	—	-1,105	-610	-261	-1,976
Revenus perçus aux Etats-Unis	—	+673	+1,610	+521	+2,804
SOLDE	—	-432	+1,000	+260	+828
TOUS LES SECTEURS					
TOTAL : Sorties de capitaux américains	-6,512	-5,907	-3,627	-3,051	-19,097
TOTAL : Revenus perçus aux Etats-Unis	+6,071	+5,914	+11,008	+12,399	+35,392
SOLDE	-441	+7	+7,381	+9,348	+16,295

SOURCES: Données tirées de: ministère du Commerce des Etats-Unis: *Balance of Payments Statistical Supplement*, 1963, et *Survey of Current Business*.

comparer à 17 pour cent de 1950 à 1959. Pour le Canada, il s'ensuit que la valeur des nouveaux apports de capitaux (soit 4.1 milliards de dollars) de 1960 à 1967 n'a été que légèrement supérieure à celle des investissements des années 50, tandis que la part du Canada, dans les nouvelles sorties de capitaux américains, est tombée, au cours de cette période, de 39 à 21 pour cent. Quant à l'Amérique centrale et l'Amérique du Sud, le flot des investissements y a été réduit à un mince filet, par suite principalement de la réorientation des placements dans les secteurs du pétrole et des mines vers le Moyen-Orient et certaines autres régions. Les apports de nouveaux capitaux sont tombés de 3.2 milliards de 1950 à 1959 à 1.7 milliard de 1960 à 1967. La part de l'Amérique latine, dans les nouveaux investissements directs, est passée de 30 pour cent durant les années 50 à 9 pour cent dans les années 60. (Voir tableaux 8 et 9).

La réorientation des investissements directs vers les riches marchés de l'Europe de l'Ouest est reliée à une forte augmentation de l'acquisition, de l'expansion et de l'établissement d'entreprises manufacturières à l'étranger. Les in-

Tableau 8 : Sorties de capitaux, revenus et soldes nets des investissements directs américains à l'étranger, selon les régions géographiques et les secteurs industriels

	Années 50	Années 60	Total	Changements des années 60 par rapport aux années 50, en pourcentages
	1950-1959	*1960-1967*	*1950-1967*	
Régions géographiques				
CANADA				
Sorties de capitaux	–4,238	–4,125	–8,363	+ 94
Revenus perçus	+3,030	+5,869	+8,899	+194
Solde net	–1,208	+1,744	+536	
EUROPE DE L'OUEST				
Sorties de capitaux	–1,842	–9,596	–11,438	+521
Revenus perçus	+2,468	+7,280	+9,748	+295
Solde net	+626	–2,316	–1,690	

AMERIQUE CENTRALE ET
AMERIQUE DU SUD

Sorties de capitaux	–3,202	–1,693	–4,895	– 53
Revenus perçus	+6,655	+8,807	+15,467	+132
Solde net	+3,453	+7,114	+10,567	

RESTE DU MONDE

Sorties de capitaux	–1,471	–3,986	–5,457	+271
Revenus perçus	+6,923	+11,326	+18,249	+164
Solde net	+5,452	+7,340	+12,792	

Secteurs industriels

INDUSTRIE MANUFACTURIERE

Sorties de capitaux	–2,509	–8,251	–10,760	+329
Revenus perçus	+4,236	+10,497	+14,733	+247
Solde net	+1,727	+2,246	+3,973	

PETROLE

Sorties de capitaux	–4,965	–6,387	–11,352	+129
Revenus perçus	+9,357	+14,068	+23,425	+150
Solde net	+4,392	+7,681	+12,073	

MINES ET FONDERIES

Sorties de capitaux	–3,279	–1,302	–8,041	+145
Revenus perçus	+5,483	+3,238	+14,201	+159
Solde net	+2,204	+1,936	+6,160	

AUTRES SECTEURS

Sorties de capitaux		–3,460		
Revenus perçus		+5,480		
Solde net		+2,020		

*Total pour toutes les
régions et les secteurs*

Sorties de capitaux	–10,753	–19,400	–30,153	+180
Revenus perçus	+19,076	+33,283	+52,359	+174
Solde net	+8,323	+13,883	+22,206	+166

SOURCE: données tirées de *U.S. Survey of Current Business.*

vestissements dans le secteur manufacturier ont plus que triplé de 1950–1959 (2.5 milliards) à 1960–1967 (8.3 milliards). Durant la dernière période, 43 pour cent des nouveaux capitaux sont allés aux succursales du secteur manufacturier, à comparer à 23 pour cent durant les années 50.

Tableau 9 : Origine des revenus et des royalties versés par les succursales américaines (en pourcentages)

	1950-1959	*1960-1967*	*1950-1967*
REGIONS			
Canada	16	18	17
Europe de l'Ouest	13	22	18
Amérique latine et Antilles	35	26	30
Afrique et autres régions	36	34	35
TOTAL	100	100	100
SECTEURS INDUSTRIELS			
Industrie manufacturière	22	32	28
Pétrole	49	42	45
Autres secteurs	29	23	27
TOTAL	100	100	100

Répartition des nouvelles sorties de capitaux vers les succursales américaines (en pourcentages)

	1950-1959	*1960-1967*	*1950-1967*
REGIONS			
Canada	39	21	28
Europe de l'Ouest	17	49	38
Amérique latine et Antilles	30	9	16
Afrique et autres régions	14	21	18
TOTAL	100	100	100
SECTEURS INDUSTRIELS			
Industrie manufacturière	23	43	36
Pétrole	46	33	38
Autres secteurs	31	24	26
TOTAL	100	100	100

SOURCE: données tirées du Tableau 8.

On constate un déclin parallèle dans le secteur du pétrole dont la part dans les nouveaux investissements tombe de 46 à 33 pour cent. La valeur des investissements nouveaux dans le pétrole, les mines et les raffineries n'augmente que de 30 pour cent entre 1950–1959 et 1960–1967, passant de 5 milliards à 6.4 milliards. Les nouveaux placements dans le secteur des mines sont allées surtout au Moyen-Orient, tandis que dans le secteur des raffineries ils se sont surtout concentrés sur l'Europe de l'Ouest.

Ce qu'il y a sans doute de plus frappant dans la réorientation des investissements directs américains à l'étranger, c'est que 13.7 milliards de dollars, soit 71 pour cent des nouveaux capitaux, ont été absorbés par le Canada et l'Europe de l'Ouest, alors que 20.1 milliards, soit 60.1 pour cent, des profits, intérêts et *royalties* touchés aux Etats-Unis provenaient d'investissements en Amérique latine et dans le reste du Tiers-Monde. Durant la « décennie de développement» des années 1960, d'importants déplacements de capitaux des régions pauvres vers les régions riches se sont effectués grâce au système des entreprises multinationales et du marché des capitaux métropolitain. La situation a été particulièrement défavorable à l'Amérique latine, où les nouveaux investissements directs ont baissé de 47 pour cent tandis que les sorties de capitaux sous forme de profits augmentaient de 32 pour cent, d'où un déficit de la balance des paiements de 7.1. milliards de 1960 à 1967. La réorientation des investissements a aussi affecté le Canada. Alors que les apports de capitaux demeuraient stationnaires, les sorties sous forme de profits et intérêts ont augmenté de 94 pour cent entre la période 1950–1959 et celle de 1960–1967, remplaçant un excédent de 1.2 milliard par un déficit de 1.7 milliard (voir tableau 8). L'image qui se dégage est celle de la résurrection de l'ancien système mercantile: l'extraction et la distribution se font dans l'*hinterland*, tandis que le traitement et la fabrication se font dans les zones métropolitaines, soient les Etats-Unis et l'Europe de l'Ouest. Si l'on retrouve le même phénomène au dix-neuvième siècle, dans le contexte d'échanges relativement libres, les matières premières et les établissements de traitement et de fabrication ne faisaient pas alors l'objet d'un contrôle concentré entre les mains de vastes entreprises capables d'utiliser les diverses ressources à travers le monde

Tableau 10 : Caractéristiques des investissements directs américains durant les années 60 – (moyennes de 1960 à 1967)

REGIONS	Valeur comptable à la fin de 1967 (en milliards de dollars américains)	Nouvelles entrées de capitaux (en pourcentage d'augmentation de la valeur comptable %	Taux de profit [1] a) %	b) %	Taux de sorties [2] %	Taux de retenues [3]
Canada	18.1	52.6	7.8	9.0	57.0	43.0
Europe de l'Ouest	17.9	76.0	10.0	12.9	60.0	40.0
Amérique latine et Antilles	11.9	45.0	12.7	14.7	78.7	21.3
Afrique et reste du monde	11.4	67.0	21.7	23.5	55.4	44.6
SECTEURS INDUSTRIELS						
Industrie manufacturière	24.1	57.0	11.1	14.1	52.2	47.8
Pétrole	17.4	90.0	13.3	14.2	94.0	6.0
Mines et fonderies	4.8	61.6	14.5	*	81.4	18.6
Autres secteurs	12.9	54.0	10.4	*	55.5	44.5
TOTAL	59.3					

* Renseignements non-disponibles.

NOTES: 1. Il s'agit ici des profits réalisés par les succursales après déduction des impôts locaux. Le taux a) indique le rapport entre les profits et la valeur comptable des actifs au début de l'année; le taux b) indique le rapport entre d'une part les profits et les *royalties* et d'autre part la valeur comptable des actifs.
2. Le taux de sorties indique le rapport entre les revenus remis à l'entreprise-mère et les profits des succursales.
3. Le taux de retenues complète le taux de sorties.
4. Tous les taux représentent les moyennes de la période 1960-1967.

SOURCE: Données tirées de *U.S. Survey of Current Business*.

en fonction de l'expansion et de la survie des grandes sociétés. Le champ d'initiative des pays qui possèdent les matières premières se trouve aujourd'hui restreint par le contrôle

qu'exercent les sociétés multinationales sur les marchés
et l'industrie de transformation, ainsi que par les modes
d'industrialisation qu'elles imposent à l'économie mondiale.

On peut juger de l'importance de la stratégie commerciale
de la grande entreprise si l'on constate que les taux de profit
des succursales étrangères, calculés selon le total des revenus
(déduction faite des impôts locaux) par rapport à la valeur
comptable des actifs, ne correspond pas aux réorientations
des investissements. Ainsi les taux de profits des investissements en Amérique latine durant les années 1960 (12.7
et 14.1) furent beaucoup plus élevés que ceux des placements
en Europe (10.0 et 12.9) et surtout au Canada (7.8 et 9.0).
(Voir le tableau 10). Pourtant, au cours de la même période,
les nouveaux investissements en Europe augmentèrent de
421 pour cent, tandis qu'en Amérique latine ils *diminuèrent*
de 47 pour cent. Les nouveaux investissements au Canada
demeurèrent importants et stationnaires malgré la baisse
du taux de profit. Le taux des sorties de capitaux provenant
des revenus reflète la condition d'*hinterland* de l'Amérique
latine par rapport à l'Europe et au Canada.

Ainsi les succursales situées en Amérique latine ont remis
aux entreprises-mères 78.7 pour cent de leurs profits après
déduction des impôts, à comparer à 60 pour cent en Europe
de l'Ouest et 57 pour cent au Canada. L'ampleur des investissements directs dans des régions où les taux de profit
et de sorties de capitaux sont relativement faibles indique
que les considérations commerciales à long terme ont plus de
poids sur la répartition géographique des investissements
que le taux de profit à court terme des succursales. Cette
interprétation se trouve d'ailleurs confirmée par les faibles
taux de profit de l'industrie manufacturière et du commerce
(11.1 et 10.4 respectivement) par rapport au pétrole
et au secteur minier (13.3 et 14.5) ainsi que par les
faibles taux de sorties dans le premier cas (52.2 et 55.5)
par rapport au second (94.0 et 81.4). Le fort taux de sorties
qui caractérise les industries d'extraction reflète évidemment
le contrôle strict qu'exercent les entreprises-mères sur leurs
succursales dans ce secteur.

La stimulation
des exportations américaines

Les effets bénéfiques des investissements directs sur la balance des paiements des Etats-Unis dépassent largement le simple excédent des revenus sur les investissements du fait que la présence des filiales et des succursales à l'étranger agit comme stimulant sur les exportations de produits américains. En plus du matériel, des pièces et des produits finis que les entreprises américaines vendent directement à leurs succursales étrangères, la présence américaine oriente de façon générale la demande vers les fournisseurs américains.

D'après les derniers relevés du ministère américain du Commerce, qui portent sur 330 sociétés américaines possédant 3,379 succursales à l'étranger, les exportations des entreprises en cause ont atteint 8.5 milliards de dollars en 1965, ce qui représente presque le tiers des exportations de marchandises américaines et presque 45 pour cent de toutes les exportations américaines non agricoles.[1]

De ses 8.5 milliards, plus de la moitié (4.4 milliards) représentent des ventes directes à des entreprises affiliées. Le reste, soit 4.1 milliards, se constitue de ce qu'on pourrait appeler des « exportations indirectes », c'est-à-dire des ventes à des clients étrangers non affiliés aux entreprises. Les achats de produits américains par les 3,379 succursales atteignent 5.1 milliards. Le fait que sur ce montant 4.4 milliards de produits aient été fournis par les entreprises-mères et seulement 0.7 milliard par d'autres fournisseurs américains indique le rôle important que jouent les succursales pour canaliser les exportations américaines.

Des 5.1 milliards d'exportations américaines vendues aux succursales, presque la moitié (2.5 milliards) se compose de produits destinés à la revente sans autre transformation, c'est-à-dire presque exclusivement des produits manufacturés qui seront lancés sur les marchés où sont situées les succursales. Environ la moitié (1.2 milliard) de ces produits sont acheminés par des succursales du secteur manufacturier, le reste passant par des entreprises affiliées, dans le secteur du commerce et de la distribution. Les entreprises manufacturières canadiennes ont absorbé 580 milliards de dollars de ces exportations américaines, les entreprises européennes 380 millions, et celles de l'Amérique latine 150 millions. Le rôle des succursales manufacturières canadiennes comme agents de distribution de la lignée complète des produits des entreprises-mères est illustré par le fait que les entreprises canadiennes sous contrôle américain ont vendu quatre fois autant d'exportations américaines que les maisons de distribution canadiennes contrôlées par les Américains. Cette situation fait contraste avec celle qui existe dans toutes les autres régions du monde, où ce sont les maisons de distribution qui ont effectué la majeure partie des ventes de produits finis américains.[2]

L'intégration des succursales est plus poussée au Canada que dans les autres pays

Toujours d'après le relevé du ministère du Commerce des Etats-Unis, environ le tiers (1.7 milliard) des 5.1 milliards d'achats effectués par les succursales américaines se compose de pièces, d'équipement et d'autres produits intermédiaires. Le rôle particulier du Canada comme marché pour les exportations américaines de produits du genre se dégage du fait que 66 pour cent des succursales canadiennes, dans le secteur manufacturier, achètent des produits américains dont elles achèvent la transformation, à comparer à 50 pour cent au Japon, en Australie et en Afrique du Sud, 45 pour cent en Amérique latine et 43 pour cent en Europe. De plus, les dépenses moyennes des succursales canadiennes sont de 4.3 millions, soit plus de quatre fois celles des filiales établies dans les autres parties du monde.

Si le chiffre de 365 millions de dollars qui figure dans le relevé relativement aux exportations de biens de production destinés aux succursales américaines constitue nettement une sous-évaluation, le relevé donne néanmoins une bonne image de la dépendance technologique des succursales par rapport aux Etats-Unis. Etant donné que la technologie se concrétise dans les biens d'équipement, on notera avec intérêt que le pourcentage des succursales canadiennes qui achètent du matériel américain est le double de celui des succursales européennes. Ces deux cas représentent d'ailleurs les extrêmes d'une gamme qui va de 33 pour cent au Canada à 25 pour cent dans les pays « sous-développés » d'Asie et d'Afrique, 24 pour cent en Amérique latine, 19 pour cent au Japon, et jusqu'à 16 pour cent en Europe. Pour les pays d'Europe continentale à l'extérieur du Marché Commun, le chiffre tombe à 12 pour cent.

Le fait que les investissements en Europe engendrent moins d'exportations directes américaines que ceux des autres régions provient, bien entendu, de la forte capacité industrielle de l'Europe qui fournit une autre source d'équipement et de matériel. On peut se demander dans quelle situation l'Europe se trouverait s'il n'y avait pas existé des économies industrielles diversifiées et s'appuyant sur des cultures distinctes bien avant que les Américains y achètent ou y construisent leurs usines.

A cet égard, il est révélateur de constater que les succursales industrielles situées en Europe continentale sont beaucoup moins portées à acheter des produits exportés des Etats-Unis que leurs homologues du Royaume-Uni. Le pourcentage des succursales manufacturières qui achètent des produits américains pour des fins de transformation ou d'assemblage est nettement plus élevé au Royaume-Uni (66 pour cent) que dans les pays du Marché Commun (41 pour cent.) Le chiffre est encore plus faible dans les autres pays du continent qui ne sont pas membres du Marché Commun (29 pour cent). En ce qui a trait à l'achat de biens d'équipement américains, les chiffres correspondants sont de 20 pour cent, 16 pour cent et 12 pour cent.

La dépendance économique (ou technologique) du Royaume-Uni, dont ces données indiquent l'ampleur particulière, provient de ce que les succursales américaines étaient établies dans le pays bien avant leur implantation sur le continent. La communauté de langue et les « relations spéciales » qui unissent la nouvelle métropole anglo-saxonne et l'ancienne ont sans aucun doute contribué à favoriser les investissements directs américains au Royaume-Uni. Quant à l'apport des succursales américaines à la croissance et au dynamisme de l'économie britannique, c'est là une autre question. Dans le cas de l'Europe continentale, tout indique que les investissements directs américains ont été le résultat de l'essor économique plutôt que sa cause.

En ce qui a trait au Canada, l'étude du ministère du Commerce des Etats-Unis confirme les conclusions d'un rapport antérieur selon lequel les ventes des entreprises-mères à leurs succursales sont plus importantes au Canada que dans toute autre région du monde, à la fois par leur valeur absolue en dollars et par rapport à la totalité des importations américaines au Canada. D'après l'étude que le même ministère avait faite en 1963, le Canada absorbe 39 pour cent de toutes les ventes d'entreprises manufacturières américaines à leurs succursales, et 61 pour cent de toutes les importations canadiennes de produits américains finis ou semi-finis se composent de transferts entre les entreprises-mères et leurs succursales. Ce dernier chiffre offre un contraste frappant avec les données équivalentes pour les autres parties du monde: 36 pour cent pour l'Amérique latine, 32 pour cent pour l'Europe et 17 pour cent pour le reste du monde.[3] Le rapport de 1969 souligne que « il y a des différences majeures entre les politiques d'achat des entreprises industrielles canadiennes et celles des entreprises non canadiennes, et en fait les succursales canadiennes sont considérées comme des établissements domestiques plutôt qu'étrangers. »[4]

La concentration des entreprises internationales

Une des conclusions les plus intéressantes de l'étude du ministère du Commerce américain souligne qu'un nombre relativement restreint de très grandes entreprises internationales effectue l'ensemble des exportations américaines aux succursales. Des 3.2 milliards de dollars de ventes aux succursales manufacturières, 856 millions, soit 27 pour cent, étaient absorbés par six filiales canadiennes du secteur des transports.[5] Un autre 27 pour cent, soit 161 millions, provenait de 31 autres succursales; 626 millions, soit 20 pour cent, venaient d'un autre groupe de 74 succursales; 17 pour cent, soit 55 millions, de 250 succursales, et le reste, soit 9 pour cent, de 791 succursales. Enfin, 2,427 succursales n'achetaient rien aux Etats-Unis. La concentration des entreprises internationales se reflète dans le fait que des 8.5 milliards d'exportations des 330 sociétés internationales étudiées, 5.4 milliards provenaient de 39 entreprises-mères. Parmi ces 39 dernières, 24 relevaient des industries chimique, mécanique, électrique et des transports. Ces 24 sociétés avaient exporté 4.5 milliards de leurs établissements aux Etats-Unis à des entreprises affiliées et à d'autres clients.

C'est avec beaucoup d'éloquence que les représentants de ces gigantesques sociétés multinationales ont souligné l'apport de leurs entreprises à la balance des paiements américaine. Un administrateur de la *Joy Manufacturing Company*, qui fabrique de la machinerie et des biens d'équipement, expliquait ainsi comment les investissements directs augmentaient les exportations de produits:

« Le volume étonnant de nos exportations à nos succursales étrangères provient tout d'abord des ventes, par les usines de l'entreprise-mère, de pièces essentielles pour les machines faites à l'étranger, et ensuite des pressions constantes qu'exerce la *Joy International* sur chacune de ses succursales pour lui faire importer de nouveaux produits Joy achetés par la société-mère.

Je dois souligner que si nos succursales étrangères ne fonctionnaient pas comme elles le font, nos exportations ne seraient qu'une fraction de ce que vous voyez.

Les services de vente et d'entretien de *Joy International* visitent aussi tous nos agents de distribution à l'étranger, les aident à former leur personnel de vente et d'entretien, les accompagnent auprès de leurs clients et poussent la vente du matériel Joy de toutes les façons possibles... »[6]

De 1951 à 1961, la *Joy Manufacturing Company* a investi dans ses succursales étrangères 7.5 millions de dollars, ce qui comprend les achats de brevets étrangers et les versements de *royalties*, ainsi qu'un autre 10.7 millions en commissions, promotion des ventes et autres services, ce qui représente au total des sorties de capitaux de 17.7 millions de dollars pour une période de dix ans. La même société a perçu, en retour, 5.4 millions en *royalties* et autres redevances, 1.3 million en dividendes et intérêts, et elle a exporté pour 161 millions de produits des Etats-Unis, la majeure partie vendue à ses succursales ou par leur intermédiaire. Les succursales étrangères ont retenu un peu plus de dix millions de profits, établissant ainsi la valeur nette de leurs actifs à 17.5 millions de dollars.

On peut relever avec intérêt un autre témoignage venant des mêmes sources, celui du président et directeur général de la *Abbott Laboratories International Company*, M. Harold D. Arneson. S'adressant à la *Chicago Association of Commerce and Industry*, il expliquait comment les activités de sa société avaient apporté aux Etats-Unis un excédent net de 57.1 millions de dollars en cinq ans, soit de 1955 à 1960 :

« Je tiens à ajouter que même si notre entreprise ne fabrique que des produits pharmaceutiques, nos investissements à l'étranger ont entraîné non seulement des exportations de produits bruts chimiques et pharmaceutiques fabriqués aux Etats-Unis, mais aussi des exportations de matériel et de biens d'équipement destinés à nos usines à l'étranger.

Il est révélateur que par suite de l'augmentation des nos investissements à l'étranger les emplois, à la *Abbott Laboratories International Company* à Chicago, aient augmenté de 50 pour cent depuis six ans.

De plus, un grand nombre de savants, d'ingénieurs, de techniciens, de chercheurs, de préposés à la fabrication et divers autres types de personnel sont maintenant à l'emploi de notre société-mère, grâce à notre expansion sur les marchés étrangers, rendue possible par la hausse de nos investissements à l'étranger.

Notre expérience confirme le fait qu'en augmentant les exportations les investissements américains dans l'industrie étrangère contribuent à maintenir et à augmenter l'emploi aux Etats-Unis. »[7]

Durant les cinq années en question, les laboratoires Abbott ont tiré 50 millions de dollars de la vente de produits exportés par leurs établissements aux Etats-Unis, déduction faite du coût des matières importées servant à la fabrication de leurs produits. De plus, ils ont perçu 9.3 millions en dividendes, remboursements de prêts et autres transferts provenant de leurs succursales à l'étranger. Pendant la même période, les investissements d'Abbott à l'étranger, sous forme de prêts et d'investissements venant des Etats-Unis, n'ont été que de 2.2 millions.

A cet égard, il est intéressant d'examiner le bilan collectif de 19 entreprises multinationales qui constituent un éventail des divers secteurs industriels, à l'exclusion cependant de l'automobile et du pétrole.[8] Parmi les sociétés en cause, on relève notamment le nom d'entreprises aussi célèbres que la *General Electric Company, Goodyear International Corporation, Eastman Kodak Company, Procter and Gamble Company, Continental Can Company, Union Carbide Company, H. J. Heinz Company* et *American Machine and Foundry Company.* Les états financiers indiquent que pour l'ensemble de ces entreprises les dividendes communs versés ont substantiellement dépassé les nouvelles sorties de capitaux de la part des sociétés-mères chaque année de 1957 à 1960. En 1957, les revenus provenant de dividendes, frais d'administration, *royalties* et autres services ont été le quadruple des nouvelles sorties de capitaux. En 1960, les sorties de fonds destinés à de nouveaux investissements directs à l'étranger ont été le triple de ce qu'elles étaient en 1957, mais même au cours de cette année qui marquait un sommet dans les investissements, les revenus des succursales ont été largement supérieurs aux nouvelles sorties de capitaux. Ces revenus, d'ailleurs, ne représentent qu'une partie des profits et des recettes de devises étrangères qui ont résulté des investissements directs à l'étranger. En 1960, les ventes d'exportation des sociétés-mères à leurs succursales ont atteint un total de 339 millions, tandis que les investissements à l'étranger apportaient 250 autres millions en exportations. Toutes ces ventes, bien entendu, rapportent à la fois des profits aux sociétés-mères et des revenus fiscaux à l'Etat américain. (Voir tableau 11).

Parmi les 19 sociétés en question se trouve la *Procter and Gamble Company*. Dans son témoignage, le président de cette entreprise, M. Neil McElroy, soulignait que la première succursale de la société au Canada avait été fondée en 1915 mais qu'elle n'avait fournit de dividendes qu'à partir de 1939. De même, les premiers investissements de cette même entreprise à Cuba datent de 1931, mais les premiers dividendes furent versés en 1939 également.

Les années 1950 arrivées, les succursales de *Procter and Gamble* à l'étranger étaient solidement établies. De 1951 à 1961, elles rapportèrent 47 millions de dollars de dividendes aux Etats-Unis, alors que durant la même période les nouvelles sorties de capitaux ne furent que 11 millions de dollars.
De plus, les succursales ont réussi à drainer de l'épargne domestique des pays où elles étaient situées 67 millions de dollars en emprunts et réinvestissements de profits non distribués.

A propos de ces résultats plutôt spectaculaires, le président du conseil d'administration de *Procter and Gamble* faisait les commentaires suivants:

Tableau 11 : Sorties de capitaux de 19 sociétés – 1957-1960

(en millions de dollars U.S.)

	1957	1958	1959	1960
Sorties de capitaux	24.4	31.3	30.5	61.3
Importations de produits finis provenant de succursales à l'étranger	3.5	3.8	3.9	3.9
TOTAL	27.9	35.1	34.4	65.2

Entrées de capitaux pour les sociétés participantes

	1957	1958	1959	1960
Dividendes ordinaires perçus	64.8	64.2	78.6	81.2
Revenus provenant des succursales étrangères pour services fournis.	8.0	8.6	8.8	11.4
Redevances, *royalties* et brevets, frais d'administration.	14.8	17.3	13.7	18.6
Autres services et frais	3.3	3.0	4.5	5.4
Vente et exportation de: a) biens d'équipement b) produits à transformer aux succursales étrangères par les sociétés-mères américaines par d'autres entreprises américaines	102.9	98.4	114.3	128.6
Autres entreprises américaines	53.9	55.1	58.3	65.4
Exportations aux succursales étrangères pour fin de revente par les sociétés-mères américaines	183.2	165.9	189.1	210.3
par d'autres entreprises	19.0	16.2	24.4	18.9
Autres exportations résultant des investissements directs à l'étranger	152.3	190.6	177.0	171.9
TOTAL	602.2	619.3	668.7	711.7

SOURCE : *U.S. House of Representatives, Committee on Ways and means, 87th Congress,* vol. 4, pp. 3185-3209.

« Nous avons rapporté en dividendes aux Etats-Unis plus de quatre fois les dollars que nous en avions sorti. Si l'on nous permet de continuer comme nous l'avons fait, cette situation favorable devrait se prolonger et nous prévoyons même que le taux augmentera. Dans notre cas, les résultats des trois dernières années ont été meilleurs que ceux des dix dernières. Tout ceci s'est fait sous la surveillance attentive des autorités fiscales des gouvernements étrangers qui encouragent une telle croissance de l'activité commerciale parce qu'ils y voient un moyen de renforcer leurs propres économies. »

Le président de *Procter and Gamble* ajoutait qu'en plus des dividendes et de l'augmentation des actifs à l'étranger par suite du réinvestissement de profits non distribués et des emprunts locaux, les succursales avaient apporté aux Etats-Unis, de 1950 à 1960, 243 millions de dollars d'exportations de matériaux et d'équipement en grande partie achetés à la société-mère.

Le financement de l'expansion des entreprises dans l'hinterland

Même avant les « directives volontaires » du gouvernement américain, les entreprises internationales sous contrôle américain répugnaient à augmenter l'actif de leurs succursales étrangères par des injections de fonds provenant de la société-mère. Elles hésitaient plus encore à augmenter leur capital-actions dans l'*hinterland*. Le principal moyen de financement de l'expansion des succursales et des filiales est donc le réinvestissement des profits, ainsi que l'utilisation du capital local par des emprunts bancaires et des emprunts à long termes, souvent avec la garantie de la société-mère. Cette pratique a pour effet d'exercer une pression sur les marchés de capitaux des pays de l'*hinterland* et d'y faire

Tableau 12 : Sources de financement des succursales de
sociétés américaines à l'étranger
Moyennes pour trois ans (1963–1965)

(En pourcentages)

	Nouvelles entrées de capitaux	Profits retenus	Amortissement	Emprunts locaux	Total
TOUTES LES RÉGIONS	14.3	37.4	24.2	24.1	100.0
Mines et fonderies	5.6	55.9	23.2	15.3	100.0
Pétrole	17.4	40.3	24.8	17.5	100.0
Industrie manufacturière	13.5	32.1	23.9	30.5	100.0
CANADA	11.4	42.4	28.3	17.9	100.0
Mines et fonderies	1.6	57.6	24.9	15.9	100.0
Pétrole	19.2	33.7	32.4	14.7	100.0
Industrie manufacturière	10.9	41.8	27.5	19.8	100.0

AMERIQUE LATINE	5.9	47.4	27.0	19.7	100.0
Mines et fonderies	-8.1	73.9	27.8	6.4	100.0
Pétrole	-3.9	60.3	37.8	5.8	100.0
Industrie manufacturière	19.3	27.0	17.2	36.5	100.0
EUROPE	19.1	22.0	25.7	33.2	100.0
Mines et fonderies	—	—	—	—	
Pétrole	35.7	0.6	25.1	38.6	100.0
Industrie manufacturière	13.1	29.4	25.8	31.7	100.0
AUTRES REGIONS	16.7	44.6	17.2	21.5	100.0
Mines et fonderies	23.9	30.0	14.0	32.1	100.0
Pétrole	16.8	53.3	16.6	13.3	100.0
Industrie manufacturière	14.4	29.9	19.2	36.5	100.0

SOURCE: Données tirées de U.S. Survey of Current Business, janvier 1967.

monter les taux d'intérêt, particulièrement au Canada et sur le marché de l'eurodollar.

Ce sont les revenus tirés de l'activité des succursales qui constituent la principale source de financement des immobilisations de capitaux, et les succursales doivent normalement remettre tout excédent de profits à la société-mère et se financer par des emprunts locaux. C'est la société-mère seule qui décide, en fin de compte, de la part des profits des succursales qui lui sera remise et de celle qui servira à financer les immobilisations. Les succursales étrangères ne sont pas autorisées à garder les fonds qu'elles ont gagnés sur place au-delà du capital de roulement qui leur est nécessaire. Leur activité sur le marché local des capitaux se limite aux emprunts: en règle générale elles n'émettent pas d'actions et elles ne fournissent pas de capitaux d'investissement aux autres secteur économiques de l'*hinterland*.

L'expansion par l'acquisition

Il a été observé que presqu'aucune petite ou moyenne entreprise et très peu de grandes ne se sont lancées sur le marché européen à partir de zéro, du moins dans le secteur manufacturier. Cette constatation vaut aussi pour le Canada, bien qu'à un moindre degré. L'entreprise idéale, lorsqu'il s'agit d'en faire l'acquisition, est celle qui appartient à un petit groupe d'industriels locaux et qui en plus d'avoir un personnel compétent est bien établie sur le marché. Depuis quelques années les cas d'acquisition d'entreprises existantes ont été si nombreux que les prix offerts représentent souvent une surévaluation considérable de l'actif, ce qui rend l'offre irrésistible pour les propriétaires, qu'ils soient européens ou canadiens. Ces acquisitions sont particulièrement avantageuses dans l'industrie manufacturière et dans le commerce. De 1963 à 1967, sur un total de 1,520 acquisitions, 1,192 ont eu lieu dans le secteur manufacturier.

Pendant cette période de cinq ans, les sociétés internationales sous contrôle américain ont acheté 2,085 entreprises étrangères et en ont vendu 565. Le bilan des achats et des

Table 13: *Tableau 13 : Acquisitions et ventes d'entreprises étrangères par les sociétés américaines – 1963-1967*

	1963			1964			1965			1966			1967			TOTALS 1963-1967		
	Acquisitions	Ventes	Acquisitions nettes	Acquisitions	Ventes	Acquisitions nettes	Acquisitions	Ventes	Acquisitions nettes	Acquisitions	Ventes	Acquisitions nettes	Acquisitions	Ventes	Acquisitions nettes	Acquisitions	Ventes	Acquisitions nettes
Tous les secteurs	228	52	176	434	106	328	369	90	279	583	29	554	471	288	183	2085	565	1520
Canada	71	32	39	86	80	6	69	47	22	65	13	53	117	38	74	408	210	194
Europe	147	7	140	324	3	321	258	2	256	427	4	422	282	58	229	1437	74	1369
Autres régions	9	13	–4	24	23	1	42	41	1	91	12	79	72	192	–120	238	281	–43
Secteur manufacturier	170	38	132	339	15	324	268	46	222	315	25	289	330	105	225	1422	229	1192
Canada	23	18	5	80	13	67	22	44	–22	59	12	46	39	38	1	223	125	97
Europe	140	7	133	246	1	245	207	2	205	182	4	178	245	50	195	1020	64	956
Autres régions	7	13	–6	13	1	12	39		39	74	9	65	46	17	29	179	40	139

SOURCE : *U.S. Survey of Current Business.* Numéros divers.

ventes d'entreprises situées dans l'*hinterland* indique 1,369 acquisitions en Europe et 194 au Canada, et la vente de 43 entreprises dans le reste du monde. Environ le tiers des acquisitions ont été faites en 1966. (Voir le tableau 13).

Est-il besoin de souligner que les ventes et les achats d'entreprises dans les pays de l'*hinterland* ont pour effet de renforcer la situation générale des sociétés américaines, étant donné que celles-ci achètent les entreprises les plus solides et vendent les plus faibles. Les entreprises acquises servent à l'implantation de la technologie et des méthodes d'organisation et de commercialisation américaines qui, lorsqu'elles sont adaptées au milieu local, confèrent aux grandes sociétés des avantages marqués sur les concurrents indépendants. On peut donc constater une fois de plus que les avantages dont bénéficient les sociétés multinationales proviennent de la supériorité de leurs structures organisationnelles et de la possibilité qu'elles ont de sacrifier les profits à l'expansion. Si la clé du succès industriel réside dans l'initiative (et tout indique qu'il en est ainsi), l'intégration des entreprises indépendantes de l'*hinterland* aux mini-empires privés des sociétés multinationales sous contrôle américain a certes de quoi inquiéter l'Europe, le Canada et le reste du monde. Le remplacement des entreprises locales par les sociétés multinationales ne peut aboutir qu'à l'affaiblissement de la vie économique et nationale des pays de l'*hinterland*. Il n'est pas de région au monde où cette tendance ait été aussi clairement illustrée qu'au Canada.

Les Canadiens qui s'inquiètent des dangers que présente un contrôle excessif de la part des grandes sociétés américaines ont dans l'ensemble accepté le dogme selon lequel il serait insensé de tenter de « racheter » le Canada. Nous manquons de capitaux. Mieux vaut concentrer nos efforts sur la création de nouvelles entreprises que de gaspiller de l'argent pour racheter celles qui existent. De cette façon, la partie de l'économie canadienne contrôlée par les entreprises multinationales finira bien par diminuer. Tel est du moins leur raisonnement.

Mais ce raisonnement semble se fonder sur le postulat voulant que les entreprises canadiennes soient nécessairement moins efficaces, moins dynamiques, moins créatrices et moins rentables que les filiales ou les succursales des sociétés étrangères. Si cela est vrai, alors pourquoi les Canadiens réussiraient-ils mieux à créer des entreprises qu'à acheter celles que contrôlent les Américains? Une société internationale qui s'établit à l'étranger commence généralement par acheter une entreprise établie. L'acheteur paye alors le prix fort et il s'attend quand même à augmenter globalement ses possibilités de profit. Quand au vendeur, il estime que le prix qu'il a obtenu lui assurera un revenu plus gros ou plus sûr que celui qu'il aurait gagné en continuant d'exploiter son entreprise. S'il est avantageux pour les sociétés internationales de se « développer » en mobilisant les ressources en hommes et en matériel par l'acquisition et la réorganisation des entreprises existantes, pourquoi ne serait-il pas tout aussi avantageux pour l'industrie canadienne (publique ou privée) d'en faire autant? Si les Canadiens manquent vraiment d'imagination et de sens de l'initiative, alors toutes leurs entreprises échoueront. Dans le cas contraire, il se peut que le rachat et la réorganisation des entreprises qui sont actuellement sous contrôle américain leur offrent le seul moyen d'accès aux industries de pointe axées sur la technologie.

Ce n'est pas le capital qui manque au Canada, mais simplement, comme le faisaient observer les potentats de Procter and Gamble, les idées qui justifieraient les investissements. La plus précieuse ressource d'un pays est l'imagination de son peuple, et la conséquence la plus grave de la régression du Canada vers une condition de dépendance est la résignation des Canadiens qui s'imposent eux-mêmes une place de second rang et une mentalité d'imitateurs. Vivant dans l'ombre des Etats-Unis, la plupart des Canadiens sont plus conscients des légères différences entre leurs revenus respectifs que du potentiel d'un pays dont la production annuelle dépasse celle de toute l'Afrique et équivaut à plus de la moitié de celle du continent sud-américain.

Dans les termes mesurés et empreints de bon sens qui caractérisent ses écrits, le professeur Vernon a déjà fait observer que tous les modèles que peuvent proposer les économistes demeurent trop simplistes pour évaluer les effets à long terme des investissements directs américains au Canada. « Il faut croire, conclut-il, qu'à force de compter sur les Etats-Unis pour ses capitaux et sur la Providence pour ses richesses naturelles, le Canada en est venu à négliger quelque peu de mettre en valeur la ressource qui lui venait de lui-même, à savoir son peuple. »[9]

NOTES :

1. Marie T. Bradshaw: *"U.S. Exports to Foreign Affiliates of U.S. Firms"*, in Survey of Current Business, mai 1969, pp. 34-51. Contrairement aux relevés du Ministère du Commerce pour 1964, on n'a pas tenté en ce cas de gonfler les résultats pour présenter des "sommes globales". Aux fins des présents calculs, les exportations américaines ne comprennent pas certains matériaux bruts ni l'aide militaire à l'étranger.

2. Dépenses moyennes des succursales du secteur manufacturier au Canada et dans toutes les autres régions (en millions de dollars U.S.)

	Canada	Autres régions
Secteur manufacturier	4.3	1.0
Matériel de transport	28.2	4.1
Machinerie	1.7	1.1
Produits chimiques	1.6	0.8
	1.0	0.6

SOURCE : M. Bradshaw, op. cit.

3. *Survey of Current Business,* décembre 1965.

4. *"U.S. Exports to Foreign Affiliates"*, op. cit., p. 44.

5. Le relevé porte sur l'année 1965. Les accords sur l'automobile n'étaient pas encore entièrement en vigueur. Les succursales ont donc fonctionné durant la majeure partie de l'année selon le système prévu par les ententes antérieures.

6. *U.S. House of Representatives, Committee on Ways and Means,* 87 th *Congress* vol. 4, pp. 3242-3262. Témoignage de J. D. Morrow, président du Comité des Finances de la *Joy Manufacturing Company*. On notera que si les dividendes versés aux Etats-Unis ont été très faibles, l'apport global de cette société à la balance des paiements des Etats-Unis a été considérable.

7. Ibid. pp. 2844-2858.

8. Ibid. pp. 3185-3209.

9. Raymond Vernon: *"U.S. Enterprises and the Canadian Economy"*, in Canadian Forum, avril 1969.

Table des matières

Achevé d'imprimer
en avril mil neuf cent soixante-quatorze
sur les presses de l'Imprimerie Gagné Ltée
Saint-Justin — Montréal, Qué.